RAZÃO E SENSIBILIDADE
JANE AUSTEN

Título original: *Sense and Sensibility*

Copyright © Jane Austen

Razão e Sensibilidade
4ª edição: Junho 2024

Direitos reservados desta edição: Citadel Editorial SA

O conteúdo desta obra é de total responsabilidade do autor e não reflete necessariamente a opinião da editora.

Autor:
Jane Austen

Tradução:
Lúcia Brito

Preparação de texto:
Carla Sacrato

Revisão:
3GB Consulting

Projeto gráfico e capa:
Dharana Rivas

DADOS INTERNACIONAIS DE CATALOGAÇÃO NA PUBLICAÇÃO (CIP)

Austen, Jane 1775-1817
  Razão e Sensibilidade / Jane Austen ; tradução de Lúcia Brito. — Porto Alegre : CDG, 2022.
  392 p.

  ISBN: 978-65-87885-51-3
  Título original: Sense and Sensibility

  1. Ficção inglesa I. Título II. Brito, Lúcia

20-0547   CDD - 158.1

Angélica Ilacqua - Bibliotecária - CRB-8/7057

Produção editorial e distribuição:

contato@citadel.com.br
www.citadeleditora.com.br

RAZÃO E SENSIBILIDADE
JANE AUSTEN

Tradução:
Lúcia Brito

TEMPORALIS

2022

❧Sumário

Capítulo 1	7	Capítulo 20	115
Capítulo 2	12	Capítulo 21	123
Capítulo 3	18	Capítulo 22	132
Capítulo 4	23	Capítulo 23	141
Capítulo 5	29	Capítulo 24	149
Capítulo 6	33	Capítulo 25	156
Capítulo 7	37	Capítulo 26	162
Capítulo 8	41	Capítulo 27	170
Capítulo 9	45	Capítulo 28	179
Capítulo 10	51	Capítulo 29	184
Capítulo 11	58	Capítulo 30	197
Capítulo 12	63	Capítulo 31	206
Capítulo 13	68	Capítulo 32	218
Capítulo 14	75	Capítulo 33	226
Capítulo 15	80	Capítulo 34	236
Capítulo 16	88	Capítulo 35	245
Capítulo 17	95	Capítulo 36	253
Capítulo 18	101	Capítulo 37	262
Capítulo 19	106	Capítulo 38	275

Capítulo 39	284
Capítulo 40	290
Capítulo 41	298
Capítulo 42	306
Capítulo 43	312
Capítulo 44	323
Capítulo 45	340
Capítulo 46	347
Capítulo 47	356
Capítulo 48	364
Capítulo 49	369
Capítulo 50	382

❀ *Capítulo 1*

A família Dashwood havia se instalado em Sussex fazia tempos. A propriedade era grande, e a residência ficava em Norland Park, no centro da herdade, onde haviam vivido de modo muito respeitável por muitas gerações, com isso granjeando uma boa reputação entre os conhecidos das redondezas. O último dono da propriedade era um homem solteiro que viveu até uma idade bastante avançada e que por muitos anos de sua vida teve a irmã como companhia constante e governanta. Todavia, a morte desta, dez anos antes da sua, produziu uma grande alteração na casa; para suprir a perda, ele convidou e recebeu em sua casa a família do sobrinho, sr. Henry Dashwood, herdeiro legal da propriedade de Norland e a pessoa a quem ele pretendia deixar seus bens. Na companhia do sobrinho, da sobrinha e dos filhos destes, os dias do velho cavalheiro passaram-se tranquilamente. Seu apego a todos eles aumentou. A atenção constante do sr. e sra. Henry Dashwood a seus desejos, decorrente não de mero interesse, mas da bondade de coração, garantiu-lhe todo o conforto que sua idade poderia requerer, e a alegria das crianças acrescentou grande prazer à sua existência.

O sr. Henry Dashwood tinha um filho de um casamento anterior e três filhas com a esposa atual. O filho, um jovem honrado e respeitável, era amplamente provido pela grande fortuna de sua mãe, metade da qual lhe fora transferida ao atingir a maioridade. Além disso, pelo próprio casamento, ocorrido pouco depois, ele havia aumentado sua riqueza. Para ele, portanto, herdar a propriedade de Norland não era tão importante quanto para suas irmãs; a fortuna delas, independentemente do que poderiam receber em decorrência de o pai herdar a propriedade, seria pequena. A mãe nada possuía, e o pai tinha apenas sete mil libras à disposição, pois a outra metade da fortuna de sua primeira esposa também estava destinada para o filho, e ele tinha apenas o usufruto.

O velho cavalheiro morreu, seu testamento foi lido, e, como quase todos os testamentos, provocou tanto decepção quanto prazer. O cavalheiro não foi nem injusto nem ingrato ao deixar a propriedade para o sobrinho – mas deixou sob condições tais que destruíram metade do valor do legado. O sr. Dashwood desejava a propriedade mais por causa da esposa e das filhas do que dele e do filho; mas Norland foi vinculada a seu filho e seu neto, uma criança de quatro anos de idade, de tal maneira que não lhe dava poderes de prover aquelas que lhes eram mais caras e que mais necessitavam de provisão por algum crédito da propriedade ou pela venda da valiosa madeira. Tudo foi colocado em benefício da criança que, em suas visitas ocasionais a Norland com o pai e a mãe, havia conquistado o afeto do tio com os atrativos típicos de crianças de dois ou três anos – a fala imperfeita, um desejo ardente de fazer o que quiser, muitos truques espertos e grande barulheira –, de tal maneira que superou o valor de toda a atenção recebida por anos da sobrinha e de suas filhas. Contudo, ele não tinha a intenção de ser indelicado, e, como sinal do afeto pelas três meninas, deixou mil libras para cada uma.

De início a decepção do sr. Dashwood foi severa, mas seu temperamento era alegre e otimista; era razoável ele esperar viver muitos anos e, vivendo de modo econômico, poupar uma soma considerável do rendimento de um patrimônio já grande e capaz de melhorias quase imediatas. Mas a fortuna, que havia demorado tanto a chegar, foi sua por apenas doze meses. Ele viveu apenas um ano mais que o tio, e dez mil libras, incluídos os legados do falecido, foi tudo o que restou para a viúva e as filhas.

Seu filho foi chamado assim que a situação se agravou, e o sr. Dashwood, com todo o vigor e a urgência que a doença impunha, recomendou ao filho que cuidasse de sua madrasta e das irmãs. O sr. John

Dashwood não tinha sentimentos intensos como o resto da família, mas foi afetado pela natureza da recomendação e na hora prometeu fazer tudo em seu poder para mantê-las seguras. Seu pai se tranquilizou com aquela garantia, e o sr. John Dashwood então teve tempo para considerar o que em seu poder seria prudente fazer por elas.

John Dashwood não era um jovem de má índole, a menos que ser um tanto frio e egoísta seja má índole, mas, de modo geral, era bastante respeitado, pois se conduzia de modo apropriado no desempenho de suas funções ordinárias. Tivesse ele se casado com uma mulher mais amável, poderia tornar-se ainda mais respeitável do que era, poderia até ter se tornado mais amável, pois era muito jovem quando se casou e gostava muito da esposa. Mas a sra. John Dashwood era uma caricatura exacerbada dele – mais mesquinha e egoísta.

Quando fez a promessa ao pai, ele pensou consigo mesmo em aumentar a fortuna de suas irmãs dando mil libras de presente para cada uma. Na ocasião considerou-se realmente apto a fazê-lo. A perspectiva de quatro mil libras anuais, somada à renda atual, além da metade restante da herança de sua mãe, aqueceu seu coração e o fez sentir-se capaz da generosidade. Sim, daria a elas três mil libras, seria pródigo e bonito. Seria o bastante para que ficassem completamente seguras. Três mil libras! Ele poderia economizar essa quantia considerável sem maiores inconvenientes. Pensou nisso o dia inteiro e por vários dias seguidos sem se arrepender.

Mal havia terminado o funeral de seu pai quando a esposa, sem qualquer aviso de sua intenção para a sogra, chegou com o filho e os empregados. Ninguém poderia contestar seu direito de vir, a casa era do marido desde a morte do pai, porém, a indelicadeza de sua conduta era imensa, e, para uma mulher na situação da sra. Dashwood, com meros sentimentos normais, teria sido muitíssimo desagradável; contudo, em *sua* mente havia um sentimento de honra tão intenso, uma generosidade

Razão & Sensibilidade

tão romântica, que qualquer ofensa desse tipo, fosse quem fosse que a provocasse ou sofresse, era para ela motivo de desgosto absoluto.

A sra. John Dashwood nunca fora a favorita de nenhum membro da família do marido, mas até o momento não tivera a oportunidade de lhes mostrar com que falta de atenção ao bem-estar alheio era capaz de agir quando a ocasião exigia. A sra. Dashwood sentiu tão agudamente o comportamento rude, e tão intenso foi o desprezo pela nora por causa disso, que, com a chegada desta, teria deixado a casa para sempre, não fosse primeiro a súplica da filha mais velha induzi-la a refletir sobre a descortesia de ir embora, e depois o terno amor pelas três filhas determinar que permanecesse e por causa delas evitasse uma ruptura com o irmão.

Elinor, a filha mais velha, cujo conselho fora tão eficaz, tinha uma capacidade de compreensão e uma frieza de julgamento que a qualificavam, embora com apenas dezenove anos, a ser a conselheira da mãe e com frequência lhe permitiam neutralizar, para a vantagem de todas elas, aquele afã mental da sra. Dashwood que geralmente levava à imprudência. Elinor tinha um excelente coração, seu temperamento era afetuoso e seus sentimentos eram intensos, mas ela sabia governá-los – isso era um conhecimento que a mãe ainda precisava aprender e que uma de suas irmãs resolvera jamais aprender.

Os dons intelectuais de Marianne eram, em muitos aspectos, quase iguais aos de Elinor. Era sensata e inteligente, mas impetuosa em tudo: suas dores e suas alegrias não tinham moderação. Era generosa, amável, interessante, era tudo, menos prudente. A semelhança entre ela e a mãe era notavelmente grande.

Elinor via com preocupação o excesso de sensibilidade da irmã, mas esse traço era valorizado e apreciado pela sra. Dashwood. Naquele momento elas encorajavam uma à outra na violência de suas aflições. A agonia da dor que de início as dominara era voluntariamente renovada, buscada e repetidamente criada. Elas se entregaram totalmente à tristeza, buscando aumento de sua desgraça em cada reflexão que o permitisse e resolveram jamais admitir consolo no futuro. Elinor também estava profundamente aflita; mas ainda conseguia lutar, conseguia se esforçar. Ela conseguia conversar com o irmão, teve condições de receber a cunhada em sua chegada e tratá-la com a devida atenção; e se esforçava para despertar sua mãe para esforço semelhante e encorajá-la a ter paciência semelhante.

Margaret, a outra irmã, era uma menina bem-humorada e de bom temperamento; porém, como já havia absorvido boa dose do romantismo de Marianne, sem ter muito de sua sensatez, aos trezes anos não podia igualar-se às irmãs em uma etapa mais avançada da vida.

❧ Capítulo 2

A sra. John Dashwood instalou-se como senhora de Norland; a sogra e as cunhadas foram rebaixadas à condição de visitantes. Como tal, no entanto, eram tratadas pela senhora com serena civilidade e pelo marido com tanta bondade quanto ele conseguia sentir por qualquer pessoa além de si mesmo, da esposa e do filho. Ele realmente insistiu com certa seriedade para que considerassem Norland seu lar; como nenhum plano pareceu tão adequado à sra. Dashwood como permanecer lá até que pudesse se acomodar em uma casa na vizinhança, o convite foi aceito.

Permanecer em um lugar onde tudo fazia lembrar dos antigos prazeres era exatamente o que combinava com a mentalidade da sra. Dashwood. Em tempos de alegria, nenhum temperamento poderia ser mais alegre que o dela ou proporcionar em maior grau aquela expectativa otimista de felicidade que é a própria felicidade. Mas na tristeza ela era levada por sua fantasia para muito além do consolo, assim como em momentos de prazer nada a perturbava.

A sra. John Dashwood não aprovou de forma alguma o que o marido pretendia fazer pelas irmãs. Tirar três mil libras da fortuna de seu querido filhinho seria empobrecê-lo ao mais terrível grau. Ela implorou que ele repensasse. Como poderia justificar para si mesmo roubar do filho, do único filho, aliás, uma soma tão grande? E que reivindicação poderiam fazer as senhoritas Dashwood, aparentadas com ele apenas pela metade, o que ela não considerava parentesco algum, de sua generosidade para uma quantia tão grande? Era bem sabido que jamais se esperava afeição entre os filhos de casamentos diferentes de qualquer homem; por que ele se arruinaria, e ao pobrezinho do Harry, dando todo o seu dinheiro para as meias-irmãs?

— Foi o último pedido de meu pai — respondeu o marido — que eu assistisse sua viúva e filhas.

— Ele não sabia o que estava falando, ouso dizer; provavelmente estava com a mente embaralhada na ocasião. Se estivesse em seu juízo perfeito, não poderia ter pensado em algo como implorar a você para doar metade da fortuna do seu próprio filho.

— Ele não estipulou nenhuma quantia específica, minha querida Fanny; apenas me pediu, em termos gerais, para assisti-las e tornar sua situação mais confortável do que estava em seu poder. Talvez fosse melhor se ele tivesse deixado tudo aos meus cuidados. Ele dificilmente poderia supor que eu haveria de negligenciá-las. Contudo, como exigiu a promessa, eu não poderia fazer menos do que prometer; pelo menos foi o que pensei na época. A promessa, portanto, foi feita e deve ser cumprida. Algo deve ser feito por elas quando deixarem Norland e se estabelecerem em uma nova casa.

— Bem, então que se *faça* algo por elas; mas *esse* algo não precisa ser três mil libras. Considere que — acrescentou ela —, quando o dinheiro for repartido, jamais retornará. Suas irmãs vão se casar, e o dinheiro irá embora para sempre. De fato, se pudesse ser devolvido para nosso pobre garotinho...

— Ah, com certeza — disse o marido, muito sério — isso faria uma grande diferença. Pode chegar o dia em que Harry lamente por uma soma tão grande ter sido repartida. Caso ele tenha uma família numerosa, por exemplo, seria um acréscimo muito conveniente.

— Por certo que sim.

— Talvez então seja melhor para todas as partes que a soma seja reduzida à metade. Quinhentas libras seria um aumento prodigioso na fortuna delas!

Razão & Sensibilidade

— Oh! Mais do que grandioso! Que irmão neste mundo faria metade disso pelas irmãs, ainda que irmãs *de verdade*! E do jeito que é – apenas meio-sangue! Mas você tem um espírito tão generoso!

— Eu não gostaria de fazer nada mesquinho — respondeu ele. — Nessas ocasiões é melhor fazer de mais do que de menos. Pelo menos ninguém poderá pensar que não fiz o suficiente por elas – nem elas mesmas dificilmente podem esperar mais.

— Não há como saber o que *elas* podem esperar — disse a senhora —, nem devemos pensar nas expectativas delas; a questão é: o que você tem condições de fazer.

— Com certeza. E acho que tenho condições de dar quinhentas libras para cada uma. Do jeito como está, sem qualquer suplemento de minha parte, cada uma terá cerca de três mil libras com a morte da mãe – uma fortuna bastante suficiente para qualquer moça.

— Por certo que sim; de fato, me ocorre que possam não querer qualquer acréscimo que seja. Elas terão dez mil libras para dividir entre si. Se casarem, com certeza se casarão bem, se não se casarem, podem viver todas juntas muito confortavelmente com os juros de dez mil libras.

— É verdade; portanto, não sei se, considerando-se tudo, não seria mais aconselhável fazer algo pela mãe enquanto viver do que por eles – algo como uma pensão anual, digo. Minhas irmãs sentiriam os bons efeitos disso, assim como ela. Cem libras por ano as deixariam perfeitamente confortáveis.

No entanto, a esposa hesitou um pouco em dar consentimento ao plano.

— Com certeza — disse ela — é melhor do que entregar mil e quinhentas libras de uma vez. Mas, se a sra. Dashwood viver quinze anos, ficaremos completamente presos.

— Quinze anos! Minha querida Fanny; a vida dela não chegará à metade daquele valor.

— Certamente não; mas, se você observar, as pessoas sempre vivem muito quando recebem uma anuidade; ela é muito robusta e saudável, mal tem quarenta anos. Uma anuidade é uma coisa muito séria, ocorre anos após ano e não há como se livrar dela. Você não está ciente do que está fazendo. Conheço muito bem o problema das anuidades, pois, pelo testamento de meu pai, minha mãe foi obrigada a fazer pagamentos anuais para três velhos empregados aposentados, e é assombroso o quanto ela achou aquilo desagradável. As anuidades tinham que ser pagas duas vezes por ano, e havia o problema de fazer com que chegassem a eles; depois disseram que um deles havia morrido, mais tarde constatou-se que não. Minha mãe ficou bastante cansada daquilo. Sua renda não lhe pertencia, dizia ela, com tantos direitos perpétuos; foi a maior desconsideração de meu pai, porque, do contrário, o dinheiro teria ficado inteiramente à disposição de minha mãe, sem qualquer restrição. Isso me causou tamanha aversão às anuidades que tenho certeza de que não me obrigaria ao pagamento de uma por nada desse mundo.

— Com certeza é uma coisa desagradável — respondeu o sr. Dashwood — ter esse tipo de drenagem anual na renda. A fortuna de uma pessoa, como diz sua mãe com razão, *não* lhe pertence. Ficar vinculado ao pagamento regular de tal soma a cada vencimento não é de forma alguma desejável – retira a independência da pessoa.

— Sem dúvida, e no fim das contas você não recebe um agradecimento por isso. As pessoas se julgam seguras, você não faz mais do que o esperado, e isso não desperta nenhuma gratidão. Se eu fosse você, o que quer que fizesse ficaria inteiramente a meu critério. Não me comprometeria a conceder nada anualmente. Em alguns anos, pode ser muito inconveniente poupar cem ou mesmo cinquenta libras de nossas próprias despesas.

— Creio que você esteja certa, meu amor; será melhor nesse caso que não haja nenhuma anuidade; o que quer que eu possa lhes dar ocasionalmente será de muito mais ajuda do que uma pensão anual, porque elas apenas elevariam seu padrão de vida se tivessem certeza de uma renda maior e não ficariam um centavo mais ricas com isso no final do ano. Com certeza assim será melhor. Um presente de cinquenta libras de vez em quando evitará que se angustiem por dinheiro, e estarei, penso eu, cumprindo amplamente minha promessa a meu pai.

— Com certeza estará. De fato, para dizer a verdade, estou convencida de que seu pai não tinha ideia de que você desse dinheiro a elas. A ajuda em que ele pensou, ouso dizer, foi apenas a que seria razoável esperar de você; por exemplo, procurar uma casinha confortável para elas, ajudá-las a transportar suas coisas e enviar presentes como peixe, carne de caça e assim por diante conforme a estação. Aposto minha vida que ele não se referia a nada além disso; na verdade, seria muito estranho e irracional se o fizesse. Apenas considere, meu caro sr. Dashwood, como sua madrasta e as filhas dela podem viver muitíssimo bem com os juros de sete mil libras, além das mil libras pertencentes a cada uma das moças, que rendem cinquenta libras por ano cada, e, claro, elas pagarão à mãe pela alimentação com isso. Ao todo, terão quinhentas libras por ano, e o que neste mundo quatro mulheres podem querer além disso? A vida delas será pouco dispendiosa! A manutenção da casa não custará nada. Não terão carruagem, nem cavalos, praticamente nenhum criado; não terão visitas e não há como terem despesas de qualquer espécie! Imagine como ficarão confortáveis! Quinhentas libras por ano! Tenho certeza de que não consigo imaginar como vão gastar metade disso; quanto a dar-lhes mais, é totalmente absurdo pensar nisso. Elas terão muito mais condições de dar algo para *você*.

— Palavra de honra — disse o sr. Dashwood —, acredito que você esteja totalmente certa. Sem dúvida o pedido de meu pai não se referia a nada mais do que o que você diz. Agora entendo claramente e vou cumprir meu compromisso rigorosamente com os atos de assistência e gentileza que você descreveu. Quando minha madrasta se mudar para outra casa, prontamente ajudarei no que eu puder para acomodá-la. Algum pequeno presente de mobília também pode ser aceitável.

— Com certeza — concordou a sra. John Dashwood. — No entanto, *uma* coisa deve ser considerada. Quando seu pai e sua madrasta se mudaram para Norland, embora a mobília de Stanhill tenha sido vendida, toda a porcelana, prataria e roupas de cama e mesa foram guardadas e agora ficam para sua mãe. A casa dela, portanto, estará quase completamente pronta assim que ela pegar essas coisas.

— Essa é uma consideração relevante, sem dúvida. Um legado valioso, de fato! Ademais, parte da prataria seria um belo acréscimo à nossa aqui.

— Sim; e o conjunto de porcelana do café da manhã é duas vezes mais bonito do que o desta casa. Bonito demais, na minha opinião, para qualquer lugar em que *elas* tenham condições de morar. No entanto, é assim que as coisas são. Seu pai só pensava *nelas*. E devo dizer o seguinte: você não deve nenhuma gratidão particular a ele, nem atenção a seus desejos, pois sabemos muito bem que, se pudesse, ele teria deixado quase tudo deste mundo para *elas*.

Esse argumento foi irresistível. Deu às intenções dele a decisão que antes faltava; finalmente ele resolveu que seria absolutamente desnecessário, se não altamente indecoroso, fazer mais pela viúva e filhas de seu pai do que os atos atenciosos que a esposa havia mencionado.

❈ *Capítulo 3*

A sra. Dashwood permaneceu em Norland por vários meses; não por qualquer relutância em se mudar quando a visão de cada local tão conhecido deixou de despertar a violenta emoção que produziu por um tempo; afinal, quando seu ânimo começou a se reavivar e sua mente tornou-se capaz de outro esforço que não o de intensificar sua aflição com lembranças melancólicas, ela ficou impaciente para partir e infatigável na busca de uma moradia adequada nas vizinhanças de Norland, pois afastar-se daquele lugar amado era impossível. Mas ela não conseguiu descobrir nenhum local que respondesse de imediato às suas noções de conforto e comodidade e que se adaptasse à prudência da filha mais velha, cujo julgamento mais firme rejeitou várias casas que a mãe teria aprovado, mas que eram grandes demais para sua renda.

A sra. Dashwood fora informada pelo marido da solene promessa do filho em favor delas, o que o confortara em suas últimas reflexões terrenas. Ela, assim como ele, não duvidou da sinceridade da garantia e pensava nisso com satisfação pelo bem das filhas, embora estivesse convencida de que uma provisão bem menor do que sete mil libras a sustentaria em opulência. Também se regozijou pelo irmão das filhas, pelo bom coração dele, e se censurou por antes ter sido injusta quanto a seus méritos e por ter acreditado que ele fosse incapaz de generosidade. O comportamento atencioso com ela e as irmãs a convenceu de que o bem-estar de todas era importante para ele, e por muito tempo confiou firmemente na liberalidade de suas intenções.

O desprezo que a sra. Dashwood havia sentido pela nora desde que se conheceram aumentou muito à medida que se familiarizou melhor com seu caráter, ao residir por meio ano com a família; talvez, apesar de toda a solicitude, polidez ou afeto maternal por parte da viúva, as duas senhoras considerassem impossível viver juntas por tanto tempo caso não houvesse ocorrido uma circunstância particular que deu ainda maior direito, na opinião da sra. Dashwood, às filhas de permanecer em Norland. A circunstância foi uma crescente amizade entre sua filha mais velha e o irmão da sra. John Dashwood, um cavalheiro jovem e agradável, apresentado a elas logo após o estabelecimento da irmã em Norland e que desde então havia passado a maior parte do tempo lá.

Algumas mães poderiam encorajar a intimidade por motivos interesseiros, pois Edward Ferrars era o filho mais velho de um homem que morrera muito rico; algumas poderiam reprimir por prudência, pois, exceto por uma soma insignificante, toda a fortuna dele dependia do testamento de sua mãe. A sra. Dashwood, porém, não foi influenciada por nenhuma dessas considerações. Para ela bastava que ele parecesse amável, que amasse a filha e que Elinor correspondesse. Era contrário a todas as doutrinas da sra. Dashwood que a diferença de fortuna devesse separar qualquer casal atraído pela semelhança de temperamento; e para ela era impossível que o mérito de Elinor não fosse reconhecido por todos que a conheciam.

Edward Ferrars não conquistou a boa opinião delas por quaisquer graças peculiares de sua pessoa ou de suas maneiras. Ele não era bonito, e seus modos exigiam intimidade para ser agradáveis. Era tímido demais para fazer justiça a si mesmo; porém, quando sua timidez natural era superada, seu comportamento dava todos os indícios de um coração franco e afetuoso. Seu discernimento era bom, e sua educação havia proporcionado um sólido aprimoramento. Mas ele não tinha capacidade nem disposição para atender aos desejos da mãe e da irmã, que ansiavam por vê-lo destacar-se – embora não soubessem em quê. Queriam que ele causasse boa impressão no mundo de uma maneira ou de outra.

Razão & Sensibilidade

A mãe desejava fazê-lo se interessar pela política, levá-lo para o parlamento ou vê-lo ligado a alguns dos grandes homens da época. A sra. John Dashwood desejava o mesmo; mas nesse meio-tempo, até que uma dessas bênçãos maiores pudesse ser alcançada, sua ambição teria sido aplacada ao vê-lo dirigindo uma carruagem. Mas Edward não ligava para grandes homens ou carruagens. Todos os seus desejos se concentravam no conforto doméstico e na tranquilidade da vida privada. Felizmente ele tinha um irmão mais novo e mais promissor.

Edward permanecera várias semanas na casa antes de chamar a atenção da sra. Dashwood, pois na época ela se encontrava em tamanha aflição que descuidava das coisas ao redor. Ela viu apenas que ele era quieto e discreto e gostou dele por isso. Edward não perturbava a miséria de sua mente com conversas inoportunas. Ela foi levada a observá-lo e aprová-lo em maior profundidade graças a uma reflexão que Elinor por acaso um dia fez sobre a diferença entre ele e a irmã. Esse contraste o recomendou fortemente à mãe.

— É o suficiente — disse ela — dizer que ele não se parece com Fanny. Isso sugere tudo que há de amável. Já o amo.

— Acho que gostará dele — disse Elinor — quando o conhecer melhor.

— Gostar dele! — respondeu a mãe com um sorriso. — Não sinto nenhum sentimento de aprovação inferior ao amor.

— Você pode estimá-lo.

— Até hoje não sei o que seria separar estima e amor.

A sra. Dashwood então se esforçou para conhecê-lo. A conduta dela era afetuosa e logo acabou com a reserva dele. Ela rapidamente percebeu todos os méritos de Edward; a convicção da estima dele por Elinor talvez tenha ajudado na percepção, mas ela realmente se sentia segura do valor dele – mesmo aquele jeito quieto, que ia de encontro a todas as suas ideias sobre como deveria ser o comportamento de um rapaz, deixou de ser desinteressante quando ela percebeu que o coração dele era caloroso e seu temperamento, afetuoso.

Tão logo notou um sintoma de amor no comportamento dele com Elinor, a sra. Dashwood considerou como certo um vínculo sério entre eles e esperou que o casamento viesse em pouco tempo.

— Em poucos meses, minha querida Marianne — disse ela —, Elinor muito provavelmente estará com a vida resolvida. Vamos sentir sua falta, mas *ela* será feliz.

— Oh! Mamãe, como faremos sem ela?

— Meu amor, dificilmente será uma separação. Devemos morar a poucas milhas e nos encontraremos todos os dias de nossas vidas. Você vai ganhar um irmão, um irmão verdadeiro e afetuoso. Tenho a mais elevada opinião sobre o coração de Edward. Mas você parece séria, Marianne; você desaprova a escolha de sua irmã?

— Talvez — disse Marianne — eu a veja com certa surpresa. Edward é muito amável, e eu o amo ternamente. Mesmo assim... ele não é o tipo de rapaz... falta alguma coisa... sua aparência não é impressionante, não tem nada do encanto que eu esperaria do homem que pudesse realmente atrair minha irmã. Os olhos dele carecem daquele espírito, daquele fogo, que anuncia virtude e inteligência ao mesmo tempo. Além de tudo isso, mamãe, temo que ele não tenha verdadeiro bom gosto. A música mal parece atraí-lo, e, embora admire muito os desenhos de Elinor, não é a admiração de uma pessoa que consiga compreender seu valor. É nítido, apesar de sua atenção frequente enquanto ela desenha, que na verdade ele nada entende do assunto. Ele admira como enamorado, não como conhecedor. Para me satisfazer, essas características devem estar juntas. Eu não poderia ser feliz com um homem cujo gosto não coincidisse com o meu em todos os aspectos. Ele deve ser compatível com todos os meus sentimentos; os mesmos livros, a mesma música deve encantar a nós dois. Oh, mamãe, como foi desanimada e maçante a forma como Edward leu para nós ontem à noite! Senti imensamente por minha irmã. Ainda assim, ela aguentou com tanta compostura que nem parecia notar. Eu mal consegui me manter sentada. Ouvir aquelas belas linhas que com frequência quase me enlouquecem, pronunciadas com uma calma impenetrável, com uma indiferença terrível!

— Ele com certeza teria feito mais justiça a uma prosa simples e elegante. Naquela hora pensei nisso; mas você *tinha* que dar Cowper para ele.

— Ah, mamãe, se ele não se anima com Cowper! Mas devemos levar em conta a diferença de gostos. Elinor não tem meus sentimentos, portanto, pode ignorar isso e ser feliz com ele. Mas, se eu o amasse, teria partido *meu* coração ouvi-lo ler com tão pouca sensibilidade. Mamãe, quanto mais conheço o mundo, mais convencida fico de que nunca encontrarei um homem que eu possa realmente amar. Eu exijo tanto! Ele deve ter todas as virtudes de Edward, e sua aparência e suas maneiras devem ornar sua bondade com todos os encantos possíveis.

— Lembre-se, meu amor, de que você não tem nem dezessete anos. Ainda é muito cedo para desistir de tal felicidade. Por que você haveria de ser menos afortunada do que sua mãe? Em apenas uma circunstância, minha Marianne, que o seu destino seja diferente do meu!

Capítulo 4

— Que pena, Elinor — disse Marianne —, que Edward não tenha gosto por desenho.

— Não tenha gosto por desenho? — retrucou Elinor. — Por que você acha isso? Ele não desenha, é verdade, mas tem grande prazer em ver o desempenho de outras pessoas, e garanto que não é de forma alguma desprovido de bom gosto natural, embora não tenha tido oportunidades de aprimorá-lo. Se ele tivesse aprendido, acho que desenharia muito bem. Ele desconfia tanto do próprio julgamento nesses assuntos que jamais está disposto a dar opinião sobre qualquer pintura, mas tem um gosto inato e simples, que em geral o direciona perfeitamente.

Marianne ficou com medo de ofender e não disse mais nada, mas o tipo de aprovação que Elinor descrevera como o entusiasmo dele pelos desenhos de outras pessoas estava muito longe do deleite arrebatador que, na sua opinião, era o único que poderia ser chamado de gosto. Todavia, ainda que sorrindo por dentro com o erro, respeitou a irmã pela parcialidade cega em relação a Edward que gerava o erro.

— Espero, Marianne — continuou Elinor —, que você não o considere desprovido de gosto em geral. Na verdade, creio poder dizer que você não pensa assim, porque seu comportamento com ele é perfeitamente cordial, e, se sua opinião fosse *essa*, tenho certeza de que você jamais poderia ser cordial com ele.

Marianne nem sabia o que dizer. Não feriria os sentimentos da irmã em hipótese alguma, todavia, era impossível dizer algo em que não acreditava. Por fim respondeu:

— Não se ofenda, Elinor, se meus elogios a ele não forem iguais em tudo à sua percepção dos méritos dele. Não tive tantas oportunidades quanto você de avaliar nos mínimos detalhes as propensões mentais, inclinações e gostos dele, mas tenho a opinião mais elevada do mundo a respeito de sua bondade e bom senso. Penso nele como totalmente digno e amável.

— Tenho certeza — respondeu Elinor com um sorriso — de que seus amigos mais queridos não ficariam insatisfeitos com um elogio desses. Não imagino como você poderia se expressar mais calorosamente.

Marianne ficou feliz em ver sua irmã tão facilmente satisfeita.

— De seu bom senso e de sua bondade — continuou Elinor — penso eu que ninguém que o encontre com frequência suficiente para manter uma conversa sem reservas possa ter dúvidas. A excelência de seu discernimento e seus princípios é ocultada apenas por aquela timidez que muitas vezes o mantém calado. Você o conhece o suficiente para fazer justiça a seu sólido valor. Mas dos mínimos detalhes de suas propensões, como você disse, você se mantém mais ignorante do que eu por circunstâncias peculiares. Eu e ele temos passado bastante tempo juntos, enquanto você, movida pelo mais afetuoso princípio, esteve totalmente envolvida com nossa mãe. Eu o vi muito, estudei seus sentimentos e ouvi sua opinião sobre temas de literatura e gosto; no todo, atrevo-me a declarar que sua mente é culta, que ele desfruta imensamente dos livros, que sua imaginação é vivaz, sua observação é justa e correta e seu gosto é delicado e puro. Ao se conhecê-lo melhor, seus dons em todos os aspectos se evidenciam, assim como seu comportamento e aparência. À primeira vista, seu comportamento com certeza não impressiona, e sua aparência dificilmente pode ser chamada de bela, até que se perceba a expressão dos olhos, incomumente bondosos, e a doçura geral de seu semblante. No momento, eu o conheço tão bem que o considero muito bonito – ou quase isso, ao menos. O que você tem a dizer, Marianne?

— Muito em breve haverei de considerá-lo bonito, Elinor, se não o considero agora. Quando você me disser para amá-lo como a um irmão, não mais verei imperfeições em seu rosto, assim como não vejo em seu coração.

Elinor se assustou com essa declaração e lamentou o ardor com que se traíra ao falar dele. Ela sentia que Edward a tinha em elevado conceito. Acreditava que a estima era mútua, mas precisava ter muito mais certeza disso para concordar com a convicção de Marianne a respeito do vínculo entre ambos. Ela sabia que o que Marianne e sua mãe conjecturavam em um momento, acreditavam no momento seguinte – para elas, desejar era ter esperança, e ter esperança era aguardar. Ela tentou explicar a real situação para a irmã.

— Não tento negar — disse ela — que o tenho em alta conta, que o estimo imensamente, que gosto dele.

Com isso Marianne explodiu de indignação.

— Estima-o! Gosta dele! Elinor do coração de gelo! Oh! Pior do que coração de gelo! Envergonhado de ser diferente. Use essas palavras outra vez e sairei da sala no mesmo instante.

Elinor não pôde deixar de rir.

— Desculpe-me — disse ela —, fique certa de que não quis ofendê-la ao falar de uma forma tão moderada de meus sentimentos. Acredite que são mais fortes do que declarei; acredite que, em suma, equivalem-se aos méritos dele, e acredite na suspeita... na esperança de que sua afeição por mim possa ser justificada, sem imprudência ou tolice. Mas em nada além disso você deve acreditar. Não estou de forma alguma segura do apreço dele por mim. Há momentos em que parece duvidoso; até que os sentimentos dele sejam plenamente conhecidos, você não pode se surpreender com meu desejo de evitar qualquer encorajamento de minha própria parcialidade em acreditar ou chamar de mais do que realmente seja. Em meu coração sinto pouca – quase nenhuma – dúvida de sua preferência. Mas há outros pontos a serem considerados além de sua inclinação. Ele está muito longe de ser independente. Não temos como saber como a mãe dele realmente é; contudo, devido a menções ocasionais de Fanny a sua conduta e opiniões, nunca estivemos dispostas a considerá-la amável; ou muito me engano, ou o próprio Edward está ciente de que haveria muitas dificuldades em seu caminho caso desejasse se casar com uma mulher que não tivesse uma grande fortuna ou posição elevada.

Marianne ficou atônita ao descobrir o quanto a imaginação de sua mãe e a dela haviam ultrapassado a verdade.

— Você realmente não está comprometida com ele! — disse ela. — Todavia, com certeza isso acontecerá em breve. Mas duas vantagens advirão desse atraso. Não vou perdê-la tão cedo, e Edward terá maior oportunidade de melhorar esse gosto natural por sua atividade favorita, tão indispensavelmente necessário para sua felicidade futura. Oh! Se ele fosse tão estimulado por seu gênio a ponto de aprender a desenhar, que encantador seria!

Elinor dera sua verdadeira opinião à irmã. Não podia considerar sua parcialidade por Edward em estado tão próspero como Marianne acreditava. Havia nele às vezes uma falta de espírito que, se não denotava indiferença, revelava algo quase tão pouco promissor quanto. Alguma dúvida quanto à estima dela, supondo que ele a tivesse, não causaria mais do que inquietação. Não seria provável que produzisse aquele desânimo que com frequência o acompanhava. Uma causa mais razoável poderia ser encontrada na situação de dependência que proibisse entregar-se à sua afeição. Elinor sabia que a mãe de Edward não se comportava com ele de modo a tornar sua vida doméstica confortável no momento, nem lhe dava qualquer garantia de que ele poderia formar um lar para si mesmo sem atender estritamente as ideias dela para o engrandecimento do filho. Sabendo disso, era impossível para Elinor se sentir tranquila quanto ao assunto. Estava longe de confiar no resultado da predileção dele por ela, ainda que sua mãe e irmã dessem como certo. Não, quanto mais tempo ficavam juntos, mais duvidosa parecia a natureza de sua estima; às vezes, por alguns dolorosos minutos, ela acreditava que não passava de amizade.

Mas, quaisquer que fossem realmente os limites, foi o que bastou, quando percebidos pela irmã de Edward, para deixá-la inquieta e, ao mesmo tempo (o que era ainda mais comum), torná-la rude. Ela aproveitou a primeira oportunidade para afrontar a sogra de imediato, falando com ela de forma tão expressiva sobre as grandes expectativas para o irmão, sobre a resolução da sra. Ferrars de que os dois filhos se casassem bem e sobre o perigo para qualquer jovem que tentasse *atraí-lo* que a sra. Dashwood não pôde se fazer de desentendida nem se esforçar para ficar calma. Ela deu uma resposta que marcou seu desprezo e imediatamente saiu da sala, resolvendo que, qualquer que fosse o inconveniente ou custo de uma mudança tão repentina, sua amada Elinor não deveria ser exposta a tais insinuações por mais uma semana sequer.

Nesse estado de espírito, foi-lhe entregue uma carta do correio contendo uma proposta particularmente oportuna. Era a oferta, em condições muito facilitadas, de uma pequena casa pertencente a um parente dela, um cavalheiro importante e de posses em Devonshire. A carta era do próprio cavalheiro, escrita no verdadeiro espírito de acordo amigável. Ele entendia que a sra. Dashwood precisava de uma moradia; embora a casa que agora lhe oferecesse fosse apenas um chalé, assegurou que tudo que ela julgasse necessário seria feito, caso a proposta a agradasse. Depois de fornecer detalhes sobre a casa e o jardim, ele a pressionou com insistência para que fosse com as filhas até Barton Park, local de sua própria residência, de onde ela poderia julgar por si, já que as casas ficavam próximas, se Barton Cottage poderia, mediante reforma, tornar-se confortável para ela. Ele parecia realmente ansioso para acomodá-las, e a carta era escrita em estilo tão amigável que ela não poderia deixar de dar aquele prazer ao primo, especialmente no momento em que ela sofria com o comportamento frio e insensível de seus parentes mais próximos.

A sra. Dashwood não precisou de tempo para deliberações ou perguntas. A decisão foi tomada enquanto lia. A localização de Barton, em um condado tão distante de Sussex quanto de Devonshire, que poucas horas antes teria sido objeção suficiente para superar todas as possíveis vantagens do lugar, era agora sua primeira recomendação. Deixar a vizinhança de Norland não era mais um mal, era um objeto de desejo, era uma bênção em comparação com a desgraça de continuar como hóspede da nora, e mudar-se para sempre daquele lugar amado seria menos doloroso do que habitá-lo ou visitá-lo enquanto tal mulher fosse sua senhora. Ela escreveu no mesmo instante para sir John Middleton, agradecendo por sua bondade e aceitando a proposta; a seguir se apressou em mostrar as duas cartas às filhas para ter certeza de sua aprovação antes que sua resposta fosse enviada.

Elinor sempre pensou que seria mais prudente se estabelecerem a alguma distância de Norland do que nas imediações de seus conhecidos. A esse respeito, portanto, não lhe cabia se opor à intenção da mãe de se mudar para Devonshire. Além disso, a casa, conforme descrita por sir John, era tão simples e o aluguel era tão incomumente acessível que não lhe davam qualquer direito de objeção em nenhum dos pontos; portanto, embora não fosse um plano que agradasse sua imaginação, e embora fosse uma mudança da vizinhança de Norland além de seu desejo, ela não fez nenhuma tentativa de dissuadir a mãe de enviar uma carta de aquiescência.

Capítulo 5

Tão logo sua resposta foi enviada, a sra. Dashwood se deu ao prazer de anunciar ao enteado e à esposa dele que encontrara uma casa e que deixaria de incomodá-los assim que tudo estivesse pronto para a mudança. Eles ouviram a notícia com surpresa. A sra. John Dashwood não falou nada, mas seu marido delicadamente disse esperar que ela não se instalasse longe de Norland.

Ela teve grande satisfação em responder que estava indo para Devonshire. Ao ouvir isso, Edward virou-se rapidamente para ela e, com uma voz de surpresa e preocupação que não exigia nenhuma explicação, repetiu:

— Devonshire! Está realmente indo para lá? É muito longe daqui! E em que parte?

Ela explicou a localização. Ficava a cerca de seis quilômetros ao norte de Exeter.

— É apenas um chalé — prosseguiu ela —, mas espero ver muitos de meus amigos lá. Um ou dois quartos podem ser facilmente adicionados; se meus amigos não tiverem dificuldade de viajar tão longe para me ver, com certeza não terei dificuldade para acomodá-los.

Ela concluiu com um convite muito gentil ao sr. e à sra. John Dashwood para visitarem-na em Barton; Edward ela convidou com afeto ainda maior. Embora a última conversa com a nora a tivesse feito decidir não permanecer em Norland além do inevitável, não teve o menor efeito no ponto principal. Separar Edward e Elinor continuava longe de ser o seu objetivo; ela desejava mostrar à sra. John Dashwood, por meio do convite direto ao irmão, o quanto desprezava totalmente sua desaprovação do relacionamento.

Razão & Sensibilidade

O sr. John Dashwood disse à madrasta repetidas vezes o quanto lamentava por ela ter escolhido uma casa tão distante de Norland, impedindo-o de prestar qualquer serviço na mudança dos móveis. Ele realmente se sentiu conscienciosamente aborrecido na ocasião, pois o esforço a que havia limitado o cumprimento de sua promessa ao pai tornava-se impraticável com esse arranjo. A mobília foi toda enviada por navio. Consistia principalmente em roupa de cama e mesa, prataria, porcelanas e livros, com um belo pianoforte de Marianne. A sra. John Dashwood viu as embalagens partirem com um suspiro: não pôde deixar de sentir o golpe de que, embora a renda da sra. Dashwood fosse tão insignificante em comparação com a sua, ela teria belos artigos de mobília.

A sra. Dashwood alugou a casa por um ano; o chalé já estava mobiliado e poderia ser ocupado de imediato. Não surgiram dificuldades de nenhuma das partes do acordo; ela esperou apenas pela arrumação de seus pertences em Norland e a escolha da futura criadagem antes de partir para o oeste; e, como ela era extremamente rápida na execução de tudo que a interessava, isso logo estava feito. Os cavalos deixados pelo marido haviam sido vendidos logo após sua morte, e agora se apresentava uma oportunidade de se desfazer da carruagem. Ela concordou em também vendê-la, seguindo o sensato conselho da filha mais velha. Para o conforto das filhas, se tivesse consultado apenas os próprios desejos, ela a teria conservado, mas o juízo de Elinor prevaleceu. A sabedoria *dela* também limitou o número de empregados a três – duas criadas e um homem, rapidamente selecionados entre os que compunham o grupo de serviçais em Norland.

O homem e uma das criadas foram mandados imediatamente a Devonshire a fim de preparar a casa para a chegada de sua senhora; pois, como lady Middleton era uma completa estranha para a sra. Dashwood, ela preferia ir diretamente para o chalé em vez de ser hóspede em

Barton Park; e confiou tão indubitavelmente na descrição da casa feita por sir John que não sentiu nenhuma curiosidade em examiná-la por si antes de nela entrar como moradora. Sua ânsia de partir de Norland não diminuiu diante da evidente satisfação da nora com a perspectiva da mudança; satisfação essa debilmente disfarçada sob um frio convite para que adiasse a partida.

Agora era a hora em que a promessa do enteado ao pai poderia ser cumprida de modo particularmente adequado. Visto que ele havia negligenciado fazê-lo ao chegar à propriedade, a partida delas de sua casa poderia ser considerada o período mais adequado para o cumprimento. Mas a sra. Dashwood logo tratou de abandonar todas as esperanças nesse sentido e a se convencer, pelo rumo geral do discurso dele, de que a ajuda não se estendia além da permanência delas por seis meses em Norland. Ele falava com tanta frequência das crescentes despesas da casa e das demandas perpétuas sobre suas finanças, às quais um homem de qualquer importância no mundo estava exposto de forma incalculável, que mais parecia necessitar de dinheiro do que ter qualquer plano de doá-lo.

Poucas semanas após o dia que trouxe a primeira carta de sir John Middleton a Norland, tudo estava tão resolvido na futura residência que permitia à sra. Dashwood e suas filhas começarem a viagem.

Muitas foram as lágrimas derramadas por elas no último adeus a um lugar tão amado.

— Querida, querida Norland — disse Marianne, enquanto vagava sozinha diante da casa na última noite em que lá estavam —, quando deixarei de me lamentar por você? Quando aprenderei a ver outro local como um lar? Oh, casa feliz, você consegue entender o quanto sofro agora ao vê-la deste lugar de onde talvez nunca mais possa vê-la! E vocês, árvores tão conhecidas! Mas vocês continuarão as mesmas. Nenhuma folha apodrecerá porque nos mudamos, nenhum galho ficará imóvel embora não possamos mais observá-los! Não, vocês continuarão as mesmas, inconscientes do prazer ou do pesar que ocasionam, insensíveis a qualquer alteração naqueles que caminham sob sua sombra! Mas quem ficará para desfrutar de vocês?

✿ Capítulo 6

A primeira parte da jornada foi realizada em um estado de ânimo por demais melancólico para que não fosse entediante e desagradável. Porém, à medida que se aproximavam do final, o interesse pela aparência da região que habitariam superou o desânimo, e a visão de Barton Valley ao chegarem lhes proporcionou alegria. Era um local agradável e fértil, bem arborizado e rico em pastagens. Depois de serpentear por cerca de dois quilômetros, chegaram à casa. Um pequeno pátio verde era tudo o que havia diante dela, e um elegante portãozinho permitia a entrada.

Como casa, Barton Cottage, embora pequena, era confortável e compacta; mas, como chalé, era imperfeita, pois a construção era regular, o telhado era de telhas, as venezianas não eram pintadas de verde, nem as paredes estavam cobertas de madressilva. Uma passagem estreita conduzia diretamente da casa ao jardim nos fundos. Em cada lado da entrada havia uma sala de estar com cerca de cinco metros quadrados, e depois delas ficavam as áreas de serviço e as escadas. Quatro quartos e dois áticos compunham o resto da casa.

O chalé não fora construído há muitos anos e estava em bom estado de conservação. Em comparação com Norland, era realmente pobre e pequeno! Mas as lágrimas provocadas pela lembrança ao entrarem na casa logo secaram. Foram animadas pela alegria dos servos com sua chegada, e cada uma, pelo bem das outras, resolveu parecer feliz. Era o início de setembro, o clima estava bom, e, ao verem o lugar pela primeira vez com a vantagem do bom tempo, tiveram uma impressão favorável que foi de grande serventia para garantir sua aprovação duradoura.

A casa tinha uma boa localização. Morros altos erguiam-se logo atrás e não muito distante de cada lado, alguns eram de terra nua, outros eram cultivados e arborizados. A aldeia de Barton ficava basicamente em um dos morros e compunha uma vista agradável das janelas do chalé. A paisagem à frente era mais ampla, abrangia todo o vale e alcançava a região mais além. Os morros que cercavam o chalé delimitavam o vale naquela direção; sob outro nome e em outro curso, ele se ramificava de novo entre dois dos montes mais íngremes.

Em termos gerais a sra. Dashwood ficou muito satisfeita com o tamanho e a mobília da casa; embora seu antigo estilo de vida tornasse muitos acréscimos indispensáveis, adicionar e aprimorar eram um deleite para ela, que de momento dispunha de dinheiro suficiente para providenciar tudo o que se desejasse de mais elegante para os aposentos.

— Quanto à casa em si — disse ela — com certeza é muito pequena para nossa família, mas vamos nos acomodar de maneira toleravelmente confortável no momento, pois já é tarde demais para melhorias neste ano. Talvez na primavera, se eu tiver dinheiro bastante, como ouso dizer que terei, possamos pensar em construir. Essas salas são pequenas demais para as festas com nossos amigos que espero ver muitas vezes reunidos aqui; estou pensando em anexar a passagem a uma delas com talvez uma parte da outra e assim deixar o restante daquela outra para uma entrada; isso, com uma nova sala de estar que pode ser facilmente adicionada e um quarto e ático acima, tornarão esse chalezinho muito confortável. Eu gostaria que as escadas fossem bonitas. Mas não se pode esperar tudo – embora eu suponha que não seja difícil ampliá-las. Verei o quanto terei de recursos na primavera, e vamos planejar nossas melhorias de acordo.

Nesse ínterim, até que todas as alterações pudessem ser feitas com as economias de uma renda de quinhentas libras anuais por uma mulher que nunca havia economizado na vida, elas foram sábias o suficiente para se contentar com a casa como estava; cada uma se ocupou em organizar seus pertences particulares e se esforçar para, arrumando os livros e outros bens, formar um lar para si. O pianoforte de Marianne foi desempacotado e adequadamente instalado; os desenhos de Elinor foram afixados nas paredes da sala de estar.

Em meio a essas atividades, elas foram interrompidas logo após o café da manhã do dia seguinte pela chegada de seu senhorio, que veio dar-lhes as boas-vindas a Barton e oferecer todas as acomodações da própria casa e jardim, pois de momento as delas poderiam ser deficientes. Sir John Middleton era um homem de boa aparência, com cerca de quarenta anos. Ele estivera em Stanhill, mas havia tempo demais para as jovens primas lembrarem-se dele. Seu semblante era totalmente bem-humorado, e suas maneiras eram tão amigáveis quanto o estilo de sua carta. A chegada delas pareceu proporcionar-lhe verdadeira satisfação, e o conforto das primas pareceu um motivo de verdadeira preocupação para ele.

Sir John falou muito sobre o desejo sincero de que elas vivessem nos termos mais sociáveis com a família dele e insistiu tão cordialmente para que jantassem em Barton Park todos os dias até que estivessem mais bem instaladas na casa, e, embora suas súplicas fossem levadas a um ponto de perseverança além da civilidade, elas não puderam sentir-se ofendidas. Sua bondade não se limitou a palavras; uma hora depois que as deixou, uma grande cesta cheia de hortaliças e frutas chegou do parque, seguida, antes do final do dia, por um presente de carne de caça. Além disso, ele insistiu em levar todas as cartas delas para o correio e lhes entregar as recebidas, e não se furtou à satisfação de lhes enviar seu jornal todos os dias.

Lady Middleton havia enviado uma mensagem muito cortês por meio dele, indicando a intenção de visitar a sra. Dashwood assim que pudesse ter certeza de que não seria inconveniente; como a mensagem foi respondida com um convite igualmente cortês, sua senhoria foi apresentada a elas no dia seguinte.

Elas estavam, é claro, muito ansiosas para conhecer uma pessoa de quem tanto dependia seu conforto em Barton, e a elegância da aparência desta causou impressão favorável. Lady Middleton não tinha mais de vinte e seis ou vinte e sete anos; seu rosto era belo, sua silhueta, alta e imponente, e seu porte, gracioso. Suas maneiras tinham toda a elegância que faltava ao marido. Mas seriam aprimoradas por uma parcela da franqueza e cordialidade dele; a visita foi longa o suficiente para diminuir algo da admiração inicial, ao revelar que, embora perfeitamente educada, ela era reservada, fria e não tinha nada a falar além de perguntas ou comentários dos mais banais.

No entanto, não faltou conversa, pois sir John era muito loquaz, e lady Middleton tomara a sábia precaução de levar consigo o filho mais velho, um belo menino de cerca de seis anos, de modo que sempre havia um assunto a ser abordado pelas senhoras em caso extremo, pois tinham de perguntar o nome e a idade, admirar a beleza da criança e fazer-lhe perguntas que a mãe respondia por ele, enquanto o filho se pendurava nela e baixava a cabeça, para grande surpresa da senhora, admirada por ele ser tão tímido diante de outras pessoas, já que em casa era bastante barulhento. Em toda visita formal deveria haver uma criança presente para fornecer assunto para a conversa. No presente caso, levaram dez minutos para determinar se o menino era mais parecido com o pai ou a mãe e em que aspecto específico ele se parecia com um ou outro, pois é claro que todos divergiram e todos ficaram pasmos com a opinião uns dos outros.

Logo haveria oportunidade de as Dashwood debaterem sobre as demais crianças, já que sir John não deixou a casa sem garantir a promessa de jantarem em Barton Park no dia seguinte.

Capítulo 7

Barton Park ficava a cerca de oitocentos metros do chalé. As senhoras passavam por perto no trajeto ao longo do vale, mas a residência ficava oculta da vista do chalé por um morro. A casa era grande e bonita, e os Middleton viviam em um estilo que combinava hospitalidade e elegância. A primeira para a satisfação de sir John, a última para a de sua senhora. Quase nunca ficavam sem alguns amigos em casa, e promoviam mais reuniões de todos os tipos do que qualquer outra família da vizinhança. Era algo necessário à felicidade de ambos, pois, por mais diferentes que fossem em temperamento e comportamento, assemelhavam-se fortemente na total falta de talento e gosto, o que limitava a um âmbito muito estreito suas ocupações não relacionadas com a atividade social. Sir John era desportista, lady Middleton, mãe. Ele caçava e atirava, ela agradava aos filhos, e esses eram seus únicos passatempos. Lady Middleton tinha a vantagem de poder mimar os filhos o ano inteiro, enquanto as atividades independentes de sir John existiam apenas na metade do tempo. Compromissos contínuos em casa e fora, entretanto, supriam todas as deficiências de natureza e educação; sustentavam o bom humor de sir John e exercitavam a boa educação de sua esposa.

Lady Middleton se orgulhava da elegância de sua mesa e de todos os seus arranjos domésticos; desse tipo de vaidade provinha sua maior alegria em qualquer uma de suas festas. Já a satisfação de sir John em sociedade era muito mais real; ele gostava de reunir à sua volta mais jovens do que sua casa poderia comportar, e, quanto mais barulhentos, mais satisfeito ele ficava. Ele era uma bênção para toda a juventude da vizinhança, pois no verão sempre reunia grupos para comer presunto

Razão & Sensibilidade

frio e frango ao ar livre, e no inverno seus bailes particulares eram numerosos o suficiente para que qualquer moça não sofresse do apetite insaciável dos quinze anos.

A chegada de uma nova família à região sempre era motivo de alegria para ele, que ficou encantado em todos os sentidos com as habitantes que agora adquirira para seu chalé em Barton. As senhoritas Dashwood eram jovens, bonitas e sem afetação. Foi o que bastou para garantir sua opinião favorável, pois não ser afetada era tudo o que uma moça bonita poderia desejar para tornar sua mente tão cativante quanto sua aparência. O temperamento afável de Sir John o deixou feliz por acolher aquelas que poderiam ser consideradas em uma situação infeliz, em comparação com o estilo de vida que tinham no passado. A bondade com as primas, portanto, mostrava a verdadeira satisfação de um bom coração; ao instalar uma família apenas de mulheres em seu chalé, ele teve toda a satisfação de um desportista, pois um desportista, embora estime apenas os de seu sexo que sejam igualmente desportistas, nem sempre deseja encorajar seu gosto admitindo-os em uma residência dentro da própria herdade.

A sra. Dashwood e suas filhas foram recebidas na porta da casa por sir John, que lhes deu as boas-vindas a Barton Park com inequívoca sinceridade; ao acompanhá-las até a sala de estar, repetiu às jovens damas a preocupação que o mesmo assunto havia causado no dia anterior – não conseguir achar nenhum jovem inteligente para lhes apresentar. Haveria ali, disse ele, apenas um cavalheiro além dele, um amigo particular que estava hospedado em Barton Park, mas que não era muito jovem nem muito alegre. Ele esperava que todas desculpassem a pequenez da festa e garantiu que isso jamais se repetiria. Ele visitara várias famílias naquela manhã na esperança de obter algum acréscimo ao grupo, mas, com a noite de luar, todos estavam cheios de compromissos. Felizmente a mãe de lady Middleton havia chegado a Barton havia uma hora. Como era uma mulher muito alegre e agradável, ele esperava que as jovens damas não achassem a reunião tão enfadonha quanto poderiam imaginar. As moças, assim como a mãe, estavam perfeitamente satisfeitas por haver completos estranhos na festa, e não desejavam mais.

A sra. Jennings, mãe de lady Middleton, era uma mulher idosa, bem-humorada, alegre, gorda, que falava muito, parecia muito feliz e um tanto vulgar. Era cheia de piadas e risadas, e antes que o jantar terminasse já dissera muitas coisas espirituosas sobre namorados e maridos; esperava que as moças não tivessem deixado os corações para trás em Sussex e fingiu vê-las corar, tivessem elas corado ou não. Marianne ficou aborrecida com isso por causa da irmã e virou-se para Elinor para ver como ela suportava aqueles ataques; o olhar sério de Marianne causou a Elinor muito mais dor do que poderia advir de zombarias banais como as da sra. Jennings.

Dadas as diferenças na forma de se conduzir, o coronel Brandon, amigo de sir John, não parecia mais talhado para ser seu amigo do que lady Middleton para ser sua esposa, ou a sra. Jennings para ser a mãe de lady Middleton. O coronel era calado e sério. Todavia, sua aparência não era desagradável, apesar de, na opinião de Marianne e Margaret, ser um rematado solteirão, pois passava dos trinta e cinco anos; embora o rosto não fosse bonito, o semblante era sensato, e seus modos eram particularmente cavalheirescos.

Não havia nada em ninguém do grupo que pudesse recomendá-los como companhias para as Dashwood, mas a fria insipidez de lady Middleton era tão particularmente repulsiva que, em comparação com ela, a seriedade do coronel Brandon e até mesmo a empolgação turbulenta de sir John e sua sogra eram interessantes. Lady Middleton pareceu ter se divertido apenas com a entrada de seus quatro filhos barulhentos depois do jantar, que a puxaram de um lado para o outro, rasgaram suas roupas e puseram fim a todo tipo de conversa, exceto as que diziam respeito a eles.

À noite, com a descoberta de que Marianne sabia música, ela foi convidada a tocar. O instrumento foi aberto, todos se prepararam para ser encantados, e Marianne, que cantava muito bem, a pedidos repassou as principais canções que lady Middleton trouxera para a família por ocasião do casamento e que talvez estivessem desde então na mesma posição no pianoforte, pois sua senhoria celebrara aquele acontecimento desistindo da música, embora, conforme o relato da mãe, ela tocasse extremamente bem e, segundo ela mesma, gostasse muito de fazê-lo.

A apresentação de Marianne foi muito aplaudida. Sir John era ruidoso em sua admiração ao final de cada música e também ruidoso em sua conversa com os outros durante cada música. Lady Middleton o chamava à ordem com frequência, indagou como a atenção de alguém podia se distrair da música por um momento e pediu a Marianne que cantasse uma canção específica que ela recém-terminara. De todo o grupo, só o coronel Brandon a ouviu sem arroubos. Ele prestou-lhe apenas o cumprimento da atenção; Marianne sentiu respeito por ele na ocasião, coisa que os outros haviam perdido com a desavergonhada falta de gosto. O prazer dele pela música, embora não chegasse àquele deleite extático que poderia combinar com o dela, era apreciável quando contrastado com a horrível insensibilidade dos demais; ela era suficientemente sensata para reconhecer que um homem de trinta e cinco anos poderia muito bem ter deixado para trás toda intensidade de sentimentos e todo poder requintado de prazer. Ela estava perfeitamente disposta a fazer todas as concessões exigidas pela benevolência à idade avançada do coronel.

❧ *Capítulo 8*

A sra. Jennings era uma viúva com uma ampla renda. Tinha apenas duas filhas, vivera para ver ambas casadas de forma respeitável e agora não tinha nada a fazer a não ser casar todo o resto do mundo. Era zelosamente ativa na promoção desse objetivo até onde sua capacidade alcançava e não perdia uma oportunidade de planejar casamentos entre todos os jovens que conhecia. Era notavelmente rápida na descoberta de relacionamentos, aproveitava a vantagem de provocar o rubor e a vaidade de muitas moças com insinuações sobre seus poderes sobre determinados rapazes; esse tipo de discernimento permitiu-lhe declarar categoricamente, logo após a chegada a Barton, que o coronel Brandon estava muito apaixonado por Marianne Dashwood. A sra. Jennings suspeitou disso já na primeira noite em que estiveram juntos, por ele ouvir tão atentamente enquanto ela cantava; quando a visita foi retribuída com um jantar para os Middleton no chalé, o fato foi confirmado por ele ouvi-la novamente.

Só podia ser isso. A sra. Jennings ficou totalmente convencida. Seria um par excelente, pois *ele* era rico e *ela* era bonita. A sra. Jennings estava ansiosa para ver o coronel Brandon bem casado desde que o conhecera por intermédio de sir John e estava sempre ansiosa para conseguir um bom marido para toda moça bonita.

A vantagem imediata para si mesma não foi de forma alguma desprezível, pois a supriu de piadas intermináveis sobre os dois. Em Barton Park ela ria do coronel; no chalé, de Marianne. Era provável que, para o coronel, a zombaria, no que se referia apenas a ele, fosse perfeitamente indiferente; para Marianne, de início era incompreensível, mas, quando ela entendeu do que se tratava, mal sabia se ria do absurdo ou censurava

Razão & Sensibilidade

a impertinência, pois considerou um comentário insensível, dada a idade avançada do coronel e sua triste condição de velho solteirão.

A sra. Dashwood, que não conseguia imaginar um homem cinco anos mais jovem que ela tão incrivelmente idoso quanto parecia à imaginação juvenil da filha, aventurou-se a livrar a sra. Jennings da acusação de ridicularizar a idade do coronel.

— Mas, mamãe, você não pode negar o absurdo da acusação, ainda que possa não considerá-la intencionalmente maldosa. O coronel Brandon com certeza é mais jovem do que a sra. Jennings, mas tem idade suficiente para ser *meu* pai, e, se alguma vez teve ânimo suficiente para se apaixonar, deve há muito tempo ter deixado todas as sensações desse tipo para trás. É ridículo demais! Quando um homem estará a salvo de tais chistes, se a idade e a enfermidade não o protegem?

— Enfermidade! — disse Elinor. — Você considera o coronel Brandon enfermo? Posso facilmente supor que a idade dele pareça muito maior para você do que para nossa mãe, mas você dificilmente pode deixar de notar o uso que ele faz de seus membros!

— Você não o ouviu reclamar de reumatismo? E não é essa a enfermidade mais comum no declínio da vida?

— Minha querida filha — disse a mãe, rindo —, assim sendo, você deve viver em terror contínuo quanto ao *meu* declínio, e deve lhe parecer um milagre que minha vida tenha se estendido até a avançada idade de quarenta anos.

— Mamãe, você não está me fazendo justiça. Sei muito bem que o coronel Brandon não é idoso o bastante para já deixar os amigos apreensivos de perdê-lo devido ao curso da natureza. Ele pode viver mais vinte anos. Mas trinta e cinco anos não é mais idade para matrimônio.

— Talvez — disse Elinor — seja melhor que trinta e cinco e dezessete anos não contraiam matrimônio juntos. Mas, se por acaso houvesse uma mulher solteira aos vinte e sete anos, não penso que o fato de o coronel Brandon ter trinta e cinco seria uma objeção ao casamento com *ela*.

— Uma mulher de vinte e sete anos — disse Marianne depois de uma pausa — jamais pode esperar sentir ou inspirar afeto novamente; se sua casa for desconfortável ou sua fortuna for pequena, suponho que ela possa se submeter ao ofício de enfermeira em troca do sustento e da segurança como esposa. O casamento dele com tal mulher, portanto, nada teria de impróprio. Seria um pacto de conveniência, e todos ficariam satisfeitos. Aos meus olhos não seria casamento em absoluto, mas não importa. Para mim, pareceria apenas uma troca comercial, em que cada um desejaria ser beneficiado à custa do outro.

— Seria impossível, eu sei — respondeu Elinor —, convencê-la de que uma mulher de vinte e sete anos poderia sentir por um homem de trinta e cinco algo próximo o suficiente do amor para torná-lo um companheiro desejável para si. Mas devo contestar sua condenação do coronel Brandon e esposa ao confinamento constante em um quarto de doente só porque ontem, um dia muito frio e úmido, ele se queixou de uma leve sensação reumática em um dos ombros.

— Mas ele falou em coletes de flanela — disse Marianne —, e para mim, colete de flanela está invariavelmente relacionado a dores, espasmos, reumatismo e todas as espécies de padecimento que podem afligir os velhos e os fracos.

— Se ele estivesse apenas com uma febre violenta, você não o desprezaria nem a metade. Confesse, Marianne, há algo de interessante para você em bochechas coradas, olhos vazios e pulso acelerado pela febre?

Logo depois disso, quando Elinor saiu da sala, Marianne falou:

— Mamãe, tenho uma preocupação a respeito de doença que não posso esconder de você. Tenho certeza de que Edward Ferrars não está bem. Já estamos aqui há quase quinze dias, e ele ainda não veio. Nada além de uma verdadeira indisposição poderia ocasionar essa extraordinária demora. O que mais pode detê-lo em Norland?

— Você imaginou que ele viria tão cedo? — perguntou a sra. Dashwood. — Eu, não. Pelo contrário, se senti alguma ansiedade a respeito disso, foi ao me lembrar que ele às vezes demonstrou falta de prazer e rapidez em aceitar meu convite quando eu falava de sua vinda a Barton. Elinor já o espera?

— Nunca mencionei isso a ela, mas é claro que deve esperar.

— Acho que você está enganada, pois, quando conversei com ela ontem sobre uma nova lareira para o quarto de hóspedes, ela observou que não havia pressa para isso, pois não era provável que o quarto fosse necessário por algum tempo.

— Que estranho! Qual pode ser o significado disso? Mas todo o comportamento de um com o outro tem sido inexplicável! Como foram frios e contidos no último adeus! Quão lânguida foi a conversa em sua última noite juntos! Na despedida de Edward, não houve distinção entre Elinor e mim – foram os votos de felicidade de um irmão afetuoso para ambas. Por duas vezes eu os deixei propositalmente a sós no decorrer da última manhã, e nas duas ele inexplicavelmente me seguiu para fora da sala. E Elinor, ao deixar Norland e Edward, não chorou tanto quanto eu. Mesmo agora, seu autocontrole é invariável. Quando ela fica abatida ou melancólica? Quando tenta evitar companhias ou parece inquieta e insatisfeita?

Capítulo 9

As Dashwood estavam agora instaladas em Barton com razoável conforto. A casa e o jardim, com todos os objetos que as cercavam, já eram familiares, e as atividades comuns que conferiam a Norland metade de seus encantos foram retomadas com muito mais prazer do que Norland podia oferecer desde a perda do pai. Sir John Middleton, que as visitara todos os dias durante a primeira quinzena e que não tinha o hábito de ter muitos afazeres em casa, não escondia seu espanto ao encontrá-las sempre ocupadas.

Os visitantes, exceto de Barton Park, não eram muitos, pois, apesar das insistentes súplicas de sir John para que se misturassem mais na vizinhança e das repetidas garantias de que sua carruagem estaria sempre a serviço delas, o espírito independente da sra. Dashwood superava o desejo de atividade social para as filhas; ela estava decidida a se recusar a visitar qualquer família além da distância de uma caminhada. Poucas eram as que podiam ser assim classificadas – e nem todas estavam acessíveis. A cerca de dois quilômetros e meio do chalé, ao longo do vale estreito e sinuoso de Allenham, que emanava do vale de Barton, como descrito anteriormente, as moças, em uma de suas primeiras caminhadas, descobriram uma antiga mansão de aparência respeitável, que, por lembrar um pouco Norland, aguçou-lhes a imaginação e fez com que desejassem conhecê-la melhor. Mas em suas indagações ficaram sabendo que a proprietária, uma senhora idosa de muito bom caráter, infelizmente estava muito enferma para interações sociais e nunca saía de casa.

Toda a região ao redor oferecia belos passeios. Os morros que as convidavam de quase todas as janelas da casa a buscar o requintado

Razão & Sensibilidade

prazer do ar em seus cumes eram uma feliz alternativa quando a lama dos vales abaixo obstruía o acesso a suas belezas superiores; para um desses morros Marianne e Margaret dirigiram-se em uma manhã memorável, atraídas pelo sol parcial de um céu chuvoso e incapazes de suportar o confinamento que a chuva constante dos dois dias anteriores ocasionara. O tempo não estava tentador o suficiente para tirar as outras duas de seus lápis e livro, apesar da declaração de Marianne de que o dia finalmente seria bonito e todas as nuvens ameaçadoras se afastariam dos morro; assim, as duas meninas partiram juntas.

Subiram o morro alegremente, regozijando-se com o avanço a cada vislumbre de céu azul; quando sentiram no rosto as rajadas estimulantes de um forte vento sudoeste, lamentaram pelos temores que haviam impedido sua mãe e Elinor de compartilhar aquelas sensações deliciosas.

— Existe alguma felicidade no mundo superior a essa? — perguntou Marianne. — Margaret, vamos caminhar aqui por pelo menos duas horas.

Margaret concordou, e seguiram em seu trajeto contra o vento, resistindo com alegria e risos por cerca de vinte minutos mais, quando de repente as nuvens se uniram sobre suas cabeças e uma chuva forte caiu em seus rostos. Desgostosas e surpresas, foram obrigadas, ainda que de má vontade, a voltar, pois nenhum abrigo estava mais perto do que a própria casa. No entanto, restou-lhes um consolo, ao qual a exigência do momento conferiu mais pertinência do que o normal: correr a toda velocidade possível pela encosta íngreme que levava diretamente ao portão do jardim.

Partiram. Marianne levou vantagem a princípio, mas um passo em falso a fez cair de repente; Margaret, incapaz de frear para ajudá-la, seguiu involuntariamente na corrida e chegou ao sopé em segurança.

Um cavalheiro com uma arma de fogo e dois perdigueiros brincando à sua volta estava subindo o morro a poucos metros de Marianne quando o acidente aconteceu. Ele largou a arma e correu para ajudá-la.

Marianne havia se levantado, mas seu pé torcera na queda, e ela mal conseguia ficar em pé. O cavalheiro ofereceu seus préstimos; percebendo que por modéstia ela recusava o que a situação tornava necessário, tomou-a nos braços sem mais demora e a carregou morro abaixo. Depois, atravessando o jardim, cujo portão fora deixado aberto por Margaret, a conduziu diretamente para a casa, onde Margaret acabara de chegar, e não a soltou até acomodá-la em uma cadeira na sala de estar.

Elinor e sua mãe levantaram-se espantadas com a entrada deles, e, enquanto os olhos de ambas se mantinham fixos nele com evidente assombro – e também uma admiração secreta que brotava de sua aparência –, ele se desculpou pela intrusão, relatando o motivo de forma tão franca e tão graciosa que sua pessoa, incomumente bela, recebeu encantos adicionais de sua voz e expressão. Fosse ele velho, feio e vulgar, a gratidão e a bondade da sra. Dashwood teriam sido garantidas pelo ato de atenção com a filha, mas sua juventude, beleza e elegância proporcionaram juros à ação e apelaram a seus sentimentos.

Ela agradeceu repetidas vezes e, com a doçura de tratamento que a caracterizava, convidou-o a sentar. Ele recusou, pois estava sujo e molhado. A sra. Dashwood então solicitou saber a quem deveria agradecer. Seu nome, respondeu ele, era Willoughby, e sua atual residência era em Allenham, de onde esperava que ela lhe desse a honra de vir amanhã para ver como estava a srta. Dashwood. A honra foi prontamente concedida, e ele então partiu em meio a uma forte chuva, o que o tornou ainda mais interessante.

A beleza viril e a graciosidade fora do comum foram instantaneamente tema de admiração geral, e os risos de sua galanteria com Marianne receberam particular animação por causa de seus atributos exteriores. A própria Marianne vira menos da aparência dele do que as demais, pois a confusão que ruborizou seu rosto quando ele a a ergueu nos braços roubou-lhe o poder de observá-lo depois de entrarem em casa. Mas tinha visto o suficiente para se juntar à admiração das outras, e com a energia que sempre adornava seus elogios. A aparência e as maneiras dele correspondiam ao que sua imaginação já havia esboçado para o herói de um enredo predileto, e no ato de levá-la para dentro de casa com tão pouca formalidade prévia havia uma rapidez de pensamento que particularmente valorizava sua ação aos olhos dela. Todas as circunstâncias que diziam respeito a ele eram interessantes. Seu nome era bom, sua residência situava-se na vila favorita delas, e Marianne logo descobriu que, de todos os trajes masculinos, o paletó de caça era o mais adequado. Sua imaginação estava atarefada, suas reflexões eram agradáveis, e a dor da torção no tornozelo foi desconsiderada.

Sir John visitou-as assim que o primeiro intervalo de bom tempo naquela manhã permitiu que saísse de casa; ao lhe relatarem o acidente de Marianne, questionaram ansiosamente se conhecia algum cavalheiro de nome Willoughby em Allenham.

— Willoughby! — exclamou sir John. — *Ele* está na região? Que boa notícia, vou cavalgar até lá amanhã e convidá-lo para jantar na quinta-feira.

— Você o conhece então? — perguntou a sra. Dashwood.

— Se o conheço? Com certeza que o conheço. Ora, ele vem aqui todos os anos.

— E que tipo de jovem ele é?

— Do melhor tipo que possa existir, eu garanto. Um atirador muito decente, e não há cavaleiro mais ousado na Inglaterra.

— E isso é tudo que pode dizer dele? — exclamou Marianne, indignada. — Mas quais são suas maneiras conhecendo-o melhor? Quais são suas atividades, seus talentos, como é o temperamento?

Sir John ficou bastante perplexo.

— Juro por minha alma — disse ele. — Não sei muito dele quanto a tudo *isso*. Mas é um sujeito agradável e bem-humorado e tem a mais bela cadela perdigueira negra que já vi. Ela estava com ele hoje?

Marianne não pôde satisfazer sir John quanto à cor do perdigueiro, assim como ele não pôde descrever as nuances da mente do sr. Willoughby.

— Mas quem é ele? — perguntou Elinor. — De onde vem? Ele tem uma casa em Allenham?

Nesse tópico sir John pôde fornecer informações mais precisas, e falou que o sr. Willoughby não tinha uma propriedade na região, contou que ele permanecia ali apenas em visita à velha senhora de Allenham Court, de quem era parente e cujas posses deveria herdar, acrescentando:

— Sim, sim, vale muito a pena agarrá-lo, isso eu posso garantir, srta. Dashwood; ele também tem uma pequena e bela propriedade em Somersetshire. Se eu fosse você, não o entregaria à minha irmã mais nova. Apesar da queda no morro, a srta. Marianne não deve esperar ter todos os homens só para ela. Brandon ficará com ciúmes se ela não tomar cuidado.

— Não acredito — disse a sra. Dashwood com um sorriso bem-humorado — que o sr. Willoughby ficasse incomodado com as tentativas de qualquer uma das *minhas* filhas do que você chama de *agarrá-lo*. Isso não é uma atividade para a qual elas tenham sido educadas. Os homens estão muito seguros conosco, por mais ricos que sejam. No entanto, fico feliz em descobrir, pelo que você diz, que ele é um jovem respeitável e alguém cujo conhecimento não será inadmissível.

— Ele é o melhor tipo de sujeito que existe, creio eu — repetiu sir John. — Lembro que no Natal passado, em um pequeno baile em Barton, ele dançou das oito da noite às quatro da madrugada sem se sentar uma vez.

— É mesmo? — exclamou Marianne com olhos brilhantes. — E com elegância, com entusiasmo?

— Sim, e se levantou novamente às oito da manhã para caçar a cavalo.

— É disso que eu gosto, é assim que um rapaz deve ser. Quaisquer que sejam suas atividades, seu afã por elas não deve conhecer moderação nem deixar nenhuma sensação de cansaço.

— Ai, ai, ai, já estou vendo o que vai acontecer — disse sir John. — Agora você vai tentar fisgá-lo e nem lembrará do pobre Brandon.

— Essa é uma expressão, sir John — disse Marianne, calorosamente —, da qual particularmente não gosto. Abomino qualquer frase comum com a qual se pretenda sagacidade, e "fisgar um homem" ou "fazer uma conquista" são as mais odiosas de todas. A insinuação é grosseira e mesquinha, e, se um dia puderam ser consideradas inteligentes, o tempo há muito destruiu toda a sua engenhosidade.

Sir John não entendeu muito a reprovação, mas riu com tanto entusiasmo como se tivesse entendido e então respondeu:

— Sim, você vai fazer muitas conquistas, atrevo-me a dizer, de uma forma ou de outra. Pobre Brandon! Já está bastante apaixonado e valeria muito a pena fisgá-lo, posso garantir, apesar de toda essa confusão e torção de tornozelos.

Capítulo 10

O protetor de Marianne, como Margaret, com mais elegância do que precisão, denominou Willoughby, apareceu no chalé na manhã seguinte para fazer as próprias indagações. Foi recebido pela sra. Dashwood com mais do que educação – com a gentileza que o relato de sir John e a própria gratidão incitaram –, e tudo o que se passou durante a visita tendeu a assegurar-lhe o bom senso, a elegância, o afeto mútuo e o conforto doméstico da família a que o acidente agora o apresentara. Dos encantos pessoais, ele não precisava de uma segunda entrevista para se convencer.

A srta. Dashwood tinha uma pele delicada, traços regulares e aparência notavelmente bela. Marianne era ainda mais bonita. Sua silhueta, embora não tão impecável quanto a da irmã, por ter a vantagem da altura era mais impressionante; seu rosto era tão adorável que, ao ser chamada de linda moça no elogio comum, a verdade era menos violentamente ultrajada do que normalmente acontece. Sua pele era morena, mas, devido à transparência, a tez era extraordinariamente brilhante, as feições eram todas belas, o sorriso era doce e atraente e, em seus olhos, que eram muito escuros, havia uma vida, um espírito, um entusiasmo que dificilmente poderiam ser observados sem deleite. De início a expressão daqueles olhos foi ocultada de Willoughby pelo constrangimento que a lembrança de sua ajuda causava. Porém, quando isso passou, quando o ânimo de Marianne se recompôs, quando ela viu que, à perfeita educação, o cavalheiro agregava franqueza e vivacidade e, acima de tudo, quando o ouviu declarar que era apaixonado por música e dança, ela lançou um olhar de aprovação que garantiu para si a maior parte da fala dele pelo resto da visita.

Bastava mencionar qualquer passatempo favorito para fazê-la falar. Marianne não conseguia ficar calada quando tais assuntos eram introduzidos e não manifestava timidez ou reserva na discussão. Descobriram rapidamente que o prazer pela dança e pela música era mútuo e que surgia de uma compatibilidade geral de julgamento em tudo o que se relacionava a ambas. Estimulada por isso a um exame mais aprofundado das opiniões dele, Marianne passou a questioná-lo sobre livros, apresentou e comentou seus autores favoritos com prazer tão arrebatador que qualquer jovem de vinte e cinco anos de fato teria que ser insensível para não se converter de imediato à excelência de tais obras, por mais desconsideradas que até então fossem. Seus gostos eram impressionantemente semelhantes. Os mesmos livros, as mesmas passagens, eram idolatrados por ambos – caso aparecesse alguma diferença ou surgisse qualquer objeção, não durava mais do que até que a força dos argumentos e o brilho dos olhos de Marianne fossem exibidos. Ele concordou com todas as decisões dela, capturou todo o seu entusiasmo, e, muito antes de a visita terminar, eles conversavam com a familiaridade de conhecidos de longa data.

— Bem, Marianne — disse Elinor assim que ele partiu —, acho que você se saiu muito bem para *uma* manhã. Já averiguou a opinião do sr. Willoughby em quase todos os assuntos importantes. Sabe o que ele pensa de Cowper e Scott, tem certeza de que ele estima a beleza de ambos como deveria e obteve todas as garantias de que a admiração dele por Pope é bem adequada. Mas como a convivência poderá ser sustentada por longo tempo sob tão extraordinária rapidez em todos os temas de conversa? Você logo terá esgotado todos os tópicos favoritos. Outro encontro será suficiente para esclarecer os sentimentos dele sobre beleza pitoresca e segundos casamentos, e então você não terá mais nada a perguntar.

— Elinor! — exclamou Marianne. — Isso é justo? Isso está certo? Seriam minhas ideias tão escassas? Mas entendo o que você quer dizer. Fiquei à vontade demais, muito feliz, fui muito franca. Faltei com toda a noção comum de decoro, fui aberta e sincera onde deveria ter sido reservada, sem graça, maçante e falsa – tivesse eu falado apenas sobre o tempo e as estradas e só abrisse a boca uma vez a cada dez minutos, seria poupada dessa repreensão.

— Meu amor — disse a mãe —, você não deve se ofender com Elinor. Ela estava apenas de brincadeira. Eu mesma a repreenderia se ela fosse capaz de querer coibir o prazer de sua conversa com nosso novo amigo.

Marianne logo se acalmou. Willoughby, por sua vez, deu todas as provas de seu prazer em conhecê-las e deixou evidente o desejo de aprofundar tal conhecimento. Ele ia vê-las todos os dias. De início a desculpa era saber como estava Marianne, mas a recepção encorajadora, cada dia mais gentil, tornou desnecessária a desculpa antes que deixasse de ser plausível, dada a perfeita recuperação de Marianne. Ela ficou alguns dias confinada em casa, mas nunca o confinamento foi menos enfadonho. Willoughby era um jovem de talento, imaginação rápida, espírito vivaz e comportamento franco e afetuoso. Era perfeito para envolver o coração de Marianne, pois a tudo isso somava-se não apenas uma aparência cativante, mas também um ardor natural da mente que agora despertava e aumentava pelo exemplo dela e que o recomendava ao seu afeto acima de tudo.

A companhia dele tornou-se gradualmente o prazer mais requintado de Marianne. Eles liam, conversavam, cantavam juntos; os dons musicais dele eram consideráveis, e ele lia com toda a sensibilidade e espírito de que Edward infelizmente carecia.

Na opinião da sra. Dashwood, ele era tão perfeito quanto na de Marianne, e Elinor não via nada a censurar, exceto uma propensão, na qual ele se parecia fortemente com a irmã e que peculiarmente a deleitava, de dizer sem rodeios o que pensava em todas as ocasiões, sem atenção às pessoas ou circunstâncias. Ao formar e dar sua opinião às pressas sobre outras pessoas, ao sacrificar a polidez de praxe para desfrutar da atenção exclusiva onde seu coração estava empenhado e ao desprezar com excessiva facilidade as formas de decoro mundano, ele demonstrava uma falta de cautela que Elinor não podia aprovar, apesar de tudo o que ele e Marianne pudessem dizer em defesa disso.

Marianne agora começava a perceber que o desespero que a dominara aos dezesseis anos e meio, de jamais encontrar um homem que pudesse satisfazer suas ideias de perfeição, tinha sido precipitado e injustificável. Willoughby era tudo o que sua fantasia delineara como capaz de conquistá-la naquela hora infeliz e em cada período mais luminoso, e o comportamento dele revelava que seus desejos a esse respeito eram tão sinceros quanto eram sólidas as suas habilidades.

A mãe, em cuja mente não havia surgido nenhum pensamento especulativo sobre um casamento por causa da perspectiva de riqueza dele, antes do final de uma semana também foi levada a ter esperanças e aguardar, congratulando-se secretamente por ter ganhado dois genros como Edward e Willoughby.

A inclinação do coronel Brandon por Marianne, tão cedo descoberta pelos amigos dele, agora se tornava perceptível para Elinor, enquanto deixava de ser notada pelos outros. A atenção e os chistes foram deslocados para o rival mais afortunado, e a zombaria em que o coronel incorrera antes que surgisse qualquer inclinação foi encerrada quando os sentimentos dele começaram realmente a fazer jus ao ridículo tão justamente anexado à sensibilidade. Elinor foi obrigada, embora a contragosto, a acreditar que os sentimentos que a sra. Jennings atribuíra ao coronel para a própria satisfação agora realmente eram instigados por sua irmã e que, por mais que uma semelhança geral de temperamento entre as partes pudesse favorecer a afeição do sr. Willoughby, uma oposição de caráter igualmente notável não impedia o afeto do coronel Brandon.

Elinor viu isso com preocupação, pois o que poderia esperar um homem quieto de trinta e cinco anos contra outro muito animado de vinte e cinco? Como ela não podia nem sequer desejar-lhe sucesso, desejou sinceramente que o coronel fosse indiferente. Ela gostava dele – apesar da seriedade e reserva, ela o observava como um objeto de interesse. Suas maneiras, embora sérias, eram brandas, e sua reserva parecia mais o resultado de alguma opressão de ânimo do que uma melancolia natural de temperamento. Sir John deixara escapar insinuações de mágoas e decepções anteriores, o que justificava a crença de Elinor de que ele era um homem infeliz, e ela o considerava com respeito e compaixão. Talvez ela tivesse pena dele e o estimasse ainda mais por ser menosprezado por Willoughby e Marianne, que, com preconceito por ele não ser vivaz nem jovem, pareciam decididos a subestimar seus méritos.

— Brandon é exatamente o tipo de homem — disse Willoughby um dia, quando falavam dele — de quem todos falam bem e com quem ninguém se importa, a quem todos ficam encantados de ver e com quem ninguém se lembra de conversar.

— É exatamente o que penso dele — exclamou Marianne.

— Não alardeiem isso — disse Elinor —, pois é uma injustiça da parte de vocês dois. Ele é muito estimado por toda a família de Barton Park, e nunca o vi sem me dedicar a conversar com ele.

— Ser defendido por *você* — respondeu Willoughby — com certeza é favorável a ele, mas, quanto à estima dos outros, é uma reprovação em si. Quem se submeteria à indignidade de ser aprovado por mulheres como lady Middleton e a sra. Jennings, que merecem a indiferença de qualquer outra pessoa?

— Mas talvez o abuso de pessoas como você e Marianne compense a consideração de lady Middleton e sua mãe. Se o elogio delas é uma censura, a censura de vocês pode ser um elogio, pois elas não são mais desprovidas de discernimento do que vocês são preconceituosos e injustos.

— Em defesa de seu protegido você pode até ser insolente.

— Meu protegido, como você o chama, é um homem sensato, e bom senso sempre terá atrativos para mim. Sim, Marianne, mesmo em um homem entre trinta e quarenta anos. Ele viu muito do mundo, esteve no exterior, leu e tem uma mente pensante. Eu o considero capaz de me dar muitas informações sobre vários assuntos, e ele sempre respondeu minhas perguntas prontamente, com boa educação e boa vontade.

— Quer dizer — exclamou Marianne, desdenhosa — que ele disse a você que nas Índias Orientais o clima é quente e os mosquitos são um problema.

— Não duvido que ele *teria* me dito isso caso eu tivesse feito tais perguntas, mas acontece que esses são assuntos sobre os quais eu já tinha informação.

— Talvez — disse Willoughby — as observações dele possam ter se estendido à existência de nababos, mohrs de ouro e palanquins.

— Posso me aventurar a dizer que as observações *dele* se estenderam muito além da sua franqueza. Mas por que você não gosta dele?

— Não desgosto dele. Pelo contrário, o considero um homem muito respeitável, bem falado por todos e em quem ninguém repara, que tem mais dinheiro do que pode gastar, mais tempo do que sabe empregar e dois casacos novos todos os anos.

— Acrescente a isso — exclamou Marianne — que ele não tem talento, gosto ou espírito. Que sua compreensão não tem brilho, seus sentimentos não têm ardor e sua voz não tem expressão.

— Vocês decidem sobre as imperfeições dele de modo tão abrangente — respondeu Elinor — e tão baseados na força da própria imaginação que o elogio que posso dar a ele é comparativamente frio e insípido.

Só posso afirmar que ele é um homem sensato, bem-educado, culto, de atitude gentil e, creio eu, dono de um coração amável.

— Srta. Dashwood — exclamou Willoughby —, agora você está sendo indelicada comigo. Está se esforçando para me desarmar pela razão e me convencer contra a minha vontade. Mas não vai adiantar. Você vai ver que sou tão teimoso quanto você possa ser astuta. Tenho três razões incontestáveis para não gostar do coronel Brandon: ele me ameaçou com chuva quando eu queria tempo bom, encontrou um defeito no meu cabriolé e não consigo persuadi-lo a comprar minha égua marrom. No entanto, se isso lhe dá satisfação, a verdade é que estou pronto para confessar que acredito que o caráter dele seja irrepreensível em outros aspectos. E, em troca de um reconhecimento que me causa certa dor, você não pode me negar o privilégio de mesmo assim não gostar dele.

🌺 *Capítulo 11*

Ao chegar a Devonshire, a sra. Dashwood e suas filhas nem poderiam imaginar que fossem surgir tantos compromissos para ocupar seu tempo, como logo ocorreu, ou que receberiam convites frequentes e visitas constantes, deixando-lhes poucas horas livres para atividades sérias. No entanto, assim foi. Quando Marianne se recuperou, os planos de diversão em casa e ao ar livre que sir John vinha preparando foram postos em execução. Tiveram início os bailes particulares em Barton Park, e festas ao ar livre eram realizadas com a frequência que um outubro chuvoso permitia. Willoughby estava incluído em todos os encontros, e a descontração e familiaridade naturais dessas festas eram exatamente calculadas para proporcionar intimidade cada vez maior a seu relacionamento com as Dashwood, dar-lhe a oportunidade de testemunhar as boas qualidades de Marianne, marcar sua viva admiração por ela e receber, do comportamento para com ele, a mais clara garantia de afeto.

Elinor não se surpreendeu com a ligação deles. Apenas desejava que fosse demonstrada de forma menos aberta, e uma ou duas vezes aventurou-se a sugerir a conveniência de algum autocontrole a Marianne. Mas Marianne abominava toda ocultação quando nenhuma desgraça real pudesse decorrer da falta de reserva, e visar à contenção de sentimentos que não eram em si indignos parecia-lhe não apenas um esforço desnecessário, mas também uma vergonhosa sujeição da razão ao lugar-comum e a noções errôneas. Willoughby pensava o mesmo, e o comportamento de ambos em todos os momentos ilustrava suas opiniões.

Quando Willoughby estava presente, Marianne não tinha olhos para mais ninguém. Tudo o que ele fazia estava certo. Tudo o que ele dizia era inteligente. Se as noites em Barton Park terminassem com carteado, ele trapaceava contra si e todos os demais para conseguir uma boa mão para ela. Se dançar era a diversão da noite, eles formavam par na metade do tempo; quando eram obrigados a se separar por algumas danças, tinham o cuidado de ficar próximos e mal trocavam uma palavra com qualquer outra pessoa. Essa conduta, é claro, os tornava motivo de muito riso, mas o ridículo não os envergonhava nem parecia provocá-los.

A sra. Dashwood absorveu todos os sentimentos de ambos com um entusiasmo que a deixou sem inclinação para conter a exibição excessiva. Para ela, era apenas a consequência natural de um forte afeto em mentes jovens e ardentes.

Foi a temporada de felicidade para Marianne. Seu coração estava devotado a Willoughby, e, graças aos encantos que a companhia dele conferia a sua casa atual, o apego afetuoso a Norland que ela trouxera de Sussex era mais passível de ser abrandado do que ela antes pensava ser possível.

A felicidade de Elinor não era tão grande. Seu coração não estava tão à vontade, e sua satisfação nos passatempos não era tão pura. Nenhuma companhia compensava o que ela havia deixado para trás, nem a estimulava a pensar em Norland com menos pesar. Nem lady Middleton nem a sra. Jennings podiam suprir a conversa que ela perdera, embora esta última falasse sem parar e a tratasse com uma gentileza que lhe garantia grande parte da conversa. A sra. Jennings já havia contado a própria história para Elinor três ou quatro vezes, e, se a memória de Elinor fosse igual aos meios da sra. Jennings para aprimorar o relato, ela saberia desde que se conheceram todos os detalhes da última doença do sr. Jennings e o que ele dissera à esposa minutos antes de morrer.

Lady Middleton era mais agradável do que a mãe apenas por ser mais calada. Elinor não precisou de muita observação para perceber que essa reserva era uma mera calma de temperamento, com a qual o bom senso nada tinha a ver. Lady Middleton comportava-se com elas da mesma maneira que se comportava com o marido e a mãe; portanto, não buscava nem desejava intimidade. Ela não tinha nada a dizer em um dia que não tivesse dito no dia anterior. Sua insipidez era invariável, pois até seu ânimo era sempre o mesmo; embora não se opusesse às festas organizadas pelo marido, desde que tudo fosse conduzido em grande estilo e os dois filhos mais velhos participassem, ela jamais parecia ter mais prazer com isso do que poderia ter sozinha em casa; sua presença tampouco aumentava o prazer dos outros ao participar das conversas, e às vezes só lembravam que ela estava entre eles por sua solicitude com os filhos inconvenientes.

Apenas no coronel Brandon, entre todos os novos conhecidos, Elinor encontrou uma pessoa que podia em alguma medida merecer respeito pelas aptidões, despertar o interesse da amizade ou dar prazer como companhia. Willoughby estava fora de questão. Ela tinha plena admiração e consideração por ele, até mesmo consideração de irmã, mas ele era um enamorado, suas atenções eram inteiramente de Marianne, e um homem muito menos agradável poderia ser mais amável no geral.

O coronel Brandon, infelizmente para si mesmo, não tinha incentivo para pensar apenas em Marianne e, ao conversar com Elinor, encontrou o maior consolo para a indiferença da irmã. A compaixão de Elinor por ele aumentou, pois ela tinha motivos para suspeitar que a desgraça da decepção amorosa já fosse conhecida por ele. A suspeita brotou de algumas palavras que acidentalmente escaparam certa noite em Barton Park, quando estavam sentados juntos por consentimento mútuo enquanto os outros dançavam. Os olhos dele estavam fixos em Marianne, e, após alguns minutos de silêncio, ele disse, com um sorriso débil:

— Sua irmã, pelo que entendi, não aprova segundos relacionamentos.

— Não —respondeu Elinor. — As opiniões dela são todas românticas.

— Ou melhor, acredito que ela considere impossível de existir.

— Acredito que sim. Mas não sei como ela consegue isso sem refletir sobre o caráter do próprio pai, que teve duas esposas. Todavia, o passar dos anos vai ajustar suas opiniões com base no bom senso e na observação, e então poderá ser mais fácil defini-las e justificá-las do que agora.

— Provavelmente será assim — respondeu ele. — No entanto, há algo tão agradável nos preconceitos de uma mente jovem que é lamentável vê-los ceder a opiniões mais gerais.

— Nisso não posso concordar — disse Elinor. — Há inconvenientes em sentimentos como os de Marianne que nem todos os encantos do entusiasmo e da ignorância do mundo podem expiar. Seus princípios têm a infeliz tendência de desprezar o decoro, e espero que um melhor conhecimento do mundo seja de grande vantagem para ela.

Após uma breve pausa, ele retomou a conversa dizendo:

— Sua irmã faz distinção nas objeções a um segundo relacionamento? Ou é algo igualmente criminoso para todos? Aqueles que se decepcionaram em sua primeira escolha, seja pela inconstância do objeto, seja pela perversidade das circunstâncias, devem ser igualmente indiferentes pelo resto de suas vidas?

— Dou minha palavra de que não conheço as minúcias de seus princípios. Só sei que nunca a ouvi admitir qualquer situação em que um segundo relacionamento fosse perdoável.

— Isso não pode perdurar — disse ele —, mas uma mudança, uma mudança total de sentimentos... Não, não, não a deseje, pois, quando os refinamentos românticos de uma mente jovem são obrigados a ceder, com frequência são sucedidos por opiniões muito comuns e muito perigosas! Falo por experiência própria. Certa vez, conheci uma dama que se parecia muito com sua irmã em temperamento e mentalidade, que pensava e julgava como ela, mas que, por causa de uma mudança forçada, de uma série de circunstâncias infelizes...

Nisso ele parou de repente, pareceu pensar que havia falado demais, e seu semblante deu origem a conjecturas que de outra forma não teriam passado pela cabeça de Elinor. A dama provavelmente teria passado despercebida se ele não tivesse convencido a srta. Dashwood de que o assunto não deveria ter escapado de seus lábios. Dessa maneira, bastou um ligeiro esforço de imaginação para conectar a emoção dele com a terna lembrança de um afeto passado. Elinor não insistiu. Mas Marianne, em seu lugar, não se contentaria com tão pouco. A história toda se formaria rapidamente em sua imaginação ativa, e tudo em termos da mais melancólica categoria de amor desastroso.

❧ *Capítulo 12*

Enquanto Elinor e Marianne caminhavam juntas na manhã seguinte, esta contou uma novidade que, apesar de tudo que a irmã já sabia sobre sua imprudência e irreflexão, a surpreendeu como um extravagante testemunho de ambas as coisas. Marianne disse, em completo deleite, que Willoughby lhe dera um cavalo que ele mesmo criara em sua propriedade em Somersetshire e que era perfeito para ser montado por uma mulher. Sem considerar que não estava nos planos da mãe delas manter um cavalo, que, se a mãe mudasse de ideia em favor do presente, deveria comprar outro animal para o criado e manter tal criado para montá-los e por fim construir um estábulo para recebê-los, Marianne havia aceitado o presente sem hesitar e contou à irmã em êxtase.

— Ele pretende enviar seu cavalariço a Somersetshire imediatamente para buscá-lo — acrescentou. — Quando chegar, cavalgaremos todos os dias. Você deve dividir o uso comigo. Imagine, minha querida Elinor, o prazer de um galope em algumas dessas colinas.

Marianne mostrou-se muito relutante em despertar de tal sonho de felicidade para compreender todas as tristes verdades decorrentes do caso e por algum tempo se recusou a se submeter a elas. Quanto a um criado adicional, a despesa seria uma ninharia, ela tinha certeza de que mamãe nunca faria objeções, para *ele* qualquer cavalo serviria, e poderiam pegar um em Barton Park; quanto ao estábulo, um mero galpão seria suficiente. Elinor então se aventurou a lançar dúvida sobre a conveniência de ela receber tal presente de um homem que ela conhecia tão pouco – ou pelo menos fazia tão pouco tempo. Isso foi demais.

— Você está enganada, Elinor — disse Marianne acaloradamente —, ao supor que conheço muito pouco de Willoughby. De fato, não o conheço há muito tempo, mas o conheço muito melhor do que qualquer outra criatura no mundo, exceto você e mamãe. Não é o tempo ou a oportunidade que determinam a intimidade – é apenas a disposição. Sete anos seriam insuficientes para fazer algumas pessoas se conhecerem, e sete dias são mais do que suficientes para outras. Eu me sentiria culpada de maior impropriedade ao aceitar um cavalo de meu irmão do que de Willoughby. De John sei muito pouco, embora tenhamos vivido juntos por anos; mas sobre Willoughby meu julgamento formou-se há muito tempo.

Elinor achou mais sensato não tocar mais nesse assunto. Ela conhecia o temperamento da irmã. A oposição a um tema tão delicado apenas a prenderia ainda mais à própria opinião. Contudo, mediante um apelo ao afeto pela mãe, a exposição dos inconvenientes que aquela mãe indulgente atrairia para si mesma se (como provavelmente seria o caso) consentisse com esse aumento de gastos, Marianne logo foi subjugada e prometeu não tentar a mãe a tal bondade imprudente mencionando a oferta e dizer a Willoughby quando o visse novamente que o presente deveria ser recusado.

Marianne foi fiel à palavra e, quando Willoughby apareceu no chalé no mesmo dia, Elinor a ouviu expressar sua decepção em voz baixa por ser obrigada a renunciar ao presente. As razões para a recusa foram relacionadas e eram de tal ordem que impossibilitaram novas súplicas de parte dele. Entretanto, a preocupação dele ficou muito aparente; depois de expressá-la com intensidade, acrescentou na mesma voz baixa:

— Marianne, o cavalo ainda é seu, embora você não possa usá-lo agora. Vou cuidar dele apenas até que você possa reivindicá-lo. Quando você deixar Barton para se estabelecer de modo mais permanente em sua própria casa, Queen Mab irá recebê-la.

Tudo isso foi ouvido pela srta. Dashwood, e no conjunto da declaração, na maneira como ele falou e se dirigiu à irmã apenas pelo nome de batismo, ela imediatamente viu uma intimidade tão decidida, um significado tão direto, que assinalava um acordo perfeito entre eles. A partir daquele momento ela não duvidou de que estivessem comprometidos, e essa crença não criou outra surpresa senão o fato de que ela ou qualquer um de seus amigos fossem deixados para descobrir por acaso, dado o temperamento tão franco de ambos.

No dia seguinte, Margaret relatou algo que colocou o assunto sob uma luz ainda mais clara. Willoughby havia passado a noite anterior com elas, e Margaret, deixada algum tempo na sala apenas com ele e Marianne, teve oportunidade de fazer observações que, com um rosto muito sério, comunicou à irmã mais velha quando ficaram a sós.

— Oh, Elinor! — exclamou ela. — Tenho um segredo para lhe contar sobre Marianne. Tenho certeza de que ela se casará com o sr. Willoughby muito em breve.

— Você diz isso — respondeu Elinor — quase todos os dias desde que eles se encontraram pela primeira vez em High-Church Down, e eles se conheciam havia nem uma semana, creio eu, quando você teve certeza de que Marianne usava o retrato dele no colar, mas era apenas a miniatura de nosso tio-avô.

— Mas agora a coisa é totalmente outra. Tenho certeza de que eles se casarão muito em breve, porque ele tem uma mecha de cabelo dela.

— Cuidado, Margaret. Pode ser apenas o cabelo de algum tio-avô *dele*.

— Elinor, de fato é de Marianne. Estou quase certa de que seja, pois eu o vi cortá-lo. Ontem à noite, depois do chá, quando você e mamãe saíram da sala, eles estavam cochichando e conversando o mais rápido que podiam, e ele parecia implorar algo a ela, depois pegou a tesoura de Marianne e cortou um longo cacho que lhe caía pelas costas, beijou-o, dobrou em um pedaço de papel branco e colocou em sua carteira.

Elinor não pôde deixar de dar crédito a tais detalhes, declarados com tamanha autoridade – nem estava disposta a isso, pois as circunstâncias estavam em perfeita harmonia com o que ela mesma tinha ouvido e visto.

A sagacidade de Margaret nem sempre era exibida de forma tão satisfatória para Elinor. Certa noite em Barton Park, quando a sra. Jennings a intimou a dar o nome do jovem favorito de Elinor, que havia muito era motivo de grande curiosidade para ela, Margaret respondeu olhando para a irmã e dizendo:

— Não devo contar, não é, Elinor?

Claro que isso fez todo mundo rir, e Elinor tentou rir também. Mas o esforço foi doloroso. Ela ficou convencida de que Margaret havia exposto uma pessoa cujo nome ela não suportaria com compostura que se tornasse motivo permanente de piadas da sra. Jennings.

Marianne sentiu muito sinceramente por Elinor, mas fez mais mal do que bem à causa ao ficar muito vermelha e dizer com raiva para Margaret:

— Lembre-se de que, quaisquer que sejam suas conjecturas, você não tem o direito de repeti-las.

— Nunca tive nenhuma conjectura sobre isso — retrucou Margaret —, foi você quem me contou.

Isso aumentou a hilaridade dos presentes, e Margaret foi ansiosamente pressionada a dizer mais alguma coisa.

— Oh, por favor, srta. Margaret, conte-nos tudo sobre isso — disse a sra. Jennings. — Qual é o nome do cavalheiro?

— Não devo contar, senhora. Mas sei muito bem qual é e também sei onde ele está.

— Sim, sim, podemos adivinhar onde ele está, em sua casa em Norland, com certeza. Ele é o cura da paróquia, ouso dizer.

— Não, *isso* ele não é. Ele não tem profissão alguma.

— Margaret — disse Marianne em tom inflamado —, você sabe que tudo isso é invenção sua e que tal pessoa não existe.

— Bem, então ele morreu recentemente, Marianne, pois tenho certeza de que tal homem existiu certa vez, e seu nome começa com F.

Elinor sentiu-se muito grata por lady Middleton naquele momento observar que "choveu muito", embora acreditasse que a interrupção procedia menos de qualquer atenção a ela e mais da grande antipatia de sua senhoria por todos esses assuntos deselegantes de zombaria que tanto deliciavam seu marido e mãe. O tema lançado por ela foi imediatamente levado adiante pelo coronel Brandon, sempre atento aos sentimentos alheios, e muito foi falado sobre o assunto da chuva por ambos. Willoughby abriu o pianoforte e pediu a Marianne que se sentasse; assim, em meio aos vários esforços de pessoas diferentes para abandonar o tópico, ele caiu por terra. Mas não foi tão fácil para Elinor se recuperar do sobressalto em que aquilo a lançou.

Naquela noite formou-se um grupo para no dia seguinte visitar um local belíssimo a cerca de 12 milhas de Barton, pertencente a um cunhado do coronel Brandon, sem o qual o lugar não poderia ser visto, pois o proprietário, que estava no exterior, havia deixado ordens estritas a respeito. Foi dito que a região era de enorme beleza, e sir John, particularmente caloroso em seus elogios, poderia ser um juiz razoável, pois havia formado grupos para visitá-la pelo menos duas vezes a cada verão nos últimos dez anos. Havia um lago esplêndido e um barco que constituiria grande parte da diversão matinal. Seriam levados alimentos frios, usariam apenas carruagens abertas, e tudo seria conduzido no estilo habitual de uma atividade muito prazerosa.

Para alguns do grupo, pareceu um programa bastante ousado, considerando a época do ano e que chovera todos os dias durante a última quinzena; a sra. Dashwood, que já estava resfriada, foi persuadida por Elinor a ficar em casa.

❧ *Capítulo 13*

A excursão planejada para Whitwell acabou sendo muito diferente do que Elinor esperava. Ela estava preparada para ficar toda molhada, cansada e assustada, mas o evento foi ainda mais infeliz, pois simplesmente nem aconteceu.

Por volta das dez horas, todo o grupo estava reunido em Barton Park, onde tomariam o café da manhã. A manhã estava bastante favorável; embora tivesse chovido a noite inteira, as nuvens se dispersavam no céu e o sol aparecia com frequência. Estavam todos muito animados e de bom humor, ansiosos para se divertir e determinados a se submeter aos maiores inconvenientes e sofrimentos.

Enquanto tomavam o café da manhã, chegaram cartas. Entre elas havia uma para o coronel Brandon; ele a pegou, olhou o remetente, mudou de cor e saiu imediatamente da sala.

— Qual é o problema com o Brandon? — perguntou sir John.

Ninguém sabia.

— Espero que não tenha recebido más notícias — disse lady Middleton. — Deve ser algo extraordinário para fazer o coronel Brandon sair da minha mesa do café tão de repente.

Cerca de cinco minutos depois, ele voltou.

— Espero que não sejam más notícias, coronel — disse a sra. Jennings assim que ele entrou na sala.

— De forma alguma, senhora, obrigado.

— Era de Avignon? Espero que não sejam notícias de que sua irmã piorou.

— Não, senhora. Veio da cidade, e é apenas uma carta de negócios.

— Mas como o perturbou tanto, se era apenas uma carta de negócios? Ora, ora, não venha com essa, coronel, conte-nos a verdade.

— Minha cara senhora — disse lady Middleton —, reflita sobre o que está dizendo.

— Talvez seja para informar que sua prima Fanny se casou? — indagou a sra. Jennings sem dar atenção à censura da filha.

— Não, de fato, não se trata disso.

— Bem, então sei de quem é, coronel. E espero que ela esteja bem.

— De quem a senhora está falando? — perguntou ele, levemente ruborizado.

— Oh! Você sabe de quem estou falando.

— Lamento muitíssimo, senhora — disse ele, dirigindo-se a lady Middleton —, por receber esta carta hoje, pois é um assunto que requer minha presença imediata na cidade.

— Na cidade! — exclamou a sra. Jennings. — O que você pode ter para fazer na cidade nesta época do ano?

— Minha própria perda é grande — continuou ele — por ser obrigado a deixar um grupo tão agradável, mas estou ainda mais preocupado por temer que minha presença fosse necessária para permitir a entrada em Whitwell.

Que golpe para todos!

— Se você escrever um bilhete para a governanta, sr. Brandon — disse Marianne, ansiosa —, não será suficiente?

Ele balançou a cabeça negativamente.

— Precisamos ir — disse sir John. — Não adiaremos em cima da hora. Você não pode ir para a cidade até amanhã, Brandon, está decidido.

— Gostaria que isso pudesse ser resolvido tão facilmente. Mas não está em meu poder atrasar minha viagem por um dia!

— Se você nos contar do que se trata — disse a sra. Jennings —, veremos se pode ser adiado ou não.

Razão & Sensibilidade

— Você se retardaria por seis horas — disse Willoughby — se adiasse sua viagem até o nosso retorno.

— Não posso perder *uma* hora.

Elinor então ouviu Willoughby dizer em voz baixa para Marianne:

— Há pessoas que não suportam grupos animados. Brandon é uma delas. Ouso dizer que ele estava com medo de pegar um resfriado e inventou esse truque para se safar. Eu apostaria cinquenta guinéus que ele mesmo escreveu a carta.

— Não tenho dúvidas disso — respondeu Marianne.

— Sei muito bem que não há como persuadi-lo a mudar de ideia, Brandon, quando você está determinado a qualquer coisa — disse sir John. — No entanto, espero que reconsidere. Veja bem, aqui estão as duas senhoritas Carey, que vieram de Newton, as três senhoritas Dashwood, que caminharam desde o chalé, e o sr. Willoughby, que se levantou duas horas antes do horário habitual a fim de ir a Whitwell.

O coronel Brandon reiterou a tristeza por ser motivo de decepção ao grupo, mas ao mesmo tempo declarou ser algo inevitável.

— Bem, então quando estará de volta?

— Espero que o tenhamos em Barton — acrescentou sua senhoria — assim que tenha condições de deixar a cidade, e adiaremos o passeio a Whitwell até sua volta.

— Vocês são muito amáveis. Mas é tão incerto quando poderei retornar que não ouso me comprometer de forma alguma.

— Oh! Ele deve e vai voltar — exclamou sir John. — Se não estiver aqui até o final da semana, irei atrás dele.

— Sim, faça isso, sir John — exclamou a sra. Jennings —, e então talvez possa descobrir que assunto é esse.

— Não quero me intrometer nas preocupações de outro homem. Suponho que seja algo que o deixe embaraçado.

Avisaram que os cavalos do coronel Brandon estavam prontos.

— Você não vai para a cidade a cavalo, vai? — acrescentou sir John.

— Não. Apenas até Honiton. De lá irei de carruagem.

— Bem, como você está decidido a ir, desejo-lhe boa viagem. Mas seria melhor que mudasse de ideia.

— Asseguro que isso não está em meu poder.

Ele então se despediu de todo o grupo.

— Haveria alguma chance de eu ver você e suas irmãs na cidade neste inverno, srta. Dashwood?

— Creio que absolutamente nenhuma.

— Então devo me despedir de você por mais tempo do que gostaria.

Para Marianne, ele apenas fez uma mesura e nada disse.

— Vamos, coronel — disse a sra. Jennings —, antes de partir, conte-nos o que está indo fazer.

Ele desejou-lhe um bom dia e, acompanhado por sir John, saiu da sala.

As queixas e lamentações que a boa educação até então haviam reprimido irromperam, e todos concordaram que era muito exasperante sofrer tamanha decepção.

— Todavia, posso adivinhar qual é o assunto dele — disse a sra. Jennings exultante.

— Pode, senhora? — disseram quase todos.

— Sim; é sobre a srta. Williams, tenho certeza.

— E quem é a srta. Williams? — perguntou Marianne.

— O quê! Você não sabe quem é a srta. Williams? Tenho certeza de que já deve ter ouvido falar dela. É uma parente do coronel, minha cara, uma parente muito próxima. Não diremos quão próxima para não chocar as jovens damas.

Então, baixando um pouco a voz, ela disse para Elinor:

— Ela é filha natural dele.

— É mesmo?

— Oh, sim, e tão parecida com ele quanto seria possível. Ouso dizer que o coronel deixará toda a sua fortuna para ela.

Quando sir John voltou, juntou-se de todo o coração ao desapontamento geral com um acontecimento tão infeliz, contudo, concluiu observando que, já que estavam todos reunidos, deveriam fazer algo para se divertir; depois de algumas consultas, foi decidido que, embora a felicidade só pudesse ser desfrutada em Whitwell, poderiam obter uma razoável serenidade mental com um passeio pela região. As carruagens foram então requisitadas; a de Willoughby foi a primeira a chegar, e Marianne nunca pareceu mais feliz do que quando subiu nela. Willoughby conduziu o veículo pelo parque muito rápido, e logo sumiram de vista; nada mais se soube deles até voltarem, o que só aconteceu após o retorno de todos os demais. Os dois pareciam encantados com o passeio, mas disseram apenas em termos vagos que se mantiveram nas estradas, enquanto os outros seguiram para as colinas.

Ficou combinado que haveria um baile à noite e que todos deveriam ficar extremamente alegres o dia todo. Mais alguns Carey vieram para o jantar e tiveram o prazer de acomodar quase vinte pessoas à mesa, o que sir John observou com grande satisfação. Willoughby ocupou seu lugar habitual entre as duas senhoritas Dashwood mais velhas. A sra. Jennings se sentou à direita de Elinor; não fazia muito que haviam sentado quando ela se inclinou por trás de Elinor e Willoughby e disse a Marianne alto o suficiente para que ambos ouvissem:

— Peguei vocês, apesar de todos os seus truques. Eu sei onde passaram a manhã.

Marianne corou e respondeu muito rapidamente:

— Onde, por favor?

— A senhora não sabia — disse Willoughby — que andamos em meu cabriolé?

— Sim, sim, sr. Impudência, sei muito bem disso e decidi descobrir *onde* estiveram. Espero que goste de sua casa, srta. Marianne. É muito grande, eu sei, e, quando eu for visitá-la, espero que a tenha mobiliado de novo, pois era algo que se fazia muito necessário quando estive lá há seis anos.

Marianne virou-se aturdida. A sra. Jennings riu com vontade; e Elinor ficou sabendo que, em sua resolução de descobrir onde eles haviam estado, a sra. Jennings na verdade fizera sua criada perguntar ao cavalariço do sr. Willoughby e que, por esse expediente, fora informada de que haviam ido até Allenham, onde passaram um tempo considerável caminhando pelo jardim e examinando toda a casa.

Elinor mal podia acreditar que fosse verdade, pois parecia muito improvável que Willoughby propusesse ou que Marianne consentisse em entrar na casa enquanto a sra. Smith estava nela, já que Marianne não tinha o menor relacionamento com ela. Assim que deixaram a sala de jantar, Elinor perguntou-lhe sobre isso; e grande foi sua surpresa ao saber que todas as circunstâncias relatadas pela sra. Jennings eram a mais pura verdade. Marianne ficou muito zangada por ela duvidar disso.

— Elinor, por que você haveria de achar que não fomos lá ou que não vimos a casa? Não era isso que você sempre desejou fazer?

— Sim, Marianne, mas eu não iria enquanto a sra. Smith estivesse lá e sem nenhum outro acompanhante além do sr. Willoughby.

— O sr. Willoughby, entretanto, é a única pessoa que tem o direito de mostrar aquela casa; como ele conduzia uma carruagem aberta, era impossível ter outro acompanhante. Nunca passei uma manhã tão agradável em minha vida.

— Receio — respondeu Elinor — que o prazer de uma atividade nem sempre evidencie sua conveniência.

— Pelo contrário, nada pode ser uma prova mais forte disso, Elinor, pois, se houvesse algo de realmente impróprio no que eu fiz, eu haveria de perceber na ocasião, pois sempre sabemos quando estamos agindo errado, e com tal convicção eu não poderia ter prazer.

— Mas, minha cara Marianne, como isso já a expôs a alguns comentários muito impertinentes, você não começa agora a duvidar da discrição de sua conduta?

— Se os comentários impertinentes da sra. Jennings são prova de conduta imprópria, todos nós estamos cometendo impropriedades a cada instante de nossas vidas. Dou tanto valor à censura quanto aos elogios dela. Não estou ciente de ter feito algo de errado ao caminhar pelos jardins da sra. Smith ou ao ver sua casa. Eles um dia serão do sr. Willoughby, e...

— Mesmo que um dia sejam seus, Marianne, você não tem justificativa para o que fez.

Marianne corou com essa observação, mas ainda assim foi visivelmente gratificante para ela; após um intervalo de dez minutos de séria reflexão, ela voltou até a irmã e disse com muito bom humor:

— Talvez, Elinor, *tenha sido* um tanto imprudente de minha parte ir a Allenham, mas o sr. Willoughby queria muito me mostrar o lugar, e é uma casa encantadora, asseguro-lhe. Há uma sala de estar extraordinariamente bonita no andar de cima, de ótimo tamanho e confortável para o uso diário, com móveis modernos ficaria encantadora. É uma sala de quina e tem janelas nos dois lados. De um lado se avista o gramado de bocha atrás da casa e um belo bosque no sopé do morro, do outro se tem uma vista da igreja, da vila e, além delas, dos belos morros íngremes que tantas vezes admiramos. Não apreciei a mobília, que não poderia ser mais sem graça, mas, se fosse redecorada... Willoughby disse que algumas centenas de libras vão torná-la uma das salas de verão mais agradáveis da Inglaterra.

Se Elinor pudesse ouvir sem interrupções de outrem, Marianne teria descrito todos os cômodos da casa com igual deleite.

Capítulo 14

O súbito término da visita do coronel Brandon a Barton Park e a firmeza dele em ocultar o motivo encheram a mente da sra. Jennings e lhe despertaram indagações por dois ou três dias; ela era uma grande indagadora, como todo aquele que se interessa muito pelas idas e vindas de todos os seus conhecidos. Ela se indagava a pequenos intervalos qual poderia ser o motivo, tinha certeza de que deveria ser alguma má notícia e refletiu sobre todo tipo de aflição que poderia ter se abatido sobre ele, com a firme determinação de que ele não escaparia de todas.

— Algo muito lamentável deve ser o problema, tenho certeza — dizia ela. — Pude ver em seu rosto. Pobre homem! Temo que as circunstâncias sejam ruins. A propriedade em Delaford nunca contabilizou mais de duas mil libras por ano, e seu irmão deixou tudo em tristes condições. Acho que ele deve ter sido chamado para tratar de questões financeiras, pois o que mais pode ser? Me pergunto se seria isso. Eu daria qualquer coisa para saber a verdade. Talvez seja a respeito da srta. Williams, a propósito, atrevo-me a dizer que é, porque ele pareceu perturbar-se bastante quando a mencionei. Pode ser que ela esteja doente na cidade, nada mais provável neste mundo, pois tenho a impressão de que ela está sempre bastante doente. Eu apostaria qualquer coisa que se trata da srta. Williams. Não é muito provável que ele esteja angustiado com suas finanças *agora*, pois é um homem muito prudente e a esta altura com certeza deve ter quitado as dívidas da propriedade. Pergunto-me o que pode ser! Pode ser que sua irmã esteja pior em Avignon e tenha mandado chamá-lo. Sua partida com tanta pressa sugere isso. Bem, desejo-lhe de todo o coração que resolva todos os problemas, e, para completar, uma boa esposa.

Assim indagava e assim falava a sra. Jennings. Sua opinião variava a cada nova conjectura, e todas pareciam igualmente prováveis à medida que surgiam. Elinor, embora realmente se interessasse pelo bem-estar do coronel Brandon, não conseguia colocar todas as suas indagações na partida tão repentina, o que a sra. Jennings desejava que ela fizesse; na sua opinião, o incidente não justificava tal espanto duradouro ou variedade de especulações; além disso, suas indagações eram outras. Elinor estava absorta no extraordinário silêncio de sua irmã e Willoughby sobre o assunto que eles deviam saber ser peculiarmente interessante para todos. O silêncio persistia, e a cada dia parecia mais estranho e mais incompatível com o temperamento de ambos. Elinor não podia imaginar por que não admitiam abertamente para sua mãe e para ela mesma o que o comportamento constante de um em relação ao outro declarava ter ocorrido.

Ela supunha que o casamento talvez não fosse uma possibilidade imediata, pois, embora Willoughby fosse independente, não havia razão para acreditar que fosse rico. Sua renda fora avaliada por sir John em cerca de seiscentas ou setecentas libras por ano, mas ele vivia com despesas que esse valor dificilmente poderia cobrir e muitas vezes reclamava de sua pobreza. Ainda assim, Elinor não sabia explicar aquele estranho tipo de segredo por eles em relação ao compromisso, que na verdade não ocultava absolutamente nada e era tão contraditório em relação às opiniões e práticas gerais de ambos que às vezes lhe passava pela cabeça a dúvida de que estivessem realmente comprometidos, e essa dúvida bastava para impedi-la de fazer qualquer pergunta a Marianne.

Para todas elas, nada poderia expressar melhor o relacionamento do que o comportamento de Willoughby. Por Marianne, ele tinha toda a ternura que o coração de um enamorado poderia oferecer, e pelo resto da família, a atenção afetuosa de um filho e de um irmão. Parecia considerar e amar o chalé como seu lar, passava muito mais horas ali do que em Allenham, e, se nenhum compromisso em grupo os reunisse em Barton Park, o exercício que ele realizava pela manhã quase sempre terminava ali, onde passava o resto do dia ao lado de Marianne, com seu perdigueiro favorito aos pés dela.

Certa noite, cerca de uma semana depois da partida do coronel Brandon, o coração de Willoughby pareceu mais aberto do que o normal a todos os sentimentos de apego aos objetos ao seu redor, e, quando a sra. Dashwood mencionou seu projeto de reformar o chalé na primavera, ele se opôs com veemência a qualquer alteração de um lugar que a afeição estabelecera como perfeito para ele.

— O quê? — exclamou ele. — Melhorar esse querido chalé! Não. Jamais consentirei *nisso*. Nenhuma pedra deve ser adicionada às suas paredes, nenhum centímetro a seu tamanho, caso meus sentimentos sejam levados em consideração.

— Não se assuste — disse a srta. Dashwood —, nada disso será feito, pois minha mãe nunca terá dinheiro suficiente para tal.

— Isso me alegra de todo o coração — exclamou ele. — Que ela seja pobre para sempre se não puder empregar melhor suas riquezas.

— Obrigada, Willoughby. Mas tenha certeza de que eu não sacrificaria um sentimento de afeição seu ou de qualquer pessoa que eu ame nem por todas as melhorias do mundo. Tudo depende da quantia que possa sobrar quando eu fizer as contas na primavera, mas eu preferiria até deixá-la sem uso a despendê-la de uma maneira tão dolorosa para você. Mas você realmente é tão apegado a este lugar que não vê defeitos nele?

— Sou — disse ele. — Para mim, é perfeito. Não, é mais que isso: considero a única construção onde a felicidade é alcançável e, se eu fosse rico o bastante, derrubaria Combe imediatamente e a reconstruiria no modelo exato deste chalé.

— Com escadas estreitas e escuras e uma cozinha enfumaçada, suponho — disse Elinor.

— Sim — exclamou ele no mesmo tom animado —, com todas e quaisquer coisas que fazem parte dele. Não haveria a mais ínfima variação perceptível em nenhuma conveniência ou *inconveniência*. Então e só então, sob tal teto, talvez eu pudesse ser tão feliz em Combe quanto sou em Barton.

— Fico lisonjeada — respondeu Elinor — que, mesmo sem cômodos melhores e uma escada mais ampla, você venha a considerar sua própria casa tão impecável quanto esta.

— Por certo existem circunstâncias que o tornam imensamente querido para mim — disse Willoughby —, mas este lugar sempre terá uma parte de minha afeição que nenhum outro pode compartilhar.

A sra. Dashwood olhou com prazer para Marianne, cujos belos olhos estavam fixos de modo tão expressivo em Willoughby que denotavam claramente o quão bem ela o entendia.

— Quantas vezes desejei — acrescentou ele —, quando estive em Allenham doze meses atrás, que o chalé de Barton fosse habitado! Nunca passei por ele sem admirar sua localização e lamentar que ninguém vivesse nele. Na ocasião, mal podia imaginar que a primeira notícia que ouviria da sra. Smith quando voltasse para cá seria de que o chalé de Barton estava ocupado; senti uma satisfação e um interesse imediatos pelo acontecimento que só podem ser explicados como uma espécie de presciência da felicidade que eu haveria de experimentar com isso. Não é, Marianne? — falou para ela em voz mais baixa. Continuando com o tom anterior, ele disse:

— E ainda assim a senhora estragaria essa casa, sra. Dashwood? A senhora roubaria sua simplicidade por meio de melhorias imaginárias! E esta querida sala onde nos conhecemos e onde tantas horas felizes passamos juntos a senhora degradaria à condição de uma entrada comum, e todos passariam apressados pelo local que até então continha em si mais acomodação e conforto reais do que qualquer outro cômodo com as mais belas dimensões deste mundo poderia oferecer.

A sra. Dashwood novamente assegurou que não haveria nenhuma alteração dessa espécie.

— A senhora é uma boa mulher — respondeu Willoughby calorosamente. — Sua promessa me tranquiliza. Estenda-a um pouco mais e me fará feliz. Diga-me que não apenas sua casa permanecerá a mesma, mas também que sempre encontrarei a senhora e sua família tão inalteradas quanto sua residência e que sempre me contemplará com a bondade que tornou tudo que lhe diz respeito tão querido para mim.

A promessa foi prontamente feita, e o comportamento de Willoughby durante toda a noite demonstrou seu afeto e felicidade.

— Nos vemos amanhã para jantar? — perguntou a sra. Dashwood quando ele estava de partida. — Não o convido para que venha pela manhã porque devemos caminhar até Barton Park para visitar lady Middleton.

Willoughby se comprometeu a estar com elas às quatro horas.

🎕 *Capítulo 15*

A visita da sra. Dashwood a lady Middleton ocorreu no dia seguinte, e duas filhas foram com ela; Marianne escusou-se de fazer parte do grupo com uma desculpa esfarrapada; a mãe deduziu que na noite anterior Willoughby teria prometido visitá-la enquanto elas estivessem ausentes e ficou perfeitamente satisfeita com a permanência da filha em casa.

Na volta de Barton Park, encontraram a carruagem e o criado de Willoughby à espera no chalé, e a sra. Dashwood convenceu-se de que sua conjectura fora acertada. Até então tudo estava como ela previra; porém, ao entrar na casa, deparou algo que jamais poderia ter previsto. Mal chegaram ao corredor, Marianne saiu às pressas da sala, aparentemente em violenta aflição, com o lenço nos olhos, e correu escada acima sem reparar nelas. Surpresas e alarmadas, seguiram diretamente para a sala que Marianne havia acabado de deixar, onde encontraram apenas Willoughby recostado sobre a lareira, de costas para elas. Ele se virou quando elas entraram, e seu semblante mostrou que ele compartilhava fortemente da emoção que dominava Marianne.

— Há algo de errado com ela? — exclamou a sra. Dashwood ao entrar. — Ela está doente?

— Espero que não — respondeu ele, tentando parecer alegre; com um sorriso forçado, acrescentou: — Sou eu que talvez fique doente, pois estou sofrendo de uma decepção muito profunda!

— Decepção?

— Sim, pois não posso manter meu compromisso com vocês. A sra. Smith exerceu nesta manhã o privilégio da riqueza sobre um parente pobre e dependente, enviando-me para Londres a negócios. Acabo de receber meus afazeres e de me despedir de Allenham; como forma de me alegrar, vim agora me despedir de vocês.

— Para Londres! E você vai nesta manhã?

— Agora mesmo.

— Que grande lástima. Mas a sra. Smith deve ser atendida – e seus negócios não o manterão longe de nós por muito tempo, espero.

Ele enrubesceu ao responder:

— A senhora é muito gentil, mas não tenho planos de retornar a Devonshire imediatamente. Minhas visitas à sra. Smith nunca se repetem antes de doze meses.

— E a sra. Smith é sua única amiga? Allenham é a única casa na região onde você será bem-vindo? Que vergonha, Willoughby, você precisa esperar um convite para vir aqui?

O rubor dele aumentou. Com os olhos fixos no chão, apenas respondeu:

— A senhora é bondosa demais.

A sra. Dashwood olhou para Elinor com surpresa. Elinor sentia o mesmo espanto. Por alguns momentos, todos ficaram em silêncio. A sra. Dashwood falou primeiro.

— Devo apenas acrescentar, meu caro Willoughby, que no chalé de Barton você será sempre bem-vindo; não vou pressioná-lo a voltar imediatamente porque só você pode julgar até que ponto *isso* poderia agradar à sra. Smith, e nesse assunto não estou disposta a questionar seu julgamento nem duvidar de sua intenção.

— Meus compromissos no momento — respondeu Willoughby, confuso — são de tal natureza... que... não ouso me gabar...

Ele parou. A sra. Dashwood estava atônita demais para falar, e sobreveio outra pausa. Essa foi interrompida por Willoughby, que disse com um leve sorriso:

Razão & Sensibilidade

— É tolice demorar-se dessa maneira. Não vou mais me atormentar permanecendo entre amigas cuja companhia é impossível para mim agora desfrutar.

Então se despediu apressadamente delas e saiu da sala. Elas o viram entrar na carruagem, e no minuto seguinte ele estava fora de vista.

A sra. Dashwood estava abalada demais para falar e imediatamente deixou a sala para sozinha entregar-se à preocupação e ao sobressalto que aquela partida repentina ocasionara.

O mal-estar de Elinor era pelo menos igual ao de sua mãe. Ela refletiu com ansiedade e desconfiança sobre o que acabara de acontecer. O comportamento de Willoughby ao se despedir, o constrangimento, a alegria forçada e, acima de tudo, a relutância em aceitar o convite de sua mãe, uma hesitação tão improvável em um enamorado, tão improvável da parte dele, muito a perturbou. Num momento ela temeu que nunca tivesse havido uma intenção séria da parte dele; no instante seguinte, que tivesse ocorrido alguma infeliz desavença entre ele e sua irmã – a aflição em que Marianne havia saído da sala era tal que poderia ser explicada por uma briga séria, embora, considerando-se o amor de Marianne por ele, uma desavença parecesse quase impossível.

Quaisquer que fossem as particularidades da separação, a aflição de sua irmã era indubitável, e Elinor pensou com a mais terna compaixão sobre aquela violenta tristeza que Marianne provavelmente estava sentindo sem buscar alívio, e sim alimentando e encorajando como um dever.

Cerca de meia hora depois, sua mãe voltou; embora seus olhos estivessem vermelhos, seu semblante não estava abatido.

— Nosso querido Willoughby está agora a algumas milhas de Barton, Elinor — disse ela, enquanto se sentava para trabalhar. — E com que peso no coração ele viaja?

— É tudo muito estranho. Ir embora tão de repente! Parece um impulso do momento. Ontem à noite ele estava tão feliz, tão alegre, tão carinhoso conosco. E agora, depois de apenas dez minutos de aviso, vai embora sem intenção de voltar! Deve ter acontecido algo além daquilo que ele nos contou. Ele não falou, não se comportou como de costume. *A senhora* deve ter visto a diferença tão bem quanto eu. O que pode ser? Será que eles brigaram? Por que outro motivo ele mostraria tamanha relutância em aceitar seu convite para vir para cá?

— Não foi por falta de vontade, Elinor; pude ver isso claramente. Ele não tinha condições de aceitar. Refleti muito e garanto que posso explicar perfeitamente tudo que a princípio pareceu estranho para mim e também para você.

— Pode?

— Sim. Já expliquei para mim mesma da maneira mais satisfatória; mas você, Elinor, que adora duvidar, *você* não ficará satisfeita, eu sei, mas não *me* convencerá do contrário. Estou convencida de que a sra. Smith suspeita do apreço dele por Marianne, desaprova – talvez porque tenha outras coisas em vista para ele, e por isso ficou ansiosa para afastá-lo –, e os negócios que ela o mandou resolver são uma desculpa inventada para fazê-lo partir. Acredito que foi isso que aconteceu. Além disso, ele está ciente de que ela *desaprova* o relacionamento, portanto, neste momento não ousa confessar-lhe o compromisso com Marianne e se sente obrigado, devido à situação de dependência, a ceder aos planos dela e se ausentar de Devonshire por um tempo. Sei que você me dirá que isso pode ter acontecido ou *não*, mas não darei ouvidos a nenhuma objeção a menos que você possa apontar qualquer outro argumento tão satisfatório quanto esse para explicar o caso. E agora, Elinor, o que você tem a dizer?

— Nada, pois a senhora antecipou minha resposta.

— Então você teria me dito que isso poderia ter acontecido ou não. Oh, Elinor, como são incompreensíveis os seus sentimentos! Você prefere dar mais crédito ao mal do que ao bem. Você prefere garantir tormento para Marianne e culpa para o pobre Willoughby a garantir uma explicação para ele. Você está decidida a considerá-lo culpado porque ele se despediu de nós com menos afeição do que seu comportamento usual demonstrava. E não há concessão a um descuido ou ao ânimo deprimido por uma decepção recente? Não há probabilidades a serem aceitas apenas porque não são certezas? Nada se deve ao homem a quem temos todos os motivos para amar e nenhum motivo neste mundo para pensar mal dele? À possibilidade de motivos inquestionáveis, ainda que inevitavelmente secretos por um tempo? E, afinal, do que você suspeita?

— Mal consigo explicar para mim mesma. Mas suspeitar de algo desagradável é a consequência inevitável da alteração que acabamos de testemunhar nele. É bem verdade, no entanto, o que a senhora acaba de frisar sobre as concessões que devem ser feitas a ele, e meu desejo é ser imparcial no julgamento de todas as pessoas. Willoughby pode, sem dúvida, ter motivos mais do que suficientes para sua conduta, e espero que tenha. Mas seria mais típico de Willoughby admiti-los de imediato. Sigilo pode ser aconselhável, mas ainda assim não consigo deixar de me espantar que seja praticado por ele.

— Não o culpe, porém, por se afastar de sua natureza onde o desvio é necessário. Mas você realmente admite a justiça do que eu disse em defesa dele? Fico feliz – e ele está absolvido.

— Não inteiramente. Pode ser apropriado esconder o compromisso, se eles *estão* comprometidos, da sra. Smith – e, sendo esse o caso, é altamente conveniente que Willoughby se afaste de Devonshire no momento. Mas não é desculpa para esconderem isso de nós.

— Esconderem de nós? Minha querida filha, você acusa Willoughby e Marianne de ocultação? Isso é deveras estranho, já que seus olhos os censuravam todos os dias pela imprudência.

— Não quero provas do afeto — disse Elinor —, mas sim do compromisso.

— Estou perfeitamente satisfeita com ambas.

— No entanto, nenhum deles disse à senhora uma sílaba sobre o assunto.

— Não preciso de sílabas onde as ações falam tão claramente. O comportamento dele com Marianne e todas nós, pelo menos nas últimas duas semanas, não declarou que ele a ama e considera como futura esposa e que sente por nós o apego da relação mais próxima? Não nos entendemos perfeitamente? Não foi o meu consentimento diariamente solicitado pelos olhares, pelos modos e pelo atencioso e afetuoso respeito dele? Minha Elinor, é possível duvidar do compromisso? Como pode tal pensamento lhe ocorrer? Como pode supor que Willoughby, convencido como deve estar do amor de sua irmã, haveria de deixá-la, e deixá-la talvez por meses, sem falar de seu afeto – que eles se separariam sem uma troca mútua de confidências?

— Confesso — respondeu Elinor — que todas as circunstâncias, exceto *uma*, indicam o compromisso, mas essa *uma* é o silêncio total de ambos sobre o assunto e, para mim, quase supera todas as outras.

— Que estranho! Você deve ter Willoughby em péssimo conceito se, depois de tudo o que se passou abertamente entre eles, é capaz de duvidar da natureza dos termos do relacionamento deles. Ele teria fingido para sua irmã todo esse tempo? Você acha que ele é realmente indiferente a ela?

— Não, não posso pensar isso. Ele deve amá-la e a ama, tenho certeza.

Razão & Sensibilidade

— Mas com um tipo estranho de ternura, se é capaz de deixá-la com tamanha indiferença, tamanha despreocupação quanto ao futuro, como você atribui a ele.

— Minha querida mãe, a senhora deve lembrar que nunca considerei esse assunto como certo. Tive minhas dúvidas, confesso, mas elas são mais tênues do que antes e em breve poderão ser totalmente eliminadas. Se descobrirmos que há um acordo, todo o meu temor será removido.

— Uma imensa concessão, de fato! Se você os visse no altar, suporia que iriam se casar. Moça indelicada! Mas não exijo tal prova. Na minha opinião, nada aconteceu que justificasse a dúvida – não houve tentativa de manter segredo, tudo foi constantemente às claras e sem reservas. Você não pode duvidar da vontade de sua irmã. Portanto, deve ser de Willoughby que você suspeita. Mas por quê? Ele não é um homem de honra e sentimentos? Houve alguma inconsistência da parte dele para gerar alarme? Será que ele pode ser falso?

— Espero que não, creio que não — exclamou Elinor. — Amo Willoughby, amo-o sinceramente, e suspeitar de sua integridade é tão doloroso para mim quanto seria para a senhora. É algo involuntário que não vou encorajar. Fiquei espantada, confesso, com a alteração de seu comportamento na manhã de hoje – ele não falava como de costume e não retribuiu sua gentileza com qualquer cordialidade. Mas tudo pode ser explicado por uma situação como a suposta pela senhora. Ele tinha acabado de se despedir de minha irmã e a vira sair da sala na maior aflição; caso tenha se sentido obrigado a resistir à tentação de retornar aqui em breve por medo de ofender a sra. Smith, mas ainda assim ciente de que, ao recusar seu convite e dizer que ficaria distante por algum tempo, pareceria agir de forma rude e suspeita para nossa família, ele pode muito bem ter se sentido constrangido e perturbado. Em tal caso, uma confissão clara e franca de suas dificuldades teria sido mais honrosa, penso eu, bem como mais coerente com seu caráter geral – mas não vou levantar objeções à conduta de ninguém sobre um fundamento tão mesquinho como uma diferença de julgamento ou um desvio do que eu possa considerar certo e coerente.

— Você falou muito bem. Willoughby por certo não merece ser suspeito. Embora *nós* não o conheçamos há muito tempo, ele não é um estranho nesta região, e quem alguma vez falou algo desabonador a respeito dele? Caso ele tivesse condições de agir de forma independente e se casar logo, poderia ser estranho ele nos deixar sem me informar sobre tudo de uma vez, mas não é esse o caso. Trata-se de um compromisso que sob alguns aspectos não começou de forma próspera, visto que o casamento deles deve pairar a uma distância muito incerta; manter sigilo tanto quanto possível pode ser muito aconselhável neste momento.

Elas foram interrompidas pela entrada de Margaret, e Elinor então ficou à vontade para pensar nas alegações da mãe, analisar as várias probabilidades e esperar que todas fossem acertadas.

Não viram Marianne até a hora do jantar, quando ela entrou na sala e se sentou à mesa sem dizer uma palavra. Seus olhos estavam vermelhos e inchados, e parecia que as lágrimas ainda eram contidas com dificuldade. Ela evitou os olhares de todas, não conseguiu comer nem falar e, depois de algum tempo, quando a mãe apertou sua mão em silêncio com terna compaixão, seu pequeno grau de compostura desabou, ela caiu no choro e saiu da sala.

O clima de depressão aguda manteve-se durante toda a noite. Marianne não tinha forças, pois não tinha nenhum desejo de se controlar. A mais leve menção a qualquer coisa relativa a Willoughby a subjugava no mesmo instante, e, embora a família estivesse ansiosamente atenta a seu conforto, era impossível para elas, ao falar qualquer coisa, evitar todos os assuntos que os sentimentos de Marianne relacionavam a ele.

🙢 *Capítulo 16*

Marianne teria achado imperdoável conseguir dormir na primeira noite após a partida de Willoughby. Teria vergonha de encarar sua família na manhã seguinte se não tivesse se levantado da cama com mais necessidade de repouso do que quando havia deitado. Mas os sentimentos que tornavam a compostura uma desgraça deixavam-na livre desse perigo. Ela ficou acordada a noite inteira, chorando na maior parte do tempo. Levantou-se com dor de cabeça, sem condições de falar e sem vontade de se alimentar, causando sofrimento para a mãe e as irmãs a todo instante e proibindo qualquer tentativa de consolo da parte delas. Assim era o poder de sua sensibilidade!

Quando o café da manhã acabou, ela saiu sozinha e vagou pelo vilarejo de Allenham, entregando-se à lembrança das alegrias passadas e chorando por causa do presente revés a maior parte da manhã. A noite passou-se na mesma indulgência aos sentimentos. Tocou todas as canções favoritas que costumava tocar para Willoughby, todas as árias em que suas vozes se uniam com mais frequência, e se sentou ao instrumento contemplando cada linha de música que ele havia escrito para ela até seu coração ficar tão pesaroso que mais nenhuma tristeza podia ser alcançada.

O pesar foi nutrido dessa maneira todos os dias. Passava horas inteiras ao pianoforte cantando e chorando alternadamente, a voz muitas vezes totalmente embargada pelas lágrimas. Nos livros, assim como na música, ela também cortejava a miséria que o contraste entre o passado e o presente não falhava em proporcionar. Não lia nada além do que costumavam ler juntos.

Essa aflição violenta não poderia ser mantida para sempre, em poucos dias tornou-se em uma melancolia mais calma, mas as atividades às quais Marianne recorria diariamente, as caminhadas solitárias e meditações silenciosas ainda produziam efusões ocasionais de tristeza tão vívidas como de costume.

Nenhuma carta de Willoughby chegou, e Marianne não parecia esperar nenhuma. A mãe ficou surpresa, e Elinor novamente ficou apreensiva. Mas a sra. Dashwood conseguia encontrar explicações sempre que quisesse, o que pelo menos a satisfazia.

— Lembre-se, Elinor — disse ela —, de quantas vezes sir John busca nossas cartas no correio e as leva para lá. Já concordamos que o sigilo pode ser necessário e devemos reconhecer que não poderia ser mantido se a correspondência deles passasse pelas mãos de sir John.

Elinor não podia negar essa verdade e tentou encontrar nisso um motivo suficiente para o silêncio. Mas havia um método tão direto, tão simples e, em sua opinião, tão adequado para saber o estado real das coisas e para remover instantaneamente todo o mistério que ela não pôde deixar de sugeri-lo à mãe:

— Por que a senhora não pergunta a Marianne de uma vez se ela está ou não comprometida com Willoughby? Partindo da senhora, a mãe, e uma mãe tão gentil, tão indulgente, a pergunta não poderia ofender. Seria decorrência natural de sua afeição por ela. Marianne costumava não ter reserva alguma, especialmente em relação à senhora.

— Eu não faria tal pergunta por nada deste mundo. Supondo ser possível que eles não estejam comprometidos, que angústia tal indagação não infligiria! De qualquer forma, seria muito rude. Eu nunca haveria de merecer a confiança dela novamente depois de forçar uma confissão do que, no momento, não pretendem revelar a ninguém. Conheço o coração de Marianne, sei que ela me ama muito e que não serei a última a quem os fatos serão dados a conhecer quando as circunstâncias tornarem sua revelação aceitável. Eu não tentaria forçar a confiança de ninguém, muito menos de uma filha, pois o senso de dever impediria a negação que talvez fosse de seu desejo.

Elinor considerou essa generosidade excessiva, levando em conta a juventude da irmã, e insistiu no assunto, mas em vão – bom senso, cuidado, prudência, tudo desmoronava diante da delicadeza romântica da sra. Dashwood.

Vários dias se passaram antes que o nome de Willoughby fosse mencionado na frente de Marianne por alguém da família; já sir John e a sra. Jennings não foram tão gentis, e seus gracejos acrescentaram dor a muitas horas dolorosas; mas certa noite a sra. Dashwood, ao pegar um volume de Shakespeare, sem querer exclamou:

— Nunca terminamos *Hamlet*, Marianne, nosso querido Willoughby foi embora antes que pudéssemos concluí-lo. Vamos deixar de lado até ele voltar... mas talvez se passem meses antes que *isso* aconteça.

— Meses! — exclamou Marianne, com forte surpresa. — Não! Tampouco muitas semanas.

A sra. Dashwood lamentou o que dissera, mas Elinor ficou satisfeita, pois aquilo provocou uma resposta muito expressiva da confiança de Marianne em Willoughby e do conhecimento de suas intenções.

Certa manhã, cerca de uma semana depois da partida de Willoughby, Marianne foi convencida a se juntar às irmãs na caminhada habitual em vez de vagar sozinha. Até então ela evitara cuidadosamente qualquer companhia em suas caminhadas. Se as irmãs pretendiam percorrer os morros, ela na mesma hora escapulia para as estradas; se falavam do vale, ela se apressava em subir as colinas e jamais era encontrada quando as outras saíam. Mas enfim ela foi capturada pelos esforços de Elinor, que desaprovava aquele isolamento contínuo. Caminharam ao longo da estrada que atravessava o vale, basicamente em silêncio, pois a *mente* de Marianne não podia ser controlada, e Elinor, satisfeita por ganhar um ponto, não forçaria mais. Além da entrada do vale, onde a região, embora ainda verdejante, era menos selvagem e mais aberta, estendia-se um longo trecho da estrada que elas haviam percorrido ao chegar a Barton; ao alcançar esse ponto, pararam para olhar ao redor e examinar a paisagem distante de sua vista do chalé, de um ponto que nunca haviam alcançado em nenhuma das caminhadas anteriores.

Entre os objetos do cenário, logo avistaram algo em movimento – um homem que cavalgava na direção delas. Em poucos minutos, puderam identificá-lo como um cavalheiro, e no instante seguinte Marianne exclamou, extasiada:

— É ele, é sim, eu sei que é! — e se apressou para encontrá-lo, quando Elinor exclamou:

— Marianne, acho que você está enganada. Não é Willoughby. A pessoa não é tão alta quanto ele e não tem o seu porte.

— Tem sim, tem sim — exclamou Marianne. — Tenho certeza que sim. Seu porte, seu casaco, seu cavalo. Eu sabia que ele viria logo.

Ela caminhava ansiosamente enquanto falava; Elinor, para proteger Marianne da decepção, pois tinha quase certeza de que não era Willoughby, apressou o passo e emparelhou com ela. Logo estavam a trinta metros do cavalheiro. Marianne olhou de novo, seu coração despedaçou-se no peito, e deu a volta abruptamente, indo embora às pressas. Quando as vozes das duas irmãs se levantaram para detê-la, uma terceira voz, quase tão conhecida quanto a de Willoughby, juntou-se à delas implorando para que parasse, e ela se virou surpresa para ver e dar as boas-vindas a Edward Ferrars.

Ele era a única pessoa no mundo que naquele momento poderia ser perdoada por não ser Willoughby, a única que poderia obter um sorriso dela; Marianne dispersou suas lágrimas para sorrir para *ele*, e, feliz pela irmã, esqueceu por um tempo a própria decepção.

Ele desmontou e, dando o cavalo ao criado, voltou com elas para Barton, para onde viera a fim de visitá-las. Foi recebido por todas com grande cordialidade, mas especialmente por Marianne, que mostrou mais ternura e consideração ao saudá-lo do que a própria Elinor. Para Marianne, o encontro entre Edward e sua irmã fora apenas uma continuação daquela frieza inexplicável no comportamento de ambos que ela com frequência observara em Norland.

Da parte de Edward, mais particularmente, faltava tudo que um enamorado deveria aparentar e dizer em tal ocasião. Ele estava confuso, mal parecia sentir prazer em vê-las, não parecia nem arrebatado nem alegre, pouco falava além do que lhe era imposto pelas perguntas, e não distinguia Elinor por nenhum sinal de afeto. Marianne viu e ouviu com crescente surpresa. Quase começou a sentir antipatia por Edward; aquilo terminou, como todo sentimento sempre terminava no caso dela, levando seus pensamentos de volta a Willoughby, cujas maneiras formavam um constraste deveras impressionante com as de seu cunhado eleito.

Após um breve silêncio que se seguiu à surpresa e às indagações iniciais do encontro, Marianne perguntou se Edward tinha vindo diretamente de Londres. Não, ele estivera em Devonshire por quinze dias.

— Quinze dias! — repetiu ela, surpresa por ele estar havia tanto tempo no mesmo condado que Elinor e não tê-la visto antes.

Ele pareceu bastante angustiado ao acrescentar que estivera com alguns amigos perto de Plymouth.

— Você esteve recentemente em Sussex? — perguntou Elinor.

— Estive em Norland há cerca de um mês.

— E como está a querida, querida Norland? — exclamou Marianne.

— Querida, querida Norland — repetiu Elinor —, provavelmente está como sempre nesta época do ano. Os bosques e trilhas com uma espessa cobertura de folhas secas.

— Oh — exclamou Marianne —, com que sensação de enlevo eu as via cair! Como me encantava, enquanto caminhava, vê-las se derramar sobre mim trazidas pelo vento! Que sentimentos elas, a estação e o ar inspiravam! Agora não há ninguém para apreciá-las. São vistas apenas como um incômodo, varridas às pressas e afastadas o máximo possível da vista.

— Nem todo mundo — disse Elinor — tem sua paixão por folhas secas.

— Não, meus sentimentos não são compartilhados com frequência, tampouco compreendidos. Mas *às vezes* são — ao dizer isso, ela mergulhou em um devaneio por alguns momentos; ao voltar a si, disse:

— Agora, Edward — chamando a atenção dele para a paisagem —, esse é o vale de Barton. Olhe ao redor e e permaneça indiferente se puder. Olhe aqueles morros! Você já viu algo assim? À esquerda está Barton Park, entre aqueles bosques e plantações. Você consegue enxergar uma ponta da casa. E lá, embaixo daquele morro mais distante, que se eleva com tanta grandeza, fica nosso chalé.

— É uma região linda — respondeu ele —, mas esses baixios devem ficar enlameados no inverno.

— Como você pode pensar em lama com esse cenário diante de si?

— É porque — respondeu ele, sorrindo —, em meio ao cenário diante de mim, vejo uma estrada muito enlameada.

— Que estranho! — disse Marianne para si mesma enquanto caminhava.

— Vocês têm uma vizinhança agradável aqui? Os Middleton são pessoas simpáticas?

— Não, de forma alguma — respondeu Marianne —, não poderíamos estar mais mal situadas.

— Marianne — exclamou a irmã —, como pode dizer isso? Como pode ser tão injusta? Eles são uma família muito respeitável, sr. Ferrars,

Razão & Sensibilidade

e em relação a nós se comportam da maneira mais amigável. Você se esqueceu, Marianne, de quantos dias agradáveis devemos a eles?

— Não — disse Marianne, em voz baixa —, nem de quantos momentos dolorosos.

Elinor não deu atenção a isso; dirigindo sua atenção ao visitante, se esforçou para manter algo semelhante a uma conversa com ele, falando de sua residência atual, sua comodidade, etc., extorquindo dele perguntas e observações ocasionais. A frieza e reserva de Edward mortificaram-na severamente. Elinor ficou irritada e meio zangada, mas, decidida a orientar seu comportamento em relação a ele pelo passado, e não pelo presente, evitou toda aparência de ressentimento ou desprazer e o tratou como achava que ele deveria ser tratado devido à ligação familiar.

✤ *Capítulo 17*

A sra. Dashwood ficou surpresa apenas por um momento ao ver Edward, pois a vinda dele a Barton era, na opinião dela, a coisa mais natural. Sua alegria e manifestação de apreço superaram em muito o espanto. Ele foi recebido por ela com as boas-vindas mais amáveis, e a timidez, frieza e reserva não conseguiram resistir a tal recepção. Elas haviam começado a minguar antes que ele entrasse na casa e foram completamente subjugadas pelos modos cativantes da sra. Dashwood. Na verdade, um homem não poderia se apaixonar por qualquer uma de suas filhas sem estender a paixão a ela, e Elinor teve a satisfação de logo vê-lo se tornar mais parecido com ele mesmo. Seu afeto por todas elas pareceu reanimar-se, e seu interesse pelo bem-estar delas se tornou novamente perceptível.

Entretanto, ele não estava animado; elogiou a casa, admirou a vista, foi atencioso e gentil; ainda assim, não estava animado. Toda a família percebeu, e a sra. Dashwood, atribuindo isso a alguma falta de generosidade da mãe dele, sentou-se à mesa indignada com todos os pais egoístas.

— Quais são as ideias da sra. Ferrars para você no momento, Edward? — perguntou ela, quando o jantar acabou e eles se reuniram em volta da lareira. — Você ainda vai ser um grande orador, apesar de não desejar isso?

— Não. Espero que minha mãe agora esteja convencida de que não tenho talento nem inclinação para uma vida pública!

— Mas como sua fama será estabelecida? Pois você deve se tornar famoso para satisfazer toda a sua família; contudo, sem inclinação para gastos, sem afeto por estranhos, sem profissão e sem arrogância, isso pode ser difícil.

— Não vou tentar. Não desejo me destacar e tenho todos os motivos para esperar que nunca o farei. Graças a Deus! Não posso ser forçado à genialidade e eloquência.

— Você não tem ambição, eu bem sei. Seus desejos são todos moderados.

— Tão moderados quanto os do resto do mundo, acredito. Desejo, assim como qualquer outra pessoa, ser completamente feliz, mas, como todos, devo ser feliz do meu jeito. A grandeza não me fará feliz.

— Estranho se fizesse! — exclamou Marianne. — O que riqueza ou grandeza têm a ver com felicidade?

— Grandeza pouco tem — disse Elinor —, mas riqueza tem muito a ver.

— Elinor, que vergonha! — disse Marianne. — O dinheiro só pode proporcionar felicidade onde não há mais nada para proporcioná-la. Além do sustento, ele não pode proporcionar nenhuma satisfação real no que diz respeito ao eu.

— Talvez — disse Elinor, sorrindo — possamos chegar a um ponto em comum. *Seu* sustento e *minha* riqueza são muito semelhantes, ouso dizer; sem eles, sendo o mundo como é, ambas concordaremos que há de faltar todo tipo de conforto externo. Suas ideias são apenas mais nobres que as minhas. Diga, quanto custaria o seu sustento?

— Cerca de mil e oitocentas ou duas mil libras por ano; não mais do que *isso*.

Elinor riu.

— *Duas* mil libras por ano! *Mil* é a minha riqueza! Adivinhei como isso iria acabar.

— Ainda assim, duas mil libras por ano é uma renda muito moderada — disse Marianne. — Uma família não pode ser mantida com menos. Tenho certeza de que não sou extravagante em minhas demandas.

Um número adequado de criados, uma carruagem, talvez duas, e cães de caça não podem ser mantidos com menos.

Elinor sorriu de novo ao ouvir a irmã descrever com tanta exatidão suas despesas futuras em Combe Magna.

— Cães de caça! — repetiu Edward. — Mas por que você deve ter cães de caça? Nem todos caçam.

Marianne enrubesceu ao responder:

— Mas a maioria das pessoas, sim.

— Eu gostaria — disse Margaret, lançando um novo pensamento — que alguém desse uma grande fortuna a cada uma de nós!

— Oh, quem dera! — exclamou Marianne, os olhos brilhando de animação e as bochechas radiantes com o deleite da felicidade imaginária.

— Somos unânimes nesse desejo, suponho — disse Elinor —, apesar de riqueza não ser suficiente.

— Oh céus — exclamou Margaret —, como eu seria feliz! Me pergunto o que faria com ela!

Marianne parecia não ter dúvidas a respeito disso.

— Eu ficaria constrangida por gastar uma fortuna — disse a sra. Dashwood — se minhas filhas devessem ser ricas com a minha ajuda.

— A senhora deve começar suas melhorias nesta casa — observou Elinor —, e suas dificuldades logo desaparecerão.

— Que encomendas magníficas essa família faria em Londres em tal circunstância! — disse Edward. — Que dia feliz para os vendedores de livros, partituras e gravuras! Você, srta. Dashwood, faria um pedido genérico para que cada nova gravura de qualidade lhe fosse enviada; quanto a Marianne, conheço sua grandeza de alma, não haveria partituras suficientes em Londres para satisfazê-la. E livros! Thomson, Cowper, Scott – ela os compraria todas as vezes e mais vezes; compraria todos os exemplares, creio eu, para evitar que caíssem em mãos indignas, e teria todos os livros que lhe dissessem como admirar uma velha árvore retorcida. Não é, Marianne? Perdoe-me se sou muito atrevido. Mas desejava mostrar que não me esqueci de nossas antigas discussões.

— Adoro lembrar o passado, Edward, seja melancólico ou alegre, adoro relembrar, e você nunca vai me ofender falando do passado. Você está muito correto em supor como meu dinheiro seria gasto – parte dele, pelo menos. Meu dinheiro miúdo com certeza seria empregado no aprimoramento da minha coleção de músicas e livros.

— E a maior parte de sua fortuna seria gasta em pensões anuais para os autores ou seus herdeiros.

— Não, Edward, eu teria outra coisa para fazer.

— Talvez então você a concedesse como recompensa à pessoa que escrevesse a defesa mais talentosa de sua máxima favorita, a de que ninguém pode se apaixonar mais de uma vez na vida – presumo que sua opinião sobre esse assunto permaneça inalterada.

— Sem dúvida. A essa altura de minha vida, as opiniões são razoavelmente fixas. Não é provável que agora eu veja ou ouça algo que as modifique.

— Veja, Marianne continua tão resoluta como sempre — disse Elinor —, não mudou em nada.

— Só está um pouco mais séria do que era.

— Ora, Edward — disse Marianne —, não precisa me censurar. Você mesmo não está muito alegre.

— Por que você haveria de pensar isso? — respondeu ele, com um suspiro. — A alegria nunca fez parte do *meu* caráter.

— Também não acho que faça parte do caráter de Marianne — disse Elinor. —Dificilmente eu a consideraria uma moça animada, ela é muito séria, muito diligente em tudo que faz, às vezes fala muito e sempre com animação – mas nem sempre é realmente alegre.

— Creio que você esteja certa — respondeu ele —, todavia, sempre a considerei uma moça vivaz.

— Muitas vezes dei por mim incorrendo nesse tipo de erro — disse Elinor —, uma compreensão totalmente equivocada de caráter em algum ponto ou outro, imaginando as pessoas muito mais alegres ou sisudas, espertas ou estúpidas do que realmente são, e dificilmente saberia dizer por que ou em que o engano se originou. Às vezes somos guiados pelo que elas dizem de si mesmas e muito frequentemente pelo que os outros dizem delas, sem nos darmos tempo para deliberar e julgar.

— Mas pensei que fosse certo, Elinor — disse Marianne —, sermos guiados inteiramente pela opinião de outras pessoas. Achei que nossos julgamentos servissem apenas para ser subservientes aos dos vizinhos. Essa sempre foi sua doutrina, tenho certeza.

— Não, Marianne, nunca. Minha doutrina nunca almejou a submissão do discernimento. Tudo o que sempre tentei influenciar foi o comportamento. Você não deve confundir o que digo. Sou culpada, confesso, de muitas vezes ter desejado que você no geral tratasse nossos conhecidos com maior atenção, mas quando a aconselhei a adotar os sentimentos deles ou a se conformar com o julgamento alheio em assuntos sérios?

— Você não conseguiu atrair sua irmã para o seu plano de cortesia generalizada? — perguntou Edward para Elinor. — Não avançou nada?

— Muito pelo contrário — respondeu Elinor, olhando expressivamente para Marianne.

— Meu julgamento — ele respondeu — coincide em tudo com o seu nessa questão, mas temo que na prática eu seja muito mais parecido com sua irmã. Nunca desejo ofender, mas sou tão absurdamente tímido que muitas vezes pareço indiferente, quando sou apenas inibido por minha inabilidade natural. Com frequência penso que, por natureza, devo ser propenso a gostar de companhias inferiores; fico tão pouco à vontade entre pessoas nobres que me sejam estranhas!

— Marianne não tem timidez que desculpe qualquer desatenção da parte dela — disse Elinor.

— Ela conhece o próprio valor muito bem para uma falsa vergonha — respondeu Edward. — Timidez é apenas o efeito de algum tipo de sentimento de inferioridade. Se eu pudesse me convencer de que minhas maneiras são perfeitamente agradáveis e elegantes, não seria tímido.

— Mas você ainda seria reservado — disse Marianne —, e isso é pior.

Edward exclamou:

— Reservado! Sou reservado, Marianne?

— Sim, muito.

— Não entendo você — respondeu ele, corando. — Reservado! Como, de que maneira? O que deveria dizer a você? Como pode supor isso?

Elinor pareceu surpresa com a emoção dele, mas, tentando rir do assunto, disse:

— Por acaso você não conhece minha irmã o suficiente para entender o que ela quer dizer? Você não sabe que ela chama de reservado todo aquele que não fale tão rápido quanto ela e não admire o que ela admira com tanto arrebatamento quanto ela?

Edward não respondeu. Sua sisudez e alheamento voltaram em toda a plenitude – e ele ficou sentado por algum tempo em silêncio e indiferente.

Capítulo 18

Elinor observou com grande inquietação o desânimo do amigo. A visita de Edward proporcionou a ela apenas uma satisfação parcial, pois o prazer dele parecia muito imperfeito. Era evidente que ele estava infeliz, e ela gostaria que ficasse igualmente evidente que ele ainda a distinguia com a mesma afeição que ela outrora não tinha dúvidas inspirar, mas até o momento a continuidade de seu afeto parecia muito incerta, e as maneiras reservadas com ela contradiziam em um momento o que um olhar mais animado havia sugerido no instante anterior.

Edward se juntou a ela e Marianne na sala de café na manhã seguinte, antes que as outras descessem; Marianne, sempre ansiosa para promover a felicidade deles tanto quanto pudesse, logo os deixou sozinhos. Mas, antes que chegasse à metade da escada, ouviu a porta da sala se abrir e, virando-se, ficou surpresa ao ver Edward sair.

— Estou indo à aldeia ver meus cavalos — disse ele —, já que vocês ainda não estão prontas para o café da manhã. Voltarei em breve.

Edward retornou com uma nova admiração pela região circundante; em sua caminhada até a aldeia, viu muitas partes do vale de uma perspectiva favorável, e o povoado, em localização muito mais elevada do que o chalé, proporcionou uma visão panorâmica que muito o agradou. Esse era um assunto que garantia a atenção de Marianne, e ela estava começando a descrever a própria admiração pelo cenário e a questioná-lo mais minuciosamente sobre os elementos que o haviam impressionado particularmente, quando Edward a interrompeu dizendo:

— Você também não deve perguntar muito, Marianne – lembre-se de que não tenho conhecimento sobre o que é pitoresco e vou ofendê-la com minha ignorância e falta de gosto se chegarmos a detalhes. Chamarei os morros de íngremes em vez de arrojados; as superfícies, de estranhas e rudes em vez irregulares e escarpadas; e objetos distantes, de fora da vista em vez de indistintos devido a uma suave atmosfera nebulosa. Você deve se dar por satisfeita com a admiração que posso expressar honestamente. Considero a região muito bonita – os morros são íngremes, os bosques parecem cheios de madeira nobre, e o vale parece agradável e aconchegante –, com pastos abundantes e várias fazendas bem distribuídas aqui e ali. Corresponde exatamente à minha ideia de uma bela região, porque une beleza e utilidade – ouso dizer que é pitoresca também porque você a admira; posso facilmente imaginar que seja repleta de rochedos e promontórios, barba-de-velho e arbustos, mas disso não entendo nada. Não sei nada do pitoresco.

— Receio que seja verdade — disse Marianne —, mas por que você deveria se gabar disso?

— Suspeito — disse Elinor — que, para evitar um tipo de afetação, Edward aqui cai em outra. Como ele acredita que muita gente finge mais admiração pelas belezas da natureza do que realmente sente e fica aborrecido com tais pretensões, ele afeta mais indiferença e menos discernimento ao vê-las. Ele é meticuloso e tem uma afetação própria.

— É bem verdade — disse Marianne — que a admiração pela paisagem se tornou um mero jargão. Todos fingem sentir e tentam descrever com o gosto e a elegância daquele que primeiro definiu o que é beleza pitoresca. Detesto jargões de todos os tipos e em certas ocasiões guardei meus sentimentos para mim porque não consegui encontrar palavras para descrevê-los a não ser as que estavam gastas e banalizadas em todos os sentidos e significados.

— Estou convencido — disse Edward — de que você realmente sente todo o prazer que declara sentir com uma bela paisagem. Por outro lado, sua irmã deve permitir que eu não sinta mais do que declaro. Gosto de uma bela paisagem, mas não com base no pitoresco. Não gosto de árvores tortas, retorcidas, estragadas. Admiro-as muito mais se forem altas, retas e viçosas. Não gosto de cabanas em ruínas. Não gosto de urtigas, cardos ou flores do banhado. Tenho mais prazer em uma casa de fazenda confortável do que em uma torre de vigia – e um grupo de aldeões asseados e felizes me agrada mais do que a melhor turma de bandidos do mundo.

Marianne olhou com espanto para Edward, e com compaixão para a irmã. Elinor apenas riu.

O assunto não foi adiante, e Marianne permaneceu pensativa, em silêncio, até um novo objeto atrair sua atenção de repente. Ela estava sentada ao lado de Edward, e, quando ele pegou a xícara de chá alcançada pela sra. Dashwood, sua mão passou diante dela, deixando muito visível em um dos dedos um anel com uma trança de cabelo no centro.

— Nunca vi você usar anel antes, Edward — exclamou ela. — Esse cabelo é de Fanny? Lembro-me de ela prometer dar-lhe uma mecha. Mas pensava que o cabelo dela era mais escuro.

Marianne falou sem pensar – mas, quando viu o quanto havia afligido Edward, sua irritação pela própria falta de atenção só não foi maior que a dele. Ele corou intensamente e, olhando de relance para Elinor, respondeu:

— Sim, é o cabelo da minha irmã. O engaste sempre provoca alteração na tonalidade, você sabe.

Elinor trocou um olhar com ele e também pareceu alerta. Assim como Marianne, ela instantaneamente ficou convencida de que o cabelo era dela; a única diferença na conclusão de ambas era que aquilo que Marianne considerava um presente espontâneo de sua irmã, Elinor

Razão & Sensibilidade

sabia que fora obtido por furto ou algum artifício desconhecido por ela. Todavia, Elinor não estava disposta a considerar aquilo uma afronta; fingindo não tomar conhecimento do que se passava e falando instantaneamente de outra coisa, decidiu aproveitar todas as oportunidades de examinar o cabelo e se certificar, sem sombra de dúvida, de que era exatamente da tonalidade do cabelo dela.

O constrangimento de Edward perdurou e terminou em um alheamento ainda mais intenso. Ele se manteve particularmente fechado durante toda a manhã. Marianne censurou-se severamente pelo que havia dito, mas teria se perdoado com mais rapidez se soubesse o quão pouco havia ofendido sua irmã.

Antes do meio-dia, receberam a visita de sir John e da sra. Jennings, que, ao saber da chegada de um cavalheiro ao chalé, foram inspecionar o convidado. Com a ajuda da sogra, sir John não demorou a descobrir que o nome Ferrars começava com F, o que produziu uma futura mina de zombarias contra a devotada Elinor – apenas o fato de terem acabado de conhecer Edward evitou que começassem imediatamente. Mas bastaram alguns olhares muito significativos para Elinor perceber até que ponto se estendia o conhecimento deles, baseado nas informações de Margaret.

Sir John nunca visitava as Dashwood sem convidá-las para jantar em Barton Park no dia seguinte ou para tomar chá com eles na mesma tarde. Dessa vez, a fim de melhor entreter o visitante, para cuja diversão ele se sentia obrigado a contribuir, fez o convite para as duas coisas.

— Vocês *devem* tomar chá conosco esta noite — disse ele —, pois estaremos completamente sozinhos, e amanhã devem jantar conosco sem falta, pois seremos um grande grupo.

A sra. Jennings reforçou a necessidade.

— Quem sabe organizam um baile — disse ela. — E isso vai tentar *você*, srta. Marianne.

— Um baile! — exclamou Marianne. — Impossível! Quem vai dançar?

— Quem? Ora, vocês, e as Carey e as Whitaker com certeza. O quê? Você acha que ninguém poderia dançar porque uma certa pessoa cujo nome não se pode dizer se foi?

— Do fundo de minha alma — exclamou sir John —, como eu queria que Willoughby estivesse entre nós novamente.

Isso e o rubor de Marianne suscitaram novas suspeitas em Edward.

— Quem é Willoughby? — perguntou ele em voz baixa à srta. Dashwood, sentada a seu lado.

Elinor deu uma resposta curta. O semblante de Marianne era mais comunicativo. Edward viu o suficiente para compreender não apenas o que os outros estavam insinuando, mas também as expressões de Marianne que o haviam intrigado antes; quando os visitantes partiram, ele imediatamente aproximou-se dela e disse em um sussurro:

— Estive especulando. Devo dizer-lhe meu palpite?

— O que você quer dizer?

— Devo contar?

— Com certeza.

— Pois bem, acho que o sr. Willoughby caça.

Marianne ficou surpresa e confusa, mas não pôde deixar de sorrir diante da discreta malícia de suas maneiras e, após um momento de silêncio, disse:

— Oh, Edward! Como pode? Mas chegará a hora, espero... Tenho certeza de que você vai gostar dele.

— Não tenho dúvidas — respondeu ele, bastante surpreso com a seriedade e cordialidade dela, pois, se não tivesse imaginado que fosse uma pilhéria para divertir os conhecidos de Marianne, baseada apenas em especulações sobre o sr. Willoughby e ela, não teria se aventurado a fazer o comentário.

Capítulo 19

Edward permaneceu uma semana no chalé; foi fortemente pressionado pela sra. Dashwood para ficar mais; porém, como se estivesse inclinado apenas à mortificação, pareceu decidido a partir quando sua alegria entre as amigas estava no auge. Nos últimos dois ou três dias, seu ânimo, embora ainda muito oscilante, melhorou muito; ele ficou cada vez mais afeiçoado à casa e aos arredores, nunca falava em ir embora sem um suspiro, declarou que estava com todo o tempo livre, que nem sabia para onde deveria ir quando as deixasse – ainda assim, tinha que partir.

Nunca uma semana passou tão rápido – ele mal podia acreditar que ela havia acabado. Disse isso repetidamente, disse outras coisas também, que marcaram a mudança de seus sentimentos e desmentiram suas ações. Ele não tinha prazer em Norland, detestava estar na cidade, mas para Norland ou Londres tinha que ir. Ele valorizava a bondade delas acima de tudo, e sua maior felicidade era estar com elas. No entanto, deveria deixá-las no final de uma semana, apesar da vontade delas e da sua própria, e sem haver qualquer restrição de tempo.

Elinor atribuiu à mãe dele tudo o que havia de espantoso naquela forma de agir; para ela era motivo de felicidade que ele tivesse uma mãe cujo caráter era tão imperfeitamente conhecido por ela, a ponto de ser a desculpa geral para todas as coisas estranhas da parte do filho. Decepcionada e irritada, e às vezes descontente com o comportamento incerto dele consigo mesma, Elinor ainda assim mantinha-se totalmente disposta a considerar as ações de Edward com todas as sinceras concessões e generosas qualificações extorquidas dela, de maneira muito dolorosa, por sua mãe em favor de Willoughby.

A falta de espírito, de franqueza e de constância de Edward eram geralmente atribuídas à falta de independência e de conhecimento acurado da intenção e dos planos da sra. Ferrars. A brevidade da visita, a firmeza de propósito em partir originavam-se da mesma inclinação acorrentada, da mesma necessidade inescapável de contemporizar com a mãe. A velha queixa solidamente estabelecida de dever *versus* vontade, pais *versus* filhos, era a causa de tudo. Ela teria ficado feliz em saber quando essas dificuldades cessariam, quando essa oposição cederia, quando a sra. Ferrars mudaria e seu filho teria liberdade para ser feliz. Mas, de tais desejos vãos, ela era forçada a recorrer, em busca de conforto, à renovação de sua confiança na afeição de Edward, à lembrança de cada sinal de consideração em olhares ou palavras que escapavam dele enquanto estava em Barton e, acima de tudo, àquela prova lisonjeira que ele usava constantemente em torno de seu dedo.

— Penso, Edward — disse a sra. Dashwood, enquanto tomavam o café na última manhã —, que você seria um homem mais feliz se tivesse uma profissão à qual dedicar seu tempo e direcionar seus planos e ações. De fato, poderiam surgir alguns inconvenientes para seus amigos – você não seria capaz de dar a eles tanto de seu tempo. Mas — concluiu com um sorriso — você seria materialmente beneficiado em pelo menos um particular – saberia para onde ir quando os deixa.

— Garanto-lhe — respondeu ele — que há muito tempo penso nesse assunto assim como a senhora pensa agora. Foi, é e provavelmente sempre será um grande infortúnio para mim não ter tido nenhum negócio para me dedicar, nenhuma profissão que me garantisse emprego ou me proporcionasse independência. Infelizmente, meu refinamento e o refinamento de meus amigos fizeram de mim o que sou, um ser ocioso e impotente. Nunca concordamos na escolha da profissão. Sempre preferi a igreja, como ainda prefiro. Mas isso não era dinâmico o suficiente para minha família. Recomendaram o Exército. Isso era dinâmico demais

Razão & Sensibilidade

para mim. O direito foi permitido por ser distinto o suficiente; muitos rapazes que têm gabinetes em Temple causam muito boa impressão nos círculos importantes e circulam pela cidade em carruagens muito elegantes. Mas eu não tinha inclinação para o direito, nem mesmo para o estudo menos intrincado que minha família aprovava. Quanto à Marinha, tinha a seu favor o modismo, mas eu já estava muito velho quando o assunto entrou em pauta – por fim, como não havia necessidade de ter nenhuma profissão, já que eu poderia ser tão galante e sofisticado sem um casaco militar quanto com um, a ociosidade foi declarada muito vantajosa e honrada, e um jovem de dezoito anos não costuma estar tão ansiosamente inclinado a ter uma ocupação a ponto de resistir às solicitações de seus amigos para não fazer nada. Fui, portanto, matriculado em Oxford e desde então estou devidamente ocioso.

— A consequência disso, suponho — disse a sra. Dashwood —, é que, uma vez que o ócio não lhe proporcionou felicidade, seus filhos serão educados para tantas atividades, empregos, profissões e negócios quanto os de Columella.

— Eles serão educados — disse ele, com um tom sério — para serem tão diferentes de mim quanto possível. Nos sentimentos, nas ações, na condição, em tudo.

— Ora, ora, isso tudo é um desabafo do seu atual desânimo, Edward. Você está com um humor melancólico e imagina que alguém diferente de você deva ser feliz. Lembre-se, porém, de que a dor de se separar dos amigos é sentida por todas as pessoas em certas ocasiões, seja qual for a educação ou condição. Conheça a sua felicidade. Você só precisa de paciência – ou dê a ela um nome mais fascinante, chame de esperança. Com o tempo, sua mãe lhe garantirá a independência pela qual você tanto anseia, é dever dela, e será, e não deve demorar muito para se tornar motivo de felicidade dela evitar que toda a sua juventude seja desperdiçada em descontentamento. O que alguns meses não fazem?

— Acho — respondeu Edward — que terei que esperar muitos meses por algo de bom para mim.

Essa mentalidade desanimada, embora não pudesse ser transmitida à sra. Dashwood, causou dor adicional a todos na separação que ocorreu em seguida e deixou uma impressão desconfortável especialmente nos sentimentos de Elinor, exigindo algum trabalho e tempo para ser dominada. Todavia, como Elinor estava decidida a subjugá-la e evitar que parecesse sofrer mais do que toda a família com a partida dele, não adotou o método tão criteriosamente empregado por Marianne em ocasião semelhante – buscar o silêncio, a solidão e a ociosidade – para aumentar e consolidar sua tristeza. Seus meios eram tão diferentes quanto seus objetivos e igualmente adequados ao progresso.

Elinor sentou-se à sua mesa de desenho assim que Edward deixou a casa, ocupou-se o dia todo, não buscou nem evitou mencionar o nome dele, pareceu interessar-se quase tanto quanto de costume pelos assuntos gerais da família e se, com essa conduta, não diminuiu a própria dor, pelo menos impediu um aumento desnecessário, e sua mãe e irmãs foram poupadas de muitos cuidados com ela.

Um comportamento como esse, exatamente o oposto do seu, não parecia mais meritório para Marianne do que o dela parecia falho para Elinor. Marianne resolveu a questão do autodomínio com muita facilidade – se com afetos intensos era impossível, com os serenos não tinha mérito. Que os afetos de sua irmã *eram* serenos ela não ousava negar, embora corasse ao reconhecer; e da força dos seus ela deu uma prova muito contundente, amando e respeitando aquela irmã apesar dessa convicção mortificante.

Sem se fechar para a família, sem sair de casa sozinha decidida a evitá-las, sem passar a noite inteira acordada entregue a reflexões, Elinor verificou que todos os dias lhe permitiam tempo suficiente para pensar em Edward e no comportamento de Edward em todas as variadas possibilidades que diferentes estados de seu espírito em diferentes momentos poderiam produzir – com ternura, piedade, aprovação, censura e dúvida. Havia momentos em que, se não pela ausência da mãe e das irmãs, pelo menos pela natureza de suas ocupações, a conversa era impossível entre elas, e todo o efeito de solidão se produzia. Sua mente ficava inevitavelmente em liberdade, seus pensamentos não podiam ser acorrentados em outro lugar, e o passado e o futuro daquele assunto tão interessante ficavam diante dela, forçavam sua atenção e absorviam sua memória, suas reflexões e sua imaginação.

De um devaneio desse tipo, sentada à mesa de desenho, ela foi despertada certa manhã, pouco depois de Edward ter partido, com a chegada de visitas. Ela estava completamente sozinha. O fechamento do portãozinho na entrada do gramado em frente à casa atraiu seus olhos para a janela, e ela viu um grande grupo caminhando até a porta. Entre eles estavam sir John e lady Middleton e a sra. Jennings, mas havia dois outros, um cavalheiro e uma dama totalmente desconhecidos. Elinor estava sentada perto da janela e, assim que sir John a avistou, deixou para o restante do grupo a cerimônia de bater à porta e, atravessando a relva, obrigou-a a abrir a janela para falar com ele, embora o espaço entre a porta e a janela fosse tão pequeno que dificilmente se podia falar em uma sem ser ouvido na outra.

— Bem — disse ele —, trouxemos alguns estranhos para você. O que acha deles?

— Shh! Eles vão ouvir.

— Não se preocupe com isso. São apenas os Palmer. Charlotte é muito bonita, lhe asseguro. Você pode vê-la se olhar para lá.

Como Elinor tinha certeza de que a veria em alguns minutos sem tomar essa liberdade, escusou-se de olhar pela janela.

— Onde está Marianne? Fugiu porque viemos? Vejo que o instrumento dela está aberto.

— Está dando uma caminhada, creio eu.

Em seguida juntou-se a eles a sra. Jennings, que não teve paciência suficiente para esperar até que a porta se abrisse para contar *sua* história. Chegou gritando na janela:

— Como vai, minha querida? Como vai a sra. Dashwood? E onde estão suas irmãs? O quê? Sozinha! Você ficará feliz com um pouco de companhia. Trouxe meu outro genro e minha filha para conhecê-las. Imagine, chegaram tão de repente! Pensei ter ouvido uma carruagem ontem à noite enquanto tomávamos chá, mas não me passou pela cabeça que pudessem ser eles. Pensei apenas que pudesse ser o coronel Brandon de volta, então disse a sir John: "Acho que ouvi uma carruagem, talvez seja o coronel Brandon de volta".

Elinor foi obrigada a se afastar no meio da história para receber o restante do grupo, lady Middleton apresentou os dois estranhos, enquanto isso a sra. Dashwood e Margaret desceram as escadas, e todos se sentaram olhando uns para os outros, enquanto a sra. Jennings contava sua história ao avançar pelo corredor para a sala de estar, acompanhada por sir John.

A sra. Palmer era vários anos mais nova que lady Middleton e totalmente diferente em todos os aspectos. Era baixa e rechonchuda, tinha um rosto muito bonito e o melhor semblante de bom humor que poderia haver. Suas maneiras não eram tão elegantes quanto as da irmã, mas eram muito mais atraentes. Ela entrou sorrindo, sorriu durante toda a visita, exceto quando gargalhou, e foi embora sorrindo. Seu marido era um jovem de aparência séria, de vinte e cinco ou vinte e seis anos, com um ar mais elegante e sensato do que a esposa, mas menos disposto a agradar ou ser agradado. Ele entrou na sala com um olhar de soberba, curvou-se ligeiramente para as donas da casa sem dizer uma palavra e, após uma breve inspeção delas e dos aposentos, pegou um jornal de cima da mesa e continuou a lê-lo enquanto lá esteve.

Razão & Sensibilidade

A sra. Palmer, pelo contrário, fortemente dotada pela natureza de uma tendência para ser constantemente cortês e feliz, mal se sentou, e deu vazão à sua admiração pela sala e tudo que havia nela.

— Então! Que linda sala! Nunca vi nada tão charmoso! Pense só, mamãe, como melhorou desde a última vez que estive aqui! Sempre achei esse lugar adorável — disse ela, voltando-se para a sra. Dashwood —, mas a senhora o deixou muito charmoso! Veja só, irmã, como tudo é encantador! Como eu gostaria de ter uma casa assim! Você não, sr. Palmer?

O sr. Palmer não respondeu e nem mesmo ergueu os olhos do jornal.

— O sr. Palmer não me ouve nunca — disse ela, rindo. — É tão ridículo!

Aquela era uma ideia bastante inovadora para a sra. Dashwood; ela nunca se acostumara a achar graça na desatenção de ninguém e não pôde deixar de olhar para os dois com surpresa.

Nesse ínterim, a sra. Jennings falava o mais alto que podia, dando continuidade ao relato da surpresa deles na noite anterior ao ver seus parentes, e não parou até contar tudo. A sra. Palmer riu muito com a lembrança do espanto da mãe, e todos concordaram, duas ou três vezes, que tinha sido uma surpresa bastante agradável.

— Você pode imaginar o quanto todos nós ficamos contentes ao vê-los — acrescentou a sra. Jennings inclinando-se para Elinor e falando em voz baixa, como se não quisesse ser ouvida por mais ninguém, embora estivessem sentadas em lados opostos da sala —, no entanto, não posso deixar de desejar que não tivessem viajado tão rápido, nem feito uma viagem tão longa, pois vieram de Londres por causa de alguns negócios, e você sabe — acenando significativamente com a cabeça e apontando para filha —, não é bom no estado dela. Eu queria que ela ficasse em casa e descansasse na manhã de hoje, mas ela insistiu em vir conosco, queria muito conhecer todas vocês!

A sra. Palmer riu e disse que aquilo não lhe faria mal.

— Ela espera dar à luz em fevereiro — continuou a sra. Jennings.

Lady Middleton não pôde mais suportar tal conversa, por isso se esforçou para perguntar ao sr. Palmer se havia alguma notícia no jornal.

— Não, absolutamente nenhuma — respondeu ele, e continuou a ler.

— Lá vem Marianne — gritou sir John. — Agora, Palmer, você verá uma moça horrivelmente bela.

Sir John imediatamente foi para o corredor, abriu a porta da frente e a fez entrar. Assim que ela apareceu, a sra. Jennings perguntou-lhe se não estivera em Allenham, e a sra. Palmer riu tanto da pergunta que mostrou ter entendido o comentário. O sr. Palmer ergueu os olhos quando Marianne entrou na sala, olhou-a por alguns minutos e depois voltou ao jornal. A atenção da sra. Palmer foi então capturada pelos desenhos expostos pela sala. Ela se levantou para examiná-los.

— Oh, meu Deus, como são lindos! Sim! Que encantadores! Olhe só, mamãe, que belos! Considero muito charmosos, poderia ficar admirando-os para sempre.

E então, sentando-se novamente, logo se esqueceu de que havia tais coisas na sala.

Quando lady Middleton se levantou para ir embora, o sr. Palmer também se levantou, largou o jornal, espreguiçou-se e olhou para todos ao redor.

— Meu amor, você dormiu? — perguntou a esposa, rindo.

Ele não respondeu, apenas observou, depois de examinar a sala novamente, que era muito baixa e que o teto estava torto. Então fez sua reverência e partiu com os demais.

Sir John insistira muito com todas para que passassem o dia seguinte em Barton Park. A sra. Dashwood, que não pretendia jantar com eles mais frequentemente do que eles jantavam no chalé, recusou categoricamente, as filhas poderiam fazer o que quisessem. Mas elas não tinham curiosidade de ver como o sr. e a sra. Palmer se comportavam no jantar e nenhuma expectativa de qualquer tipo de diversão da parte deles. Portanto, tentaram da mesma forma se escusar; o tempo estava instável e provavelmente não estaria bom.

Mas sir John não se deu por satisfeito – a carruagem seria enviada, e elas deveriam vir. Lady Middleton, embora não pressionasse a mãe delas, também as pressionou. A sra. Jennings e a sra. Palmer se juntaram aos pedidos, todas parecendo igualmente ansiosas para evitar um grupo familiar, e as moças foram obrigadas a ceder.

— Por que nos convidaram? — perguntou Marianne assim que eles partiram. — Dizem que o aluguel dessa casa é baixo, mas as condições são muito difíceis, se temos que jantar em Barton Park sempre que alguém está hospedado com eles ou conosco.

— Eles não querem ser menos corteses e gentis conosco agora — disse Elinor — com esses convites frequentes do que com os convites que recebemos há poucas semanas. Não foi porque eles mudaram que as reuniões estão ficando tediosas e enfadonhas. Devemos procurar a mudança em outro lugar.

Capítulo 20

No dia seguinte, quando as senhoritas Dashwood entraram na sala de visitas de Barton Park por uma porta, a sra. Palmer veio correndo pela outra, parecendo bem-humorada e alegre como na véspera. Pegou-as muito afetuosamente pelas mãos e manifestou grande prazer em vê-las de novo.

— Estou tão contente em vê-las — disse ela, sentando-se entre Elinor e Marianne —, porque o dia está tão feio que tive receio de que pudessem não vir, o que seria péssimo, já que vamos embora amanhã. Temos que ir, pois os Weston irão nos visitar na semana que vem. Foi bastante repentina essa nossa vinda, e eu não sabia de nada até a carruagem chegar à nossa porta e então o sr. Palmer perguntar se eu iria com ele a Barton. Ele é tão engraçado! Nunca me diz nada! Lamento muito não podermos permanecer mais tempo, mas espero que logo nos encontremos de novo na cidade.

Elas foram obrigadas a pôr um fim naquela expectativa.

— Não vão para a cidade! — exclamou a sra. Palmer, com uma risada. — Ficarei muito desapontada se não forem. Eu conseguiria a melhor casa do mundo para vocês, perto da nossa, em Hanover Square. Vocês têm que ir. Com certeza ficarei muito feliz em acompanhá-las em tudo até o parto, caso a sra. Dashwood não goste de sair em público.

Elas agradeceram, mas foram obrigadas a resistir a todas as súplicas.

— Oh, meu amor — exclamou a sra. Palmer para o marido, que acabara de entrar na sala —, você deve me ajudar a persuadir as senhoritas Dashwood a irem para a cidade neste inverno.

Seu amor não respondeu e, depois de se curvar ligeiramente para as damas, começou a reclamar do tempo.

Razão & Sensibilidade

— Como tudo isso é horrendo! — disse ele. — Esse clima torna tudo e todos asquerosos. A chuva produz enfado tanto dentro de casa quanto fora dela. Faz com que detestemos todos os conhecidos. Que diabo sir John quis dizer com não ter uma sala de bilhar em casa? Poucas pessoas sabem o que é conforto! Sir John é tão estúpido quanto o tempo.

O restante do grupo logo apareceu.

— Receio, srta. Marianne — disse sir John —, que não tenha podido fazer sua caminhada habitual até Allenham hoje.

Marianne olhou muito séria e não disse nada.

— Oh, não seja tão astuciosa diante de nós — disse a sra. Palmer —, pois sabemos de tudo, asseguro-lhe, e admiro muito seu gosto, pois o considero extremamente bonito. Não moramos muito longe dele no campo, você sabe. Não mais do que dez milhas, ouso dizer.

— Está muito mais para trinta — disse o marido.

— Ah, bem! Não faz muita diferença. Nunca estive na casa dele, mas dizem que é um lugar lindo e encantador.

— O local mais desprezível que já vi na vida — disse o sr. Palmer.

Marianne permaneceu em silêncio absoluto, embora seu semblante traísse o interesse pelo que foi dito.

— É muito feio? — continuou a sra. Palmer. — Então suponho deva ser outro lugar que é tão bonito.

Quando se sentaram na sala de jantar, sir John observou com pesar que eram apenas oito no todo.

— Minha querida — disse ele à sua senhora —, é muito exasperante que sejamos tão poucos. Por que não convidou os Gilberts para vir hoje?

— Sir John, quando você falou comigo sobre isso antes, não lhe disse que não era possível? Eles jantaram aqui da última vez.

— Você e eu, sir John — disse a sra. Jennings —, não fazemos tanta cerimônia.

— Então são muito mal-educados — exclamou o sr. Palmer.

— Meu amor, você contradiz todo mundo — disse a esposa com sua risada habitual. — Você sabe que é muito rude?

— Eu não sabia que contradizia alguém ao chamar sua mãe de mal-educada.

— Sim, pode abusar de mim o quanto quiser — disse a velha senhora bem-humorada —, você tirou Charlotte de minhas mãos e não pode devolvê-la. Portanto, aqui estou eu com vantagem sobre você.

Charlotte riu com muito gosto ao pensar que o marido não poderia se livrar dela e, exultante, disse não se importar com o quanto ele fosse irritante com ela, pois tinham que viver juntos. Era impossível alguém ser mais bem-humorada ou mais determinada a ser feliz do que a sra. Palmer. A indiferença, a insolência e o descontentamento estudados do marido não lhe causavam dor, e, quando ele a repreendia ou insultava, ela se divertia muitíssimo.

— O sr. Palmer é tão engraçado! — disse ela em um sussurro para Elinor. — Está sempre de mau humor.

Elinor não estava inclinada, depois de uma pequena observação, a dar-lhe crédito por ser tão genuína e francamente mal-humorado ou mal-educado como desejava parecer. Seu temperamento talvez tivesse azedado um pouco por descobrir, como muitos outros de seu sexo, que, por alguma propensão inexplicável em favor da beleza, ele era marido de uma mulher muito tola, mas ela sabia que esse tipo de erro era por demais comum para que qualquer homem sensato ficasse permanentemente aborrecido com isso. Era antes um desejo de distinção, acreditava ela, que produzia aquele tratamento desdenhoso com todos e os insultos generalizados a tudo. Era o desejo de parecer superior às outras pessoas. O motivo era por demais comum para ser questionado, mas os meios, por mais que pudessem ser bem-sucedidos em estabelecer sua superioridade em termos de má educação, provavelmente não atrairiam ninguém exceto sua esposa.

Razão & Sensibilidade

— Oh, minha querida srta. Dashwood — disse a sra. Palmer logo depois —, tenho um grande favor para pedir a você e sua irmã. Vocês passariam algum tempo em Cleveland neste Natal? Por favor, venham enquanto os Weston estiverem conosco. Vocês não imaginam o quanto ficarei feliz! Vai ser muito agradável! Meu amor — dirigindo-se ao marido —, você não deseja que as senhoritas Dashwood vão a Cleveland?

— Com certeza — respondeu ele, com um sorriso de escárnio. — Vim a Devonshire só para tratar disso.

— Pronto — disse a esposa —, vocês viram que o sr. Palmer espera por vocês, então não podem se recusar a ir.

Ambas recusaram pronta e decididamente o convite.

— Mas vocês devem ir. Tenho certeza de que vão gostar de tudo. Os Weston estarão conosco, e será muito prazeroso. Vocês não imaginam como Cleveland é agradável, e estamos muito animados agora, pois o sr. Palmer está sempre circulando pelo interior em campanha eleitoral, e vem tanta gente jantar conosco, como eu nunca tinha visto antes, é muito charmoso! Mas coitado! É muito cansativo para ele! Afinal, é forçado a fazer com que todos gostem dele.

Elinor mal conseguiu manter o semblante ao concordar com a dificuldade de tal obrigação.

— Como será encantador — disse Charlotte — quando ele estiver no parlamento! Não é? Como vou rir! Vai ser tão ridículo ver todas as cartas endereçadas a ele com um MP[1]. Mas sabem que ele diz que nunca franqueará as minhas? Ele afirma que não o fará. Não é, sr. Palmer?

O sr. Palmer não deu atenção a ela.

— Ele não suporta escrever, sabem — continuou ela —, diz que é deveras revoltante.

---

[1]   Membro do Parlamento.

— Não — disse ele —, nunca disse algo tão irracional. Não jogue suas interpretações errôneas sobre mim.

— Aí está, vejam como ele é engraçado. Esse é o jeito dele sempre! Às vezes passa a metade do dia comigo sem falar nada, e então se sai com algo muito engraçado sobre alguma coisa qualquer.

Ela causou grande surpresa a Elinor quando voltaram para a sala de visita, ao perguntar se ela não gostava muito do sr. Palmer.

— Certamente — disse Elinor —, ele parece muito agradável.

— Bem, fico muito feliz por isso. Achei que você gostasse, ele é tão agradável; e o sr. Palmer tem enorme apreço por você e suas irmãs, posso garantir, você não imagina como ele ficará decepcionado se vocês não forem a Cleveland. Não posso imaginar por que vocês se opõem a isso.

Elinor foi obrigada a recusar o convite mais uma vez e, mudando de assunto, pôs fim às súplicas. Ela considerou ser provável que, vivendo no mesmo condado, a sra. Palmer pudesse oferecer um relato mais específico do caráter geral de Willoughby do que poderia ser deduzido do conhecimento parcial dos Middleton, e ela estava ansiosa para obter de qualquer um a confirmação de méritos que pudesse eliminar a possibilidade de receios de Marianne. Começou perguntando se eles viam o sr. Willoughby em Cleveland com frequência e se o conheciam intimamente.

— Oh, querida, sim, eu o conheço muitíssimo bem — respondeu a sra. Palmer. — Não que já tenha conversado com ele alguma vez, mas o vejo sempre na cidade. Por um motivo ou outro, nunca aconteceu de eu estar em Barton enquanto ele estivesse em Allenham. Mamãe o viu aqui uma vez, mas eu estava com meu tio em Weymouth. No entanto, atrevo-me a dizer que deveríamos tê-lo visto muito em Somersetshire, caso não tivesse acontecido a infelicidade de nunca estarmos na região na mesma época. Acho que ele fica muito pouco em Combe, mas, mesmo que ficasse muito, não creio que o sr. Palmer fosse visitá-lo, pois

Razão & Sensibilidade

ele é da oposição, você sabe, e além disso é muito longe. Sei muito bem por que você pergunta sobre ele, sua irmã vai se casar com ele. Fico imensamente contente por isso, pois a terei como vizinha, você sabe.

— Dou-lhe minha palavra — respondeu Elinor — que você sabe muito mais do assunto do que eu, se tiver alguma razão para esperar tal casamento.

— Não tente negar, porque você sabe que todo mundo fala disso. Garanto que ouvi falar em minha passada pela cidade.

— Minha querida sra. Palmer!

— Pela minha honra que ouvi. Encontrei o coronel Brandon na segunda-feira de manhã em Bond Street pouco antes de deixarmos a cidade, e ele me contou pessoalmente.

— Você me surpreende muito. O coronel Brandon falar isso! Com certeza deve estar enganada. Dar uma informação dessas a uma pessoa que não poderia estar interessada nela, mesmo que fosse verdade, não é o que eu esperaria do coronel Brandon.

— Mas garanto que assim foi e vou contar como aconteceu. Quando o encontramos, ele fez a volta para caminhar conosco, então começamos a falar de meu cunhado e minha irmã, disso e daquilo, e eu comentei: "Então, coronel, ouvi falar que uma nova família foi morar no chalé de Barton, e mamãe me disse que elas são muito bonitas e que uma vai se casar com o sr. Willoughby de Combe Magna. É verdade mesmo? Pois é claro que você deve saber, já que esteve em Devonshire recentemente".

— E o que o coronel disse?

— Oh, ele não disse muito, mas pareceu saber que era verdade, por isso dei como certo a partir daquele momento. Será um encanto, tenho certeza! Quando acontecerá?

— O sr. Brandon estava muito bem, espero.

— Oh, sim, muito bem, e cheio de elogios a você, não fez nada além de dizer coisas boas a seu respeito.

— Fico lisonjeada com a recomendação dele. Parece-me um homem excelente, e o considero incrivelmente agradável.

— Eu também. É um homem encantador, uma pena que seja tão sério e tão enfadonho. Mamãe disse que *ele* também estava apaixonado por sua irmã. Garanto que é um grande elogio se ele estava, pois o coronel dificilmente se apaixona.

— O sr. Willoughby é muito conhecido em sua região de Somersetshire? — perguntou Elinor.

— Oh, sim, extremamente, isto é, não acredito que muitas pessoas o conheçam, porque Combe Magna fica muito longe, mas todos o consideram extremamente agradável, asseguro-lhe. Ninguém é mais querido do que o sr. Willoughby aonde quer que vá, pode dizer isso à sua irmã. Palavra de honra, ela é uma garota de grande sorte por conquistá-lo, mas ele é muito mais afortunado por conquistá-la, porque ela é tão bonita e agradável que nada é bom o bastante para ela. No entanto, não acho que ela seja mais bonita do que você de modo algum, eu lhe asseguro, pois acho vocês duas extremamente belas, e o sr. Palmer também, tenho certeza, embora não tenhamos conseguido fazê-lo admitir isso ontem à noite.

As informações da sra. Palmer a respeito de Willoughby não eram muito consistentes, mas qualquer testemunho a favor dele, por menor que fosse, era agradável para Elinor.

— Estou tão feliz por finalmente nos conhecermos — continuou Charlotte. — E agora espero que sejamos grandes amigas para sempre. Você não pode imaginar o quanto eu desejava conhecê-la! É tão maravilhoso que você more no chalé! Nada se compara, com certeza! E estou tão feliz que sua irmã vai se casar bem! Espero que você fique bastante em Combe Magna. É um lugar adorável, pelo que consta.

— Você conhece o coronel Brandon há muito tempo, não é?

Razão & Sensibilidade

— Sim, faz tempo, desde que minha irmã se casou. Ele era muito amigo de sir John. Acredito — acrescentou ela em voz baixa — que, se pudesse, ele teria ficado muito feliz em casar comigo. Sir John e lady Middleton desejavam muito. Mas mamãe não achou que o casamento fosse bom o suficiente para mim, caso contrário, sir John teria mencionado isso ao coronel, e deveríamos ter casado imediatamente.

— O coronel Brandon não sabia da proposta de sir John para sua mãe antes de ser feita? Ele nunca confessou sua afeição a você?

— Oh, não, mas se mamãe não tivesse feito objeções, ouso dizer que ele teria gostado de tudo. Ele não tinha me visto mais que duas vezes, porque foi antes de eu deixar a escola. No entanto, sou muito mais feliz assim como estou. O sr. Palmer é o tipo de homem de que gosto.

Capítulo 21

Os Palmer retornaram a Cleveland no dia seguinte, e as duas famílias de Barton voltaram a entreter uma à outra. Mas isso não durou muito; Elinor mal havia tirado os últimos visitantes da cabeça, mal deixara de se impressionar com o fato de Charlotte ser tão feliz sem motivo, o sr. Palmer agir de forma tão abrupta com tanta desenvoltura e com a estranha inadequação que muitas vezes existia entre marido e mulher, quando a ativa diligência de sir John e da sra. Jennings em favor da atividade social arranjou-lhe novos conhecidos para ver e observar.

Em uma excursão matinal a Exeter, eles se encontraram com duas jovens damas que a sra. Jennings teve a satisfação de descobrir serem suas parentes, e foi o suficiente para sir John convidá-las imediatamente a Barton Park, tão logo seus compromissos em Exeter estivessem concluídos. Diante de tal convite, os compromissos em Exeter foram deixados de lado na mesma hora, e lady Middleton ficou bastante alarmada com o retorno de sir John ao saber que muito em breve receberia a visita de duas moças que nunca tinha visto na vida e de cuja elegância – e até mesmo distinção aceitável – ela não podia ter prova, pois as garantias do marido e da mãe nesses quesitos de nada serviam. Além disso, o fato de serem parentes tornava tudo pior, e as tentativas de consolo da sra. Jennings foram, portanto, desafortunadas quando aconselhou a filha a não se importar com o fato de serem muito elegantes, pois eram todas primas e deviam tolerar umas às outras. Como agora era impossível evitar sua vinda, lady Middleton resignou-se à ideia com toda a filosofia de uma mulher bem-educada, contentando-se apenas em proporcionar ao marido uma gentil reprimenda sobre o assunto cinco ou seis vezes por dia.

Razão & Sensibilidade

As jovens chegaram, e sua aparência não era de forma alguma desfavorável ou deselegante. Seus trajes eram de muito bom gosto, seus modos eram muito corteses, elas ficaram encantadas com a casa e em êxtase com a decoração, e por acaso gostavam tanto de crianças que a opinião de lady Middleton lhes era favorável antes que tivessem passado uma hora em Barton Park. Declarou que de fato eram moças muito agradáveis, o que no caso de sua senhoria significava admiração entusiástica. A confiança de sir John no próprio julgamento aumentou com esse elogio animado, e ele partiu imediatamente para o chalé para informar as senhoritas Dashwood sobre a chegada das senhoritas Steele e assegurar que eram as moças mais doces do mundo. De tal recomendação, entretanto, não havia muito o que deduzir; Elinor sabia muito bem que as moças mais doces do mundo podiam ser encontradas por toda parte na Inglaterra, em todas as variações possíveis de forma, rosto, temperamento e inteligência. Sir John queria que toda a família fosse até Barton Park imediatamente para examinar suas convidadas. Homem benevolente e filantrópico! Era doloroso para ele manter só para si até mesmo uma prima de terceiro grau.

— Venham agora — disse ele —, por favor, venham. Vocês devem vir, exijo que venham, vocês não imaginam o quanto vão gostar delas. Lucy é terrivelmente bela e tão bem-humorada e agradável! As crianças já estão todas penduradas nela, como se fosse uma velha conhecida. E as duas desejam vê-las mais que tudo, pois ouviram em Exeter que vocês são as criaturas mais bonitas do mundo, e eu disse que é tudo verdade e muito mais. Vocês ficarão encantadas com elas, tenho certeza. Vieram com a carruagem cheia de brinquedos para as crianças. Como vocês podem ser tão aborrecidas a ponto de não vir? Afinal, de certa forma elas são suas primas, vocês sabem. *Vocês* são minhas primas, e elas são primas da minha esposa, então vocês são aparentadas.

Mas sir John não conseguiu prevalecer. Conseguiu apenas obter uma promessa de visita a Barton Park em um ou dois dias, e então partiu espantado com a indiferença delas, para voltar a pé para casa e se gabar dos atributos das senhoritas Dashwood para as senhoritas Steele, como já havia se gabado das senhoritas Steele para elas.

Quando ocorreu a prometida visita a Barton Park e a consequente apresentação às moças, nada encontraram para admirar na aparência da mais velha, que tinha quase trinta anos, um rosto muito comum e obtuso, mas na outra, que não tinha mais de vinte e dois ou vinte e três anos, reconheceram uma beleza considerável, as feições eram bonitas, ela tinha um olhar aguçado e vivaz, um aspecto fino, que, embora não conferisse elegância ou graça verdadeiras, dava distinção a sua pessoa. As maneiras de ambas eram particularmente corteses, e Elinor logo lhes deu crédito por algum tipo de bom senso quando viu com que atenção constante e sagaz estavam se tornando agradáveis a lady Middleton. Mantinham-se em êxtase contínuo com os filhos desta, exaltando a beleza, cortejando a atenção e satisfazendo os caprichos das crianças, e todo o tempo que conseguiam poupar das demandas importunas que essa polidez acarretava era gasto em admiração por tudo o que sua senhoria estivesse fazendo, caso ela fizesse alguma coisa, ou tirando os moldes de algum vestido novo e elegante trajado no dia anterior que as deixara em constante deleite.

Felizmente, para aqueles que fazem a corte explorando pontos fracos, uma mãe afetuosa em busca de elogios para os filhos é o mais voraz dos seres humanos e também o mais crédulo – suas demandas são exorbitantes, mas ela engolirá qualquer coisa; assim sendo, a excessiva afeição e tolerância das senhoritas Steele com sua prole foram vistas por lady Middleton sem a menor surpresa ou desconfiança. Ela assistiu com complacência materna a todas as intrusões impertinentes e travessuras maldosas a que suas primas se submetiam. Viu suas faixas desamarradas, seus cabelos puxados até as orelhas, suas bolsas de trabalhos manuais revistadas e suas facas e tesouras roubadas e não teve dúvidas de que era uma diversão recíproca. Isso sugeria apenas surpresa por Elinor e Marianne ficarem sentadas tão serenas, sem reivindicar participação no que acontecia.

— John está de muito bom humor hoje! — disse ela, quando o filho pegou o lenço da srta. Steele e o jogou pela janela. — Cheio de truques e travessuras.

E logo depois, quando o segundo filho beliscou violentamente um dos dedos da mesma dama, ela observou afetuosamente:

— Como William é brincalhão! — acrescentando: — E aqui está minha doce Annamaria — enquanto acariciava ternamente uma garotinha de três anos que não fazia barulho havia dois minutos. — Ela é sempre tão meiga e quieta, nunca houve coisinha tão quieta!

Infelizmente, durante o abraço, um alfinete do adorno de cabeça de sua senhoria arranhou levemente o pescoço da criança, e aquele modelo de meiguice produziu gritos tão violentos que dificilmente poderiam ser superados por qualquer criatura declaradamente ruidosa. A consternação da mãe era excessiva, mas não superou o alarme das senhoritas Steele, e as três fizeram tudo que a afeição poderia sugerir como capaz de amenizar as agonias da pequena sofredora em uma emergência tão crítica. Ela foi acomodada no colo da mãe, coberta de beijos, com o machucado banhado em água de alfazema por uma das senhoritas Steele, ajoelhada para atendê-la, enquanto a outra enchia sua boca de balinhas. Com tal recompensa por suas lágrimas, a criança era sábia demais para parar de chorar. Continuou gritando e soluçando vigorosamente, chutou os dois irmãos ao tentarem tocá-la, e todos os calmantes foram ineficazes até lady Middleton felizmente se lembrar de que, em uma cena de angústia semelhante na semana anterior, um pouco de geleia de damasco foi aplicado com sucesso para uma têmpora machucada; o mesmo remédio foi ansiosamente proposto para o arranhão infeliz, e um ligeiro intervalo nos gritos da jovem dama ao ouvi-lo deu-lhes motivos para esperar que não fosse rejeitado. Ela foi carregada para fora do aposento nos braços da mãe em busca do medicamento, e, como os dois meninos decidiram ir junto, embora a mãe implorasse intensamente para que ficassem, as quatro jovens foram deixadas em um silêncio que o cômodo não conhecia fazia muitas horas.

— Pobres criaturinhas! — disse a srta. Steele assim que saíram. — Poderia ter sido um acidente muito grave.

— Não sei como poderia — exclamou Marianne —, a menos que tivesse ocorrido em circunstâncias totalmente diferentes. Mas essa é a maneira usual de intensificar o alarme, quando na realidade não há nada com o que se preocupar.

— Que mulher doce é lady Middleton! — disse Lucy Steele.

Marianne ficou calada. Era-lhe impossível dizer o que não sentia, por mais trivial que fosse o assunto; portanto, sempre recaía sobre Elinor a tarefa de falar mentiras quando a polidez assim o exigia. Ela fez o seu melhor diante dessa convocação, falando de lady Middleton com mais entusiasmo do que sentia, ainda que bem menos do que a srta. Lucy.

— E sir John também — exclamou a irmã mais velha —, que homem encantador!

Também o elogio da srta. Dashwood, apenas simples e justo, veio sem qualquer verve. Ela apenas observou que ele era totalmente bem-humorado e cordial.

— E que família encantadora eles têm! Nunca vi crianças tão maravilhosas em minha vida. Afirmo que já estou bastante afeiçoada a eles, de fato sempre gosto desmedidamente de crianças.

— Acredito que sim — disse Elinor, com um sorriso —, pelo que testemunhei nesta manhã.

Razão & Sensibilidade

— Suponho — disse Lucy — que você ache os pequenos Middleton um tanto mimados demais, talvez eles o sejam além da conta, mas é algo tão natural em lady Middleton, e, de minha parte, adoro ver crianças cheias de vida e espírito, não suporto quando são dóceis e quietas.

— Confesso — respondeu Elinor — que, quando estou em Barton Park, jamais penso em crianças dóceis e quietas com qualquer aversão.

Esse diálogo foi sucedido por uma breve pausa, interrompida pela srta. Steele, que parecia muito disposta a conversar e disse abruptamente:

— E você gosta de Devonshire, srta. Dashwood? Suponho que tenha sentido muito por deixar Sussex.

Um tanto surpresa com a familiaridade da pergunta, ou pelo menos com a maneira como fora proferida, Elinor respondeu que sim.

— Norland é um lugar de prodigiosa beleza, não é? — acrescentou a srta. Steele.

— Ouvimos sir John falar com imensa admiração — disse Lucy, que pareceu achar necessário um pedido de desculpas pela liberdade de sua irmã.

— Acho que todos que já viram o lugar *devem* admirá-lo — respondeu Elinor —, embora não se deva supor que alguém consiga avaliar sua beleza como nós.

— E havia muitos rapazes distintos lá? Suponho que não haja tantos aqui; de minha parte, acho que eles são sempre algo de grande importância.

— Mas por que você haveria de pensar — disse Lucy, parecendo envergonhada de sua irmã — que não há tantos jovens refinados em Devonshire quanto em Sussex?

— Não, minha querida, por certo não pretendo dizer que não haja. Tenho certeza de que há uma grande quantidade de rapazes distintos em Exeter, mas entenda, como eu poderia saber se haveria rapazes distintos em Norland? E só temia que as senhoritas Dashwood achassem Barton enfadonho se não houvesse tantos quanto estavam acostumadas a ter. Mas talvez vocês, jovens damas, não se importem com os rapazes distintos e tanto faça haver ou não. De minha parte, acho que são muito agradáveis, desde que se vistam de maneira elegante e se comportem civilizadamente. Mas não os suporto sujos e desagradáveis. Pois bem, em Exeter há o sr. Rose, um rapaz prodigioso, elegante e bastante distinto, escrivão do sr. Simpson; todavia, se você o encontra apenas pela manhã, ele não é digno de ser visto. Suponho que seu irmão fosse um belo dândi antes de se casar, srta. Dashwood, já que era tão rico?

— Dou-lhe minha palavra — respondeu Elinor — que não posso dizer, pois não compreendo perfeitamente o que isso signifique. Mas posso dizer que, se ele alguma vez foi um dândi antes de se casar, ainda é, pois não mudou em nada.

— Oh! Querida! Nunca se pensa em homens casados como dândis – eles têm mais o que fazer.

— Senhor! Anne — exclamou a irmã —, você não sabe falar de nada além de rapazes bonitos; desse jeito fará a srta. Dashwood acreditar que você não pensa em mais nada — e então, para mudar de assunto, começou a admirar a casa e os móveis.

Essa amostra das senhoritas Steele foi suficiente. As liberdades e tolices vulgares da mais velha não a recomendavam, e, como Elinor não se deixara cegar pela beleza ou pelo aspecto sagaz da mais jovem, enxergando a falta de verdadeira elegância e simplicidade, deixou a casa sem qualquer desejo de conhecê-las melhor.

Não foi assim com as senhoritas Steele. Elas vieram de Exeter bem providas de admiração por sir John Middleton, sua família e todos os seus parentes, e agora uma porção nada mesquinha era destinada às belas primas, que declararam ser as moças mais bonitas, elegantes, talentosas e agradáveis que já tinham visto e as quais estavam particularmente ansiosas para conhecer melhor. Portanto, Elinor logo descobriu que se conhecerem melhor era sua sina inevitável, pois, como sir John estava inteiramente do lado das senhoritas Steele, o grupo deles seria forte demais para oposição, e ela teria que se submeter àquele tipo de intimidade que consiste em sentar junto uma hora ou duas no mesmo aposento quase todos os dias. Sir John não podia fazer mais do que isso, mas ele não sabia que algo mais fosse necessário – na opinião dele, estar junto era ser íntimo, e, enquanto seus planos contínuos para que se encontrassem surtissem efeito, ele não teria dúvidas de que elas eram verdadeiras amigas.

Para fazer justiça a sir John, ele fez tudo ao seu alcance para promover a falta de reserva, informando às senhoritas Steele tudo o que ele sabia ou supunha sobre a situação de suas primas nos detalhes mais delicados – e Elinor não as tinha visto mais do que duas vezes antes que a mais velha a felicitasse por sua irmã ter tido a sorte de conquistar um jovem muito distinto desde que chegara a Barton.

— Com certeza será excelente tê-la casada tão jovem — disse ela —, e ouvi dizer que ele é um rapaz muito distinto e prodigiosamente bonito. Espero que você também tenha a mesma sorte em breve, mas talvez você já tenha um amigo secreto.

Elinor não podia supor que sir John fosse mais comedido em proclamar suas suspeitas a respeito dela e Edward do que o fora em relação a Marianne; na verdade, aquela era a sua piada favorita por ser um pouco mais recente e mais conjectural, e, desde a visita de Edward, nunca haviam jantado juntos sem que ele brindasse aos afetos mais caros de Elinor com tanta ênfase e tantos acenos e piscadelas que despertava a atenção geral. A letra F também era invariavelmente mencionada e produzia tantas piadas que sua qualidade de letra mais espirituosa do alfabeto já era fato consumado para Elinor.

As senhoritas Steele, como ela esperava, agora dispunham de todos os benefícios dessas piadas, que despertaram na mais velha a curiosidade de saber o nome do cavalheiro a que se referiam, algo que, embora muitas vezes expresso de forma impertinente, encaixava-se perfeitamente em sua curiosidade geral sobre os assuntos da família. Mas sir John não se divertiu por muito tempo com a curiosidade que adorava despertar, pois tinha pelo menos tanto prazer em dizer o nome quanto a srta. Steele em ouvi-lo.

— O nome é Ferrars — disse ele, em um sussurro muito audível —, mas, por favor, não fale disso, pois é um grande segredo.

— Ferrars! — repetiu a srta. Steele. — O sr. Ferrars é o felizardo, não é? Veja só! O irmão da sua cunhada, srta. Dashwood? Um jovem muito agradável, com certeza, o conheço muito bem.

— Como pode dizer isso, Anne? — exclamou Lucy, que geralmente fazia uma emenda a todas as afirmações da irmã. — Embora o tenhamos visto uma ou duas vezes na casa do nosso tio, é demais afirmar que o conhece muito bem.

Elinor ouviu tudo isso com atenção e surpresa. E quem era esse tio? Onde morava? Como se conheceram? Ela desejava muito que o assunto continuasse, embora optasse por não participar; mas nada mais foi dito, e, pela primeira vez na vida, ela pensou que a sra. Jennings carecia de curiosidade por informações mesquinhas, bem como de disposição para comunicá-las. A maneira como a srta. Steele falara de Edward aumentou a curiosidade de Elinor, pois lhe parecera bastante maldosa e sugeria a suspeita de que aquela dama sabia ou imaginava saber algo desabonador. Mas sua curiosidade foi inútil, pois a srta. Steele não deu mais qualquer atenção ao nome do sr. Ferrars quando aludido ou mesmo abertamente mencionado por sir John.

Capítulo 22

Marianne, que nunca tivera muita tolerância para coisas como impertinência, vulgaridade, falta de talento ou mesmo gostos diferentes dos seus, estava particularmente hostil naquela época, devido ao seu estado de ânimo, para tentar ser agradável com as senhoritas Steele ou encorajar sua aproximação; à invariável frieza do comportamento de Marianne com as Steele, que barrava todos os esforços de intimidade, Elinor atribuía a preferência por ela, que logo se tornou evidente nas maneiras de ambas, mas especialmente de Lucy, que não perdia nenhuma oportunidade de envolvê-la em uma conversa ou de tentar melhorar seu relacionamento mediante uma comunicação fácil e franca de seus sentimentos.

Lucy era naturalmente inteligente, suas observações com frequência eram justas e divertidas, e, como companhia por meia hora, Elinor costumava achá-la agradável, mas seus atributos não haviam recebido ajuda da educação — ela era ignorante e iletrada, sua deficiência de todo aperfeiçoamento mental, sua falta de informação nos assuntos mais triviais não podiam ser ocultadas da srta. Dashwood, a despeito de seu esforço constante para causar boa impressão. Elinor via o desmazelo de dons que a educação poderia ter tornado muito respeitáveis — e sentia pena de Lucy por isso; mas viu com sentimento menos terno a total falta de delicadeza, retidão e integridade que suas atenções, deferências e lisonjas em Barton Park traíam, e não poderia ter satisfação duradoura na companhia de uma pessoa que unia a insinceridade à ignorância, cuja falta de instrução as impedia de manter uma conversa em termos de igualdade, e cuja conduta com os outros tornava qualquer demonstração de atenção e deferência consigo mesma totalmente sem valor.

— Você vai achar minha pergunta estranha, atrevo-me a dizer — falou Lucy um dia, enquanto caminhavam juntas de Barton Park para o chalé —, mas por acaso conhece pessoalmente a mãe de sua cunhada, a sra. Ferrars?

Elinor *achou* a pergunta muito estranha, e seu semblante o expressou quando ela respondeu que nunca vira a sra. Ferrars.

— É mesmo? — respondeu Lucy. — Fico surpresa, pois pensei que você deveria tê-la visto em Norland algumas vezes. Então talvez não possa me dizer que tipo de mulher ela é.

— Não — respondeu Elinor, cautelosa em apresentar sua verdadeira opinião sobre a mãe de Edward e pouco desejosa de satisfazer o que parecia uma curiosidade impertinente. — Não sei nada sobre ela.

— Tenho certeza de que você me julga muito estranha por perguntar sobre ela dessa maneira — disse Lucy, olhando fixamente para Elinor enquanto falava —, mas talvez haja razões... gostaria de poder me atrever... mas... bem, espero que você me faça a justiça de acreditar que não tenho a intenção de ser impertinente.

Elinor deu uma resposta cortês, e caminharam por alguns minutos em silêncio, quebrado por Lucy, que retomou o assunto dizendo com certa hesitação:

— Não posso suportar que você me considere impertinentemente curiosa. Com certeza preferiria qualquer coisa neste mundo a ser assim julgada por uma pessoa cuja opinião, como a sua, é valiosa. E tenho certeza de que não devo ter o menor medo de confiar em *você*; na verdade, ficaria muito feliz com seu conselho sobre como lidar com uma situação tão desconfortável quanto a em que me encontro, no entanto, isso não é motivo para causar incômodo a *você*. Lamento que não conheça a sra. Ferrars.

— Lamento *não* conhecer — disse Elinor, com grande espanto —, caso pudesse ser de alguma utilidade para *você* saber minha opinião sobre ela. Porém, nunca soube que você realmente tivesse alguma ligação com aquela família; portanto, estou um pouco surpresa, confesso, com uma investigação tão séria sobre o caráter da sra. Ferrars.

— Entendo que esteja e não me espanto. Mas, se eu ousasse contar tudo, você não ficaria tão surpresa. A sra. Ferrars por certo não é nada para mim no momento, mas *pode* chegar o dia – quando chegará, depende dela – em que estaremos intimamente relacionadas.

Ela olhou para baixo ao dizer isso, meiga e tímida, apenas com um olhar de soslaio para observar o efeito sobre sua acompanhante.

— Deus do céu! — exclamou Elinor. — O que você quer dizer? Você conhece o sr. Robert Ferrars? É isso? — e não se sentiu muito satisfeita com a ideia de tal cunhada.

— Não — respondeu Lucy —, não o sr. *Robert* Ferrars, nunca o vi em minha vida, mas — fixando os olhos em Elinor — seu irmão mais velho.

O que Elinor sentiu naquele momento? Espanto – que teria sido tão doloroso quanto intenso, caso não houvesse uma descrença imediata de tal afirmação. Ela se voltou para Lucy em assombro silencioso, incapaz de adivinhar a razão ou o objetivo de tal declaração, e, embora sua cor mudasse, permaneceu firme na incredulidade e não se sentiu em risco de um ataque histérico ou um desmaio.

— Você deve estar muito surpresa — continuou Lucy —, por certo não fazia ideia alguma disso antes, pois ouso dizer que ele nunca revelou o menor indício disso a você ou qualquer pessoa de sua família; a intenção sempre foi manter um grande segredo, e tenho certeza de que este foi fielmente guardado por mim até agora. Nenhum único de todos os meus parentes sabe disso, exceto Anne, e eu nunca mencionaria a você se não tivesse sentido a maior confiança do mundo em seu sigilo; realmente achei que meu comportamento ao fazer tantas perguntas sobre a sra. Ferrars deveria parecer tão estranho que tinha de ser explicado. E não acho que o sr. Ferrars possa ficar descontente quando souber que confiei em você, porque sei que ele tem a opinião mais elevada do mundo sobre toda a sua família e considera você e as outras senhoritas Dashwood como irmãs.

Ela fez uma pausa. Elinor permaneceu em silêncio por alguns momentos. A princípio seu espanto com o que ouvira fora grande demais para palavras; por fim, forçando-se a falar, e a falar com cautela, com uma atitude calma que ocultava razoavelmente sua surpresa e ansiedade, disse:

— Posso perguntar se o compromisso é de longa data?

— Estamos comprometidos há quatro anos.

— Quatro anos!

— Sim.

Elinor, embora imensamente chocada, ainda se sentia incapaz de acreditar.

— Eu não sabia — disse ela — que vocês sequer se conheciam até outro dia.

— Contudo, nos conhecemos há muitos anos. Como você sabe, ele ficou sob os cuidados do meu tio por um tempo considerável.

— Seu tio!

— Sim, o sr. Pratt. Você nunca o ouviu falar do sr. Pratt?

— Creio que sim — respondeu Elinor, com um esforço de compostura que crescia com o aumento de sua emoção.

— Ele ficou quatro anos com meu tio, que mora em Longstaple, perto de Plymouth. Foi lá que nos conhecemos, pois minha irmã e eu ficávamos frequentemente com meu tio, e foi lá que firmamos nosso compromisso um ano após ele deixar de ser pupilo de meu tio; mas ele esteve conosco quase sempre depois disso. Como você pode imaginar, eu não estava muito disposta a aceitar sem o conhecimento e a aprovação de sua mãe, mas eu era muito jovem e também o amava muito para ser tão prudente quanto deveria ser. Embora você não o conheça tão bem quanto eu, srta. Dashwood, deve ter visto o suficiente para sentir que ele é muito capaz de deixar uma mulher sinceramente ligada a ele.

— Com certeza — respondeu Elinor, sem saber o que dizia, mas, depois de um momento de reflexão, acrescentou, com renovada segurança na honra e no amor de Edward e na falsidade de sua acompanhante: — Noiva do sr. Edward Ferrars! Confesso-me tão totalmente surpresa com o que você diz que, realmente... peço perdão, mas com certeza deve haver algum engano de pessoa ou nome. Não podemos nos referir ao mesmo sr. Ferrars.

— Não podemos estar nos referindo a nenhum outro — exclamou Lucy, sorrindo. — Sr. Edward Ferrars, o filho mais velho da sra. Ferrars, de Park Street, e irmão de sua cunhada, sra. John Dashwood, é a pessoa a quem me refiro; você deve admitir que não seja provável eu estar enganada quanto ao nome do homem de quem toda a minha felicidade depende.

— É estranho — respondeu Elinor, com a mais dolorosa perplexidade — eu não tê-lo ouvido sequer mencionar o seu nome.

— Não, considerando a nossa situação, não é estranho. Nosso primeiro cuidado foi manter o assunto em segredo. Você não sabia nada de mim ou de minha família, portanto, não poderia haver *ocasião* para mencionar meu nome a você, e, como ele sempre teve especial temor de que a irmã suspeitasse de alguma coisa, *isso* era motivo suficiente para ele não mencionar.

Ela ficou em silêncio. A segurança de Elinor afundou, mas seu autodomínio não afundou junto.

— Comprometidos há quatro anos — disse ela com voz firme.

— Sim, e Deus sabe quanto tempo mais teremos que esperar. Pobre Edward! Isso o deixa bastante desanimado — em seguida, tirando uma pequena miniatura do bolso, acrescentou: — Para evitar a possibilidade de engano, tenha a bondade de olhar para esse rosto. Não faz justiça a ele, com certeza, ainda assim, acho que você não pode deixar de reconhecer a pessoa desenhada. Eu a tenho há mais de três anos.

Ela colocou a imagem nas mãos de Elinor enquanto falava; quando esta viu a pintura, quaisquer outras dúvidas que seu receio de uma decisão muito precipitada ou seu desejo de detectar falsidade pudessem manter em sua mente, nada disso poderia restar, sendo o rosto de Edward. Ela devolveu quase instantaneamente, reconhecendo a semelhança.

— Nunca tive condições — continuou Lucy — de dar a ele meu retrato em troca, o que me deixa muito irritada, pois ele sempre se mostrou muito ansioso para obtê-lo! Mas estou determinada a fazê-lo na primeira oportunidade.

— Você tem toda a razão — respondeu Elinor calmamente.

Então deram alguns passos em silêncio. Lucy falou primeiro.

— Tenho certeza — disse ela — de que você guardará este segredo fielmente, pois deve saber o quanto é importante para nós que não chegue à mãe dele, pois ela nunca aprovaria, ouso dizer. Não tenho fortuna, e imagino que ela seja uma mulher extremamente orgulhosa.

— Por certo não busquei sua confiança — disse Elinor —, mas você não me faz mais do que justiça ao imaginar que posso ser confiável. Seu segredo está seguro comigo, mas me desculpe se expresso alguma surpresa diante de uma comunicação tão desnecessária. Você deve ao menos ter sentido que o fato de eu saber de tal segredo não poderia aumentar a segurança.

Ao dizer isso, olhou atentamente para Lucy, esperando descobrir algo em seu semblante, talvez a falsidade da maior parte do que dissera, mas o rosto de Lucy não se alterou.

— Temia que você pensasse que eu estava tomando uma grande liberdade — disse ela — ao lhe contar tudo isso. Não a conheço há muito tempo, pelo menos pessoalmente, mas conheci você e toda a sua família há um bom tempo por relatos e, assim que a vi, senti quase como se você fosse uma velha conhecida. Além disso, no presente caso, realmente pensei que alguma explicação lhe fosse devida depois de fazer perguntas específicas sobre a mãe de Edward, e sou muito infeliz por não ter alguém cujo conselho possa pedir. Anne é a única pessoa que sabe, e ela não tem qualquer discernimento, na verdade, ela me faz muito mais mal do que bem, pois vivo em medo constante de que me traia. Ela não sabe segurar a língua, como você deve perceber, e com certeza senti o maior medo do mundo outro dia, quando o nome de Edward foi mencionado por sir John, de que ela contasse tudo. Você não pode imaginar o que se passa em minha mente por causa disso tudo. Impressiono-me por estar viva depois do que sofri por causa de Edward nos últimos quatro anos. Tamanho suspense e incerteza, e vê-lo tão raramente – dificilmente conseguimos nos encontrar mais do que duas vezes por ano. É claro que me espanto por meu coração não estar totalmente partido.

Ela então pegou o lenço, mas Elinor não sentiu muita compaixão.

— Às vezes — continuou Lucy, depois de enxugar os olhos — penso se não seria melhor para nós dois encerrarmos completamente o assunto — ao dizer isso, olhou diretamente para sua acompanhante. — Mas então, em outras ocasiões, não tenho firmeza suficiente para tal. Não posso suportar a ideia de fazê-lo tão infeliz, pois sei o que a simples menção de tal coisa causaria. E por mim também, sendo ele tão querido por mim, não creio que eu poderia aguentar. O que você me aconselharia a fazer nesse caso, srta. Dashwood? O que você faria?

— Perdoe-me — respondeu Elinor, atônita com a pergunta —, mas não posso dar nenhum conselho sob tais circunstâncias. Seu próprio julgamento deve orientá-la.

— Com certeza — continuou Lucy, após alguns minutos de silêncio de ambas as partes — a mãe deve provê-lo em algum momento ou outro, mas o pobre Edward está tão abatido por causa disso! Você não o achou terrivelmente taciturno quando esteve em Barton? Ele estava tão infeliz quando partiu de Longstaple para vir até vocês que temi que pensassem que ele estivesse muito doente.

— Então ele veio da casa do seu tio quando nos visitou?

— Oh, sim, ele ficou quinze dias hospedado conosco. Você pensava que ele tivesse vindo direto da cidade?

— Não — respondeu Elinor, sentindo-se mais sensível a cada nova circunstância em favor da veracidade de Lucy —, lembro-me de que ele nos contou que havia passado duas semanas com alguns amigos perto de Plymouth.

Ela também se lembrou da própria surpresa na época por ele não mencionar mais nada sobre aqueles amigos, pelo total silêncio a respeito até mesmo dos nomes.

— Você não o achou triste e desanimado? — repetiu Lucy.

— Sim, de fato, especialmente quando chegou.

— Implorei-lhe para que se esforçasse, por medo de que vocês suspeitassem do que se passava, mas ele ficou tão melancólico por não poder permanecer mais do que quinze dias conosco e me ver tão afetada. Pobre Edward! Receio que agora esteja na mesma situação, pois escreve com o ânimo arruinado. Tive notícias dele pouco antes de deixar Exeter — tirando uma carta do bolso e mostrando descuidadamente para Elinor. — Você conhece a letra dele, atrevo-me a dizer que é encantadora, mas não está tão bem escrita como de costume. Ele estava cansado, ouso dizer, pois acabara de preencher a folha para mim o máximo possível.

Elinor viu que *era* a letra dele e não pôde mais duvidar. O retrato ela se permitiu acreditar que poderia ter sido obtido por acaso, poderia não ter sido um presente de Edward, mas uma correspondência entre eles por cartas só poderia subsistir mediante um compromisso efetivo, nada mais poderia justificar isso; por alguns momentos, ela quase foi vencida, seu coração afundou dentro de si, e ela mal conseguiu ficar em pé, mas o esforço era indispensável, e ela lutou tão resolutamente contra a opressão de seus sentimentos que seu sucesso foi rápido e, de momento, completo.

— Escrevemos um para o outro — disse Lucy, guardando a carta no bolso —, é o único conforto que temos durante separações tão longas. Sim, tenho outro conforto em seu retrato, mas o pobre Edward nem *isso* tem. Se ao menos tivesse meu retrato, seria fácil, diz ele. Dei-lhe uma mecha do meu cabelo em um anel quando ele esteve em Longstaple pela última vez, e isso serviu para confortá-lo um pouco, disse ele, mas não se compara a um retrato. Talvez você tenha notado o anel quando o viu?

— Sim — disse Elinor, com uma compostura de voz sob a qual escondia uma emoção e angústia além de qualquer coisa que já sentira antes. Ela estava mortificada, chocada, confusa.

Felizmente para ela haviam chegado ao chalé, e a conversa não poderia continuar. Depois de permanecer com elas por alguns minutos, a srta. Steele voltou para Barton Park, e Elinor teve então liberdade para pensar e se sentir arrasada.

Capítulo 23

Por menor que fosse a confiança geral de Elinor na veracidade de Lucy, era impossível para ela, mediante reflexão séria, ter suspeitas no presente caso, onde nenhuma tentação poderia justificar o despautério de inventar uma falsidade com tamanho enredo. Elinor, portanto, não podia, não ousava mais duvidar do que Lucy afirmava ser verdade, respaldada por todos os lados por muitas probabilidades e provas, sem nada a contradizê-la exceto os próprios desejos de Elinor.

O fato de terem se conhecido na casa do sr. Pratt era o alicerce ao mesmo tempo indiscutível e alarmante para o resto, e a visita de Edward aos arredores de Plymouth, seu estado de espírito melancólico, sua insatisfação com as próprias perspectivas, seu comportamento incerto em relação a ela, o conhecimento íntimo das senhoritas Steele a respeito de Norland e seus laços familiares, que muitas vezes a surpreendiam, o retrato, a carta e o anel formavam tamanho conjunto de evidências que superavam todo o receio de condená-lo injustamente e estabeleciam como fato que nenhuma parcialidade poderia deixar de lado o tratamento abusivo de Edward com ela mesma. Seu ressentimento por tal comportamento, sua indignação por ter sido enganada por um curto período fizeram-na sentir-se mal apenas por si mesma, mas outras ideias, outras considerações, logo surgiram.

Será que Edward a estivera enganando intencionalmente? Teria ele fingido uma consideração que não sentia por ela? Seu noivado com Lucy era de coração? Não, o que quer que pudesse ter sido, Elinor não podia acreditar que ainda existisse. O afeto de Edward era todo dela. Ela não poderia estar enganada quanto a isso. Sua mãe, suas irmãs, Fanny, todas tinham consciência do apreço dele por ela em Norland, não era uma

Razão & Sensibilidade

ilusão de sua vaidade. Ele com certeza a amava. Que bálsamo para o coração foi essa convicção! Quanto isso não a tentaria a perdoar! Ele era culpado, muitíssimo culpado, por permanecer em Norland depois de sentir que a influência dela sobre ele era maior do que deveria ser. Nisso ele não poderia ser defendido; porém, se ele a ferira, quanto mais havia ferido a si mesmo; se o caso dela era lamentável, o dele era irremediável.

A imprudência dele a deixaria infeliz por um tempo, mas parecia privá-lo de toda a chance de felicidade. Com o tempo, ela poderia recuperar a tranquilidade, mas *ele*, o que ele poderia esperar? Poderia ele um dia ser razoavelmente feliz com Lucy Steele, poderia ele, com sua integridade, delicadeza e mente culta, ficar satisfeito com uma esposa como ela – iletrada, ardilosa e egoísta – se a afeição por ela estava fora de questão?

A paixão juvenil dos dezenove anos naturalmente o deixara cego para tudo, exceto para a beleza e o bom temperamento, mas os quatro anos seguintes – anos que, se passados racionalmente, aprimoram o entendimento – devem ter aberto os olhos de Edward para os defeitos da educação de Lucy, enquanto o mesmo período de tempo passado por ela em companhias inferiores e atividades mais frívolas talvez lhe tivesse roubado a simplicidade que outrora poderia ter dado um caráter interessante à sua beleza.

Se, na suposição de tentar se casar com Elinor, as dificuldades de Edward com a mãe pareciam grandes, quão maiores provavelmente seriam agora, quando o objeto do compromisso era sem dúvida inferior em conexões e provavelmente inferior em fortuna a Elinor. De fato, com o coração tão afastado de Lucy, aquelas dificuldades poderiam não exigir muito da paciência de Edward, mas a melancolia seria o estado de espírito da pessoa para quem a expectativa de oposição e rudeza familiar poderia ser sentida como um alívio!

Quando essas considerações lhe ocorreram em dolorosa sucessão, Elinor chorou por ele mais do que por si mesma. Amparada pela convicção de não ter feito nada para merecer a presente infelicidade e consolada pela crença de que Edward não havia feito nada para perder sua estima, ela pensou que poderia mesmo agora, sob o primeiro impacto do forte golpe, controlar-se o suficiente para evitar qualquer suspeita da verdade por parte da mãe e das irmãs. E conseguiu responder tão bem às próprias expectativas que, quando se juntou a elas no jantar, apenas duas horas depois de ter sofrido a aniquilação de todas as suas esperanças mais caras, ninguém teria imaginado, pela aparência das irmãs, que Elinor lamentava em segredo os obstáculos que deveriam separá-la para sempre do objeto de seu amor e que Marianne no íntimo se ocupasse com as perfeições de um homem cujo coração sentia possuir por inteiro e que esperava ver em cada carruagem que passava perto de sua casa.

A necessidade de esconder da mãe e de Marianne o que lhe fora confiado, embora a obrigasse a um esforço incessante, não agravava a angústia de Elinor. Pelo contrário, foi um alívio para ela ser poupada de informar algo que causaria tanta aflição a elas e também ser salva de ouvir a condenação de Edward que provavelmente fluiria do excesso da afeição por ela e que era mais do que ela se sentia capaz de suportar.

Elinor sabia que não poderia receber ajuda dos conselhos ou da conversa delas. O carinho e a tristeza de ambas aumentariam a sua angústia, enquanto seu autodomínio não receberia encorajamento por exemplo ou louvor. Ela era mais forte sozinha, e o próprio bom senso a apoiava tão bem que sua firmeza era tão inabalável e sua aparência de alegria tão invariável quanto arrependimentos tão pungentes e tão recentes permitiam que fossem.

Por mais que tivesse sofrido em sua primeira conversa com Lucy sobre o assunto, Elinor logo sentiu um desejo sincero de renová-la, e isso por mais de um motivo. Ela queria ouvir os detalhes do compromisso

Razão & Sensibilidade

outra vez, queria entender com mais clareza o que Lucy realmente sentia por Edward, se havia alguma sinceridade na declaração de terno apreço por ele, e particularmente queria convencer Lucy, pela disposição para entrar no assunto de novo e pela calma em conversar sobre ele, de que não estava interessada a não ser como amiga, algo que muito temia que a agitação involuntária na conversa matinal tivesse tornado no mínimo duvidoso.

O fato de Lucy estar disposta a ter ciúmes dela parecia muito provável; estava claro que Edward sempre falara dela em termos muitos elogiosos, não apenas pela afirmação de Lucy, mas também por esta se aventurar, com um conhecimento pessoal tão recente, a lhe confiar um segredo tão confessa e evidentemente importante. E até os comentários jocosos de sir John deveriam ter tido algum peso. Além disso, enquanto Elinor permanecesse tão segura de ser realmente amada por Edward, não era necessário considerar outras possibilidades para tornar natural que Lucy tivesse ciúmes, e a própria confidência era uma prova disso. Que outro motivo haveria para a revelação do caso a não ser informar Elinor das reivindicações superiores de Lucy sobre Edward e instruí-la a evitá-lo no futuro?

Elinor teve pouca dificuldade em entender boa parte das intenções de sua rival e, embora estivesse firmemente decidida a agir de acordo com todos os princípios de honra e honestidade e combater a própria afeição por Edward e vê-lo o menos possível, não podia negar a si mesma o conforto de se esforçar para convencer Lucy de que seu coração não estava ferido. E, como agora não poderia haver nada mais doloroso de ouvir do que o que já havia sido dito sobre o assunto, Elinor não duvidava da própria capacidade de enfrentar a repetição dos detalhes com compostura.

Mas não foi de imediato que uma oportunidade de fazê-lo se apresentou, embora Lucy estivesse tão disposta quanto ela a aproveitar qualquer uma que surgisse, pois o tempo muitas vezes não estava bom o suficiente para permitir que se juntassem em uma caminhada, quando poderiam mais facilmente se separar dos outros; e, apesar de se encontrarem pelo menos todas as noites em Barton Park ou no chalé, principalmente no primeiro, não podiam contar com um encontro apenas para conversar. Tal pensamento jamais passaria pela cabeça de sir John ou lady Middleton; portanto, sobrava muito pouco tempo até para uma conversa genérica e tempo algum para uma conversa particular. Eles se encontravam para comer, beber e rir juntos, jogar cartas, consequências ou qualquer outro jogo suficientemente ruidoso.

Uma ou duas reuniões desse tipo haviam ocorrido sem que Elinor tivesse qualquer chance de abordar Lucy em particular, quando certa manhã sir John apareceu no chalé para implorar, em nome da caridade, que todas jantassem com lady Middleton naquele dia, visto que ele era obrigado a comparecer ao clube em Exeter e de outra forma ela ficaria completamente sozinha, exceto pela presença da mãe e das duas senhoritas Steele. Elinor, que previu maior chance para o que tinha em vista naquela ocasião, quando provavelmente teriam mais liberdade entre si sob a direção tranquila e bem-educada de lady Middleton do que quando seu marido as reunia em algum propósito ruidoso, aceitou imediatamente o convite; Margaret, com a permissão da mãe, igualmente aceitou, e Marianne, embora sempre relutante em participar de tais encontros, foi persuadida a fazer o mesmo pela mãe, que não suportava vê-la isolar-se de qualquer oportunidade de diversão.

As jovens foram, e lady Middleton felizmente foi preservada da terrível solidão que a ameaçava. A insipidez da reunião foi exatamente como Elinor esperava, não produziu nenhuma novidade de pensamento ou expressão, e nada poderia ser menos interessante do que toda conversa tanto na sala de jantar quanto na sala de estar – nesta última, as crianças as acompanhavam, e, enquanto ali permanecessem, Elinor estava tão convicta da impossibilidade de atrair a atenção de Lucy que nem tentou. As crianças saíram apenas com a retirada do chá. A mesa de jogo foi então preparada, e Elinor começou a se perguntar por que nutrira a esperança de encontrar um momento para conversar em Barton Park. Todas se levantaram para uma rodada de cartas.

— Fico feliz — disse lady Middleton a Lucy — que você não vá terminar a cesta da pobre Annamaria esta noite, pois tenho certeza de que forçaria seus olhos ao trabalhar em filigrana à luz de velas. Faremos algo para compensar a decepção de meu querido amorzinho amanhã, e espero que ela então não se importe muito.

A insinuação foi suficiente. Lucy recordou-se instantaneamente e respondeu:

— Na verdade, está muito enganada, lady Middleton, estou apenas esperando para saber se podem jogar sem mim ou já estaria na minha filigrana. Não decepcionaria o anjinho por nada deste mundo; caso me queira na mesa de jogo agora, estou decidida a terminar a cesta depois do jantar.

— Você é muito bondosa, espero que não force seus olhos. Toque a campainha para pedir algumas velas. Eu sei que minha pobre garotinha ficaria triste e desapontada se a cesta não estivesse terminada amanhã; embora tenha dito a ela que certamente não estaria, tenho certeza de que ela espera que esteja.

Lucy puxou a mesa de trabalho para perto de si na mesma hora e voltou a sentar com uma vivacidade e alegria que pareciam indicar que ela não poderia experimentar maior prazer do que fazer uma cesta de filigrana para uma criança mimada.

Lady Middleton propôs uma rodada de cassino às outras. Ninguém fez objeção, exceto Marianne, que, com sua usual desatenção às formas de civilidade, exclamou:

— Vossa Senhoria terá a bondade de me desculpar – a sra. sabe que detesto cartas. Vou para o pianoforte, não toquei nele desde que foi afinado — e sem mais cerimônia, deu as costas e foi para o instrumento.

Lady Middleton pareceu agradecer aos céus por *ela* mesma nunca ter feito um comentário tão rude.

— Marianne nunca consegue ficar longe daquele instrumento, a sra. sabe — disse Elinor, esforçando-se para amenizar a ofensa —, e não me admiro muito com isso, pois é o pianoforte mais afinado que já ouvi.

As cinco restantes agora deveriam tirar suas cartas.

— Talvez — continuou Elinor —, caso eu fique de fora, possa ser de alguma utilidade para a srta. Lucy Steele, enrolando papéis para ela; há tanto ainda a ser feito na cesta que, penso eu, deve ser impossível ela terminar esta noite trabalhando sozinha. Eu adoraria trabalhar, caso ela me permita participar.

— Na verdade, ficarei muito grata por sua ajuda — exclamou Lucy —, pois descobri que há mais a ser feito do que pensei que havia, e seria terrível decepcionar a querida Annamaria depois de tudo.

— Oh! Isso seria terrível de fato — disse a srta. Steele. — Queridinha, como eu a amo!

— Você é muito gentil — disse lady Middleton para Elinor — e, como realmente gosta do trabalho, talvez fique satisfeita em não sair até a próxima partida, ou vai aproveitar a oportunidade agora?

Elinor aceitou com alegria a primeira proposta e, assim, com um pouco do tato que Marianne jamais poderia condescender em praticar, atingiu seu objetivo e agradou lady Middleton ao mesmo tempo. Lucy abriu espaço para ela com rapidez e presteza, e as duas belas rivais então sentaram-se lado a lado na mesma mesa e, com a maior harmonia, dedicaram-se a encaminhar o mesmo trabalho. O pianoforte em que Marianne tocava, tão envolvida em sua música e em seus pensamentos que a essa altura já havia esquecido que havia mais alguém na sala além dela, felizmente estava tão perto delas que a srta. Dashwood julgou que poderia introduzir o assunto interessante em segurança, ao abrigo do som, sem qualquer risco de ser ouvida na mesa de jogo.

Capítulo 24

Em tom firme, ainda que cauteloso, Elinor começou assim:

— Eu não mereceria a confiança com que você me honrou se não desejasse sua continuidade ou não sentisse curiosidade sobre o assunto. Não vou me desculpar, portanto, por trazê-lo à tona novamente.

— Obrigada — exclamou Lucy calorosamente — por quebrar o gelo; você acalma o meu coração com isso, pois temia tê-la ofendido de algum modo com o que lhe contei na segunda-feira.

— Ofender-me! Como poderia supor isso? Acredite — e Elinor falou com a mais verdadeira sinceridade —, nada poderia estar mais longe da minha intenção do que dar essa ideia. Você poderia ter algum motivo para a confidência que não fosse honrado e lisonjeiro para mim?

— Ainda assim, posso garantir — respondeu Lucy, com os olhinhos penetrantes cheios de insinuação — que me parecia haver frieza e desagrado em sua atitude que me deixaram bastante desconfortável. Tive certeza de que você estava com raiva de mim, e desde então tenho me censurado por ter tomado a liberdade de incomodá-la com meus assuntos. Mas fico muito feliz em descobrir que foi apenas minha imaginação e que você realmente não me culpa. Se você soubesse que consolo foi, para mim, aliviar meu coração conversando com você sobre aquilo em que penso a cada instante de minha vida, sua compaixão a faria ignorar tudo o mais, tenho certeza.

— De fato, posso facilmente acreditar que foi um grande alívio para você revelar sua situação para mim, e esteja certa de que nunca terá motivos para se arrepender. Sua situação é muito desafortunada, você me parece cercada de dificuldades e precisará de todo o afeto

Razão & Sensibilidade

mútuo entre vocês para suportá-las. Acredito que o sr. Ferrars dependa totalmente de sua mãe.

— Ele tem apenas duas mil libras próprias, seria uma loucura casar-se com isso, embora de minha parte eu pudesse desistir de qualquer perspectiva de mais sem um suspiro. Estou acostumada a uma renda muito pequena desde sempre e poderia enfrentar a pobreza por ele, mas o amo demais para ser o motivo egoísta de talvez o privar de tudo o que sua mãe poderia lhe dar caso ele se casasse para agradá-la. Devemos esperar, talvez por muitos anos. Com quase qualquer outro homem no mundo essa seria uma perspectiva alarmante, mas sei que nada pode me privar da afeição e constância de Edward.

— Essa convicção deve significar tudo para você, e ele sem dúvida é amparado pela mesma confiança em você. Se a força do afeto recíproco tivesse falhado, como ocorre entre muitas pessoas e que, sob muitas circunstâncias, naturalmente aconteceria durante um noivado de quatro anos, sua situação de fato seria lamentável.

Nesse momento Lucy ergueu os olhos, mas Elinor teve o cuidado de proteger seu semblante de qualquer expressão que pudesse dar a suas palavras uma conotação suspeita.

— O amor de Edward por mim — disse Lucy — foi colocado à prova por nossa longa, muito longa separação desde que firmamos compromisso, e resistiu tão bem ao julgamento que seria imperdoável duvidar agora. Posso dizer com segurança que ele nunca me causou um instante de sobressalto por causa disso, desde o início.

Elinor mal sabia se sorria ou suspirava diante dessa afirmação.

Lucy continuou:

— Também sou de natureza bastante ciumenta e, por nossas diferentes condições de vida, por ele circular pelo mundo muito mais do que eu e por nossa separação contínua, eu estaria bastante inclinada a suspeitar e descobrir a verdade em um instante, caso tivesse havido a menor alteração em seu comportamento comigo quando nos encontrássemos, ou qualquer desânimo que eu não pudesse explicar, ou se ele falasse mais de uma dama do que de outra, ou parecesse em qualquer aspecto menos feliz em Longstaple do que costumava ser. Não quero dizer que de modo geral eu seja particularmente observadora ou perspicaz, mas nesse caso tenho certeza de que não poderia ser enganada.

Tudo isso, pensou Elinor, é muito bonito; mas não convence nenhuma de nós. Após um breve silêncio, ela disse:

— Mas quais são os planos? Ou vocês não têm nenhum, senão esperar a morte da sra. Ferrars, que é algo extremo, melancólico e terrível? Seu filho está decidido a se submeter a isso e a todo o tédio dos muitos anos de suspense em que isso pode envolver vocês em vez de correr o risco de desagradá-la por um tempo ao admitir a verdade?

— Se pudéssemos ter certeza de que seria apenas por um tempo! Mas a sra. Ferrars é uma mulher orgulhosa e obstinada e, no primeiro acesso de raiva ao ficar sabendo, muito provavelmente passaria tudo para Robert, e essa ideia, pelo bem de Edward, afasta toda a minha inclinação para medidas precipitadas.

— E para o seu próprio bem também, ou você está levando seu desinteresse além do razoável.

Lucy olhou para Elinor outra vez e ficou em silêncio.

— Você conhece o sr. Robert Ferrars? — perguntou Elinor.

— Não, nunca sequer o vi; mas imagino que seja muito diferente do irmão – tolo e um grande almofadinha.

— Um grande almofadinha! — repetiu a srta. Steele, cujo ouvido havia captado aquelas palavras por uma pausa repentina na música de Marianne. — Oh, elas estão falando de seus rapazes favoritos, ouso dizer.

— Não, irmã — exclamou Lucy —, você está enganada, nossos rapazes favoritos *não* são grandes almofadinhas.

— Posso responder que o da srta. Dashwood não é — disse a sra. Jennings, rindo com vontade —, pois é um dos jovens mais modestos e mais comportados que já vi; quanto a Lucy, ela é uma criaturinha muito astuta, não há como saber de quem *ela* gosta.

— Oh — gritou a srta. Steele, olhando significativamente para elas —, atrevo-me a dizer que o querido de Lucy é tão modesto e comportado quanto o da srta. Dashwood.

Elinor corou, mesmo sem querer. Lucy mordeu o lábio e olhou com raiva para a irmã. Um silêncio mútuo manteve-se por algum tempo. Lucy pôs fim a ele dizendo em um tom mais baixo, embora Marianne estivesse lhes fornecendo a poderosa proteção de um concerto magnificente:

— Vou lhe contar honestamente sobre um plano que recentemente me veio à mente para resolver o assunto; na verdade, devo lhe contar o segredo, pois você é uma parte envolvida. Ouso dizer que você conhece Edward o suficiente para saber que ele prefere a igreja a todas as outras profissões; pois bem, meu plano é que ele receba a ordenação o mais rápido possível e então, por meio de sua intervenção, pois tenho certeza de que você faria a gentileza de interceder por amizade a ele e, espero eu, por algum respeito a mim, que o seu irmão possa ser persuadido a dar-lhe a renda da igreja de Norland, que presumo ser muito boa, sendo que o atual ocupante provavelmente não viverá muito tempo. Isso seria o suficiente para nos casarmos, e poderíamos confiar no tempo e no acaso para o resto.

— Para mim é sempre uma felicidade — respondeu Elinor — mostrar qualquer sinal de estima e amizade pelo sr. Ferrars, mas você não percebe que minha intervenção nesse assunto seria totalmente desnecessária? Ele é irmão da sra. John Dashwood – *isso* deve ser recomendação suficiente para o marido.

— Mas a sra. John Dashwood não aprovaria a ordenação de Edward.

— Suspeito então que minha intervenção pouco ajudaria.

Ficaram em silêncio por muitos minutos outra vez. Por fim, Lucy exclamou com um suspiro profundo:

— Acredito que a maneira mais sábia de encerrar esse assunto de uma vez seria dissolvendo o compromisso. Parecemos tão cercados de dificuldades de todos os lados que, embora isso fosse nos deixar infelizes por um tempo, talvez nos fizesse mais felizes no fim. Mas você não vai me dar seu conselho, não é, srta. Dashwood?

— Não — respondeu Elinor, com um sorriso que ocultava sentimentos muito agitados —, em tal assunto, com certeza, não. Você sabe muito bem que minha opinião não teria peso para você a menos que estivesse de acordo com seus desejos.

— Na verdade, você me julga mal — respondeu Lucy com grande solenidade. — Não conheço ninguém por cujo julgamento eu tenha tanto apreço quanto o seu, e acredito realmente que, se você me dissesse "Aconselho-a por todos os meios a pôr fim ao seu compromisso com Edward Ferrars, será melhor para a felicidade de vocês dois", eu deveria decidir fazê-lo imediatamente.

Elinor corou pela falta de sinceridade da futura esposa de Edward e respondeu:

— Esse elogio efetivamente me desencorajaria a dar qualquer opinião sobre o assunto caso eu tivesse uma. Amplia a minha influência excessivamente; o poder de separar duas pessoas ligadas por tanta ternura é excessivo para uma pessoa indiferente.

— É por você ser uma pessoa indiferente — disse Lucy com certo ressentimento, colocando especial ênfase nessas palavras — que seu julgamento pode ter tanto peso para mim. Se você pudesse ser tendenciosa em qualquer aspecto devido aos próprios sentimentos, sua opinião não seria válida.

Elinor achou mais sensato não responder a isso para que não se provocassem mutuamente a um aumento inadequado de franqueza e falta de reservas e até decidiu nunca mais mencionar o assunto. Assim, outra pausa de muitos minutos de duração se seguiu a esse diálogo, e Lucy foi de novo a primeira a quebrá-la.

— Vocês estarão na cidade neste inverno, srta. Dashwood? — perguntou ela com toda a habitual despreocupação.

— Com certeza, não.

— Lamento por isso — respondeu a outra, enquanto os olhos brilhavam com a informação —, teria tanto prazer em encontrá-la! Mas ouso dizer que você acabará indo. Com certeza, seu irmão e sua cunhada vão convidá-las para se juntar a eles.

— Não terei condições de aceitar o convite se o fizerem.

— Que lástima! Contava muito com nosso encontro lá. Anne e eu devemos ir no final de janeiro ver alguns parentes que desejam nossa visita há vários anos! Mas vou apenas para ver Edward. Ele estará lá em fevereiro; do contrário, Londres não teria nenhum encanto para mim, não tenho ânimo para isso.

Elinor logo foi chamada à mesa de jogo devido ao término da primeira partida, e o diálogo confidencial das duas damas foi, portanto, encerrado, algo a que ambas se submeteram sem qualquer relutância, pois nada fora dito de parte a parte para fazer com que antipatizassem menos uma com a outra do que antes; e Elinor sentou-se à mesa de jogo com a melancólica convicção de que Edward não apenas carecia de afeição pela pessoa que seria sua esposa como também de que ele não tinha sequer chance de ser toleravelmente feliz no casamento, algo que o afeto sincero da parte *dela* proporcionaria, pois só o interesse próprio poderia induzir uma mulher a manter um homem em um compromisso do qual ela parecia perfeitamente ciente de que ele estava cansado.

A partir dessa ocasião, o assunto nunca mais foi retomado por Elinor, e, quando abordado por Lucy, que raramente perdia a oportunidade de mencioná-lo e era particularmente cuidadosa em informar a confidente de sua felicidade sempre que recebia uma carta de Edward, era tratado com calma e cautela por Elinor e descartado assim que a civilidade permitia, pois ela sentia que tais conversas eram uma concessão que Lucy não merecia e que eram perigosas para ela.

A visita das senhoritas Steele a Barton Park foi prolongada muito além do que o primeiro convite sugeria. O apreço por elas aumentou, não podiam ser dispensadas, sir John não queria saber de sua partida, e, apesar de seus numerosos compromissos havia muito marcados em Exeter, apesar da necessidade absoluta de retornar para cumpri-los imediatamente, o que atingia o ponto alto no final de cada semana, foram forçadas a permanecer quase dois meses em Barton Park e participar da devida celebração daquele festival que requer mais do que uma quantidade normal de bailes particulares e grandes jantares para proclamar sua importância.

❧ *Capítulo 25*

Embora a sra. Jennings tivesse o hábito de passar grande parte do ano na casa de seus filhos e amigos, ela não deixava de ter uma residência própria. Desde a morte do marido, que tivera um comércio bem-sucedido em uma parte menos elegante da cidade, ela residia todos os invernos em uma casa em uma rua próxima a Portman Square. Ela começou a voltar seus pensamentos para essa casa em janeiro, e um dia, abrupta e inesperadamente, convidou as senhoritas Dashwood mais velhas a acompanhá-las até lá. Elinor, sem observar a mudança de cor no rosto de sua irmã e o olhar animado que revelava o interesse no plano, imediatamente recusou de forma grata, porém definitiva, em nome de ambas, acreditando estar falando da disposição das duas. O motivo alegado foi a firme resolução de não deixar a mãe naquela época do ano. A sra. Jennings recebeu a recusa com alguma surpresa e repetiu o convite imediatamente.

— Oh, Senhor! Tenho certeza de que sua mãe pode muito bem dispensá-las e imploro que me agraciem com sua companhia, pois meu coração está decidido a isso. Não imaginem que haverá qualquer inconveniente para mim, pois não vou abrir mão de nada por vocês. Apenas enviarei Betty de carruagem, e espero poder pagar *isso*. Nós três poderemos ir muito bem na minha carruagem, e, quando estivermos na cidade, se não quiserem ir aonde quer que eu vá, muito bem, sempre poderão sair com uma de minhas filhas. Tenho certeza de que sua mãe não fará objeções, pois tive tão boa sorte ao encaminhar meus filhos que ela há de me considerar uma pessoa muito adequada para cuidar de vocês; e, se eu não conseguir um bom casamento para pelo menos uma de vocês antes de voltarmos, não será por falta de empenho. Falarei bem de vocês para todos os rapazes, podem contar com isso.

— Tenho a impressão — disse sir John — de que a srta. Marianne não se oporia a tal plano, caso sua irmã mais velha concordasse. É muito duro ela não ter um pouco de prazer porque a srta. Dashwood não o deseja. Portanto, aconselho vocês duas a partirem para a cidade quando estiverem cansadas de Barton sem dizer uma palavra à srta. Dashwood sobre isso.

— Não — exclamou a sra. Jennings —, com certeza ficarei extremamente feliz com a companhia da srta. Marianne, quer a srta. Dashwood vá ou não, só que, como eu digo, quanto mais, melhor, e pensei que seria mais agradável para elas estarem juntas, porque, se cansarem de mim, podem conversar uma com a outra e rir dos meus hábitos antiquados pelas minhas costas. Mas uma ou outra, se não ambas, vou levar comigo. Deus me abençoe! Como vocês acham que eu possa viver bisbilhotando sozinha, eu, que estava acostumada até este inverno a ter Charlotte comigo. Venha, srta. Marianne, vamos chegar a um acordo, e, se a srta. Dashwood mudar de ideia daqui a pouco, tanto melhor.

— Agradeço-lhe, senhora, sinceramente, muito obrigada — disse Marianne, com ardor. — Seu convite assegurou minha gratidão para sempre e me daria muita felicidade, sim, quase a maior felicidade que sou capaz de sentir, ter condições de aceitá-lo. Mas minha mãe, minha querida e gentil mãe... percebo a justiça do que Elinor frisou, e, se ela ficasse menos feliz, menos confortável com nossa ausência... Oh, não, nada deve me tentar a deixá-la. Não pode, não deve haver perturbação.

A sra. Jennings repetiu a afirmação de que a sra. Dashwood poderia perfeitamente deixá-las viajar, e Elinor, que agora entendia sua irmã e via com que indiferença por quase tudo o mais ela era impelida pelo anseio de estar com Willoughby de novo, não fez mais oposição direta ao plano e apenas transferiu a decisão à mãe, de quem, entretanto, dificilmente esperava receber qualquer apoio em seu esforço para impedir a viagem, que ela não aprovava para Marianne e que, de sua parte, tinha motivos especiais para evitar. Fosse o que fosse que Marianne desejasse, a mãe ficaria ansiosa para promover – Elinor não tinha esperanças de influenciar a mãe a agir com cautela em um assunto no qual nunca conseguira inspirar sua desconfiança, e não ousava explicar o motivo da própria falta de vontade de ir a Londres. Que Marianne, melindrosa como era, totalmente familiarizada com as maneiras da senhora Jennings e invariavelmente aborrecida por elas, ignorasse todos os inconvenientes desse tipo, que, na busca de um objetivo, ignorasse o que haveria de mais doloroso para seus sentimentos irritáveis, era uma prova tão forte, tão completa da importância daquele objetivo para ela que Elinor, apesar de tudo o que havia se passado, não estava preparada para testemunhar.

Ao ser informada do convite, a sra. Dashwood, convencida de que tal viagem seria motivo de muita diversão para ambas as filhas e percebendo, em meio à atenção afetuosa consigo mesma, o quanto o coração de Marianne estava envolvido naquilo, não quis ouvir falar de recusarem o convite por causa *dela*, insistiu em que ambas aceitassem imediatamente e então começou a antever, com a alegria de sempre, uma variedade de benefícios que adviriam para todas elas da separação.

— Estou muito satisfeita com o plano — exclamou —, é exatamente o que eu poderia desejar. Margaret e eu seremos tão beneficiadas quanto vocês. Enquanto vocês e os Middleton estiverem fora, seguiremos serenas e felizes com nossos livros e nossa música! Vocês verão que Margaret terá se aprimorado muito quando voltarem! Também tenho um pequeno plano de reforma para seus quartos, que agora pode ser executado sem qualquer inconveniente para ninguém. Sem dúvida vocês *devem* ir à cidade, acho que todas as moças de sua condição de vida devem conhecer os costumes e divertimentos de Londres. Vocês estarão sob os cuidados de uma boa mulher, do tipo maternal, de cuja bondade com vocês não tenho dúvidas. É muito provável que encontrem seu irmão, e, quaisquer que sejam os defeitos dele ou de sua esposa, quando lembro de quem ele é filho, não consigo suportar vê-los totalmente afastados uns dos outros.

— Embora, com seu habitual anseio por nossa felicidade — disse Elinor —, a senhora tenha removido todos os entraves ao presente esquema que lhe ocorreram, ainda há uma objeção que, em minha opinião, não pode ser removida tão facilmente.

O semblante de Marianne desabou.

— E o que — disse a sra. Dashwood — minha querida e prudente Elinor vai sugerir? Que obstáculo formidável vai apresentar agora? Deixe-me ouvir o que tem a dizer sobre isso.

— Minha objeção é a seguinte: embora eu conheça o bom coração da sra. Jennings, ela não é uma mulher cuja companhia possa nos proporcionar prazer ou cuja proteção nos traga distinção.

— Isso é verdade — respondeu a mãe —, mas vocês dificilmente ficarão na companhia dela sem outras pessoas e quase sempre aparecerão em público com lady Middleton.

— Se Elinor está temerosa por não gostar da sra. Jennings — disse Marianne —, isso não deve impedir que *eu* aceite seu convite. Não tenho tais escrúpulos e tenho certeza de que poderia suportar todos os aborrecimentos desse tipo com muito pouco esforço.

Elinor não pôde deixar de sorrir diante dessa demonstração de indiferença com os modos de uma pessoa com a qual muitas vezes teve dificuldade de persuadir Marianne a se comportar com razoável polidez e resolveu consigo mesma que, se a irmã insistisse em ir, ela iria junto, já que não achava apropriado que Marianne fosse deixada exclusivamente ao próprio critério ou que a sra. Jennings fosse abandonada à mercê de Marianne no conforto das horas domésticas. Ela se conformou mais facilmente com essa decisão ao lembrar que, segundo o relato de Lucy, Edward Ferrars não estaria na cidade antes de fevereiro e que a visita delas, sem qualquer redução despropositada, poderia ser concluída antes disso.

— Quero que vocês *duas* vão — disse a sra. Dashwood —, essas objeções são absurdas. Vocês terão muito prazer em Londres, especialmente por estarem juntas, e, se Elinor alguma vez condescender em antecipar o prazer, ela o verá de uma variedade de fontes; quem sabe possa melhorar o relacionamento com a família de sua cunhada.

Elinor muitas vezes desejara uma oportunidade de tentar enfraquecer a confiança de sua mãe no relacionamento entre Edward e ela, para que o choque fosse menor quando toda a verdade fosse revelada. Agora, com esse ataque, embora quase sem esperança de sucesso, forçou-se a dar início ao projeto, dizendo com a maior calma possível:

— Gosto muito de Edward Ferrars e sempre ficarei feliz em vê-lo, mas, quanto ao resto da família, é totalmente indiferente para mim se virei a conhecer um dia ou não.

A sra. Dashwood sorriu e não disse nada. Marianne ergueu os olhos espantada, e Elinor conjecturou que poderia muito bem ter segurado a língua.

Depois de uma breve conversa, por fim ficou decidido que o convite deveria ser aceito. A sra. Jennings recebeu a informação com grande alegria e muitas garantias de atenção e cuidado. Não foi um prazer apenas para ela – Sir John ficou encantado, pois, para um homem cuja ansiedade predominante era o medo de ficar sozinho, aumentar em dois o número de habitantes de Londres era algo importante. Até lady Middleton se deu ao trabalho de ficar encantada, o que a tirou um tanto de seu habitual; quanto às senhoritas Steele, especialmente Lucy, nunca haviam ficado tão felizes na vida quanto ao receber a notícia.

Elinor submeteu-se ao acordo que neutralizou seus desejos com menos relutância do que esperava sentir. No que dizia respeito a si mesma, agora não importava ir para a cidade ou não, e, quando viu a mãe tão plenamente satisfeita com o plano e a irmã exultante na aparência, voz e atitude, de volta à animação costumeira e mais alegre do que o normal, não pôde ficar descontente com a causa e dificilmente se permitiria desconfiar das consequências.

A alegria de Marianne ia quase um grau além da felicidade, tão grande era a agitação de seu espírito e a impaciência para partir. A relutância em deixar a mãe era a única coisa que lhe restaurava a calma, e, no momento da separação, sua dor era excessiva. A aflição da mãe não era menor, e Elinor era a única das três que parecia considerar a separação como algo aquém do eterno.

A partida ocorreu na primeira semana de janeiro.

Os Middleton seguiriam cerca de uma semana depois. As senhoritas Steele mantiveram-se a postos em Barton Park e de lá só sairiam com o restante da família.

Capítulo 26

Ao se ver na carruagem com a sra. Jennings, começando uma jornada para Londres sob sua proteção e como sua convidada, Elinor não conseguia deixar de indagar sobre a própria situação, tão superficial era sua familiaridade com aquela senhora, tão totalmente incompatíveis eram elas em idade e temperamento e tantas eram suas objeções contra tal viagem apenas alguns dias antes! Mas todas as objeções foram superadas ou ignoradas por aquele feliz ardor juvenil que Marianne e a mãe compartilhavam, e Elinor, apesar de todas as dúvidas ocasionais sobre a constância de Willoughby, não pôde testemunhar o êxtase de encantadora expectativa que preenchia toda a alma e brilhava nos olhos de Marianne sem sentir o quão nula era sua própria perspectiva, quão triste o próprio estado de espírito em comparação e com que prazer ela se entregaria à situação de ansiedade de Marianne para ter o mesmo objetivo animador em vista, a mesma possibilidade de esperança.

Agora faltava pouco, muito pouco, para a definição de quais eram as intenções de Willoughby; era muito provável que ele já estivesse na cidade. A ânsia de Marianne em partir declarava sua certeza de encontrá-lo lá, e Elinor estava decidida não apenas a obter toda nova luz sobre o caráter dele que a própria observação ou informações de outros pudessem lhe dar, como também a observar o comportamento dele com a irmã com atenção muito zelosa a fim de verificar quem ele era e o que pretendia antes que ocorressem muitos encontros. Se o resultado das observações fosse desfavorável, ela estava decidida a abrir os olhos da irmã a todo custo; do contrário, seus esforços seriam de natureza diferente – ela então deveria evitar qualquer comparação egoísta e banir todo pesar que pudesse diminuir seu contentamento com a felicidade de Marianne.

A jornada levou três dias, e o comportamento de Marianne enquanto viajavam foi um belo exemplo do que se poderia esperar dela em termos de boa vontade e companheirismo com a sra. Jennings no futuro. Manteve-se em silêncio por quase todo o trajeto, absorta nos próprios pensamentos, quase nunca falando voluntariamente, exceto quando algum objeto de beleza pitoresca era avistado e arrancava dela uma exclamação de deleite dirigida exclusivamente à irmã. Para expiar essa conduta, Elinor tomou posse imediata do cargo de civilidade que havia designado para si mesma, comportou-se com a maior atenção com a sra. Jennings, conversou com ela, riu com ela e a ouviu sempre que pôde; a sra. Jennings, por sua vez, tratou as duas com toda a gentileza possível, atenta em todas as ocasiões a sua comodidade e prazer, e só ficou perturbada por não conseguir fazê-las escolher os próprios jantares na pousada, nem extorquir uma confissão da preferência por salmão a bacalhau, ou aves cozidas a costeletas de vitela. Chegaram à cidade por volta das três horas do terceiro dia, felizes por se verem livres do confinamento de uma carruagem depois de tal viagem e prontas para desfrutar de todo o luxo de uma boa lareira.

A casa era bonita e lindamente decorada, e as moças imediatamente receberam um aposento muito confortável. Tinha sido de Charlotte, e sobre a lareira ainda pendia uma paisagem em sedas coloridas de sua autoria, prova de que passara sete anos em uma grande escola na cidade com algum resultado.

Como o jantar não ficaria pronto em menos de duas horas após a chegada delas, Elinor decidiu aproveitar o intervalo para escrever à mãe e sentou-se para isso. Instantes depois, Marianne fez o mesmo.

— Estou escrevendo para casa, Marianne — disse Elinor. — Não seria melhor você adiar sua carta por um ou dois dias?

— *Não* vou escrever para minha mãe — respondeu Marianne bruscamente, como se quisesse evitar qualquer indagação posterior.

Elinor não disse mais nada. Imediatamente percebeu que a irmã devia estar escrevendo para Willoughby. A conclusão que se seguiu foi que, por mais misteriosamente que desejassem conduzir o caso, deviam estar comprometidos. A convicção, embora não inteiramente satisfatória, deu-lhe prazer, e ela continuou sua carta com maior entusiasmo. Marianne concluiu sua missiva em poucos minutos; pelo comprimento, não poderia ser mais do que um bilhete, que foi então dobrado, selado e remetido com grande rapidez. Elinor pensou ter distinguido um grande W no endereço; assim que terminou, Marianne tocou a campainha e pediu ao lacaio que atendeu que enviasse a carta pelo correio local. Isso elucidou o assunto na mesma hora.

O ânimo de Marianne ainda se mantinha muito elevado, mas havia uma vibração nele que impedia Elinor de sentir muito prazer, e tal agitação aumentou à medida que a noite avançava. Marianne mal conseguiu jantar e, quando voltaram para a sala de estar, parecia ansiosa ao ouvir o ruído de qualquer carruagem.

Foi uma grande satisfação para Elinor que a sra. Jennings, por estar muito ocupada no próprio cômodo, pouco visse do que estava se passando. As coisas do chá foram trazidas. Marianne já se decepcionara mais de uma vez com uma batida na porta vizinha quando de repente se ouviu um ruído forte que não poderia ser em nenhuma outra casa; Elinor teve certeza de se tratar da chegada de Willoughby, e Marianne levantou-se e foi em direção à porta. Caiu um silêncio que não poderia durar muito; Marianne abriu a porta, avançou alguns passos em direção à escada e, depois de ouvir por meio minuto, voltou para a sala com toda a agitação que a convicção de tê-lo ouvido naturalmente produziria; no êxtase de seus sentimentos naquele instante, não pôde deixar de exclamar:

— Oh, Elinor, é Willoughby, sim, é ele! — e parecia prestes a se jogar em seus braços quando o coronel Brandon apareceu.

Foi um choque grande demais para ser suportado com calma, e Marianne deixou a sala imediatamente. Elinor também ficou decepcionada; ao mesmo tempo, sua consideração pelo coronel Brandon garantiu-lhe suas boas-vindas, e ela se sentiu particularmente magoada por um homem tão afeiçoado a sua irmã perceber que ela não experimentava nada além de tristeza e decepção ao vê-lo.

No mesmo instante Elinor viu que aquilo não passara despercebido por ele, que observou Marianne sair da sala com tamanho espanto e preocupação que mal lembrou-se do que a civilidade exigia dele em relação a Elinor.

— Sua irmã está doente? — perguntou ele.

Elinor respondeu com certa angústia que sim e depois falou sobre dores de cabeça, desânimo, fadiga e todas as coisas às quais poderia decentemente atribuir o comportamento da irmã. Ele a ouviu com a maior atenção, mas, parecendo se recompor, não disse mais nada sobre o assunto e imediatamente começou a falar de seu prazer em vê-las em Londres, fazendo as perguntas usuais sobre a viagem e os amigos que haviam deixado em Barton.

Continuaram a conversar calmamente, com muito pouco interesse de parte a parte, ambos desanimados, os pensamentos de ambos ocupados em outro assunto. Elinor gostaria muito de perguntar se Willoughby estava na cidade, mas tinha medo de magoá-lo com qualquer pergunta sobre o rival; por fim, para dizer algo, perguntou se ele estivera em Londres desde a última vez que o vira.

— Sim — respondeu ele, com certo embaraço —, quase o tempo todo; estive uma ou duas vezes em Delaford por alguns dias, mas não tive condições de retornar a Barton.

Razão & Sensibilidade

Isso e a maneira como foi dito imediatamente trouxeram à lembrança de Elinor todas as circunstâncias de sua partida daquele local, a inquietação e as suspeitas provocadas na sra. Jennings, e ela temeu que sua pergunta tivesse implicado muito mais curiosidade sobre o assunto do que ela sentia.

A sra. Jennings apareceu em seguida.

— Oh! Coronel — disse ela, com a habitual alegria ruidosa —, fico imensamente feliz em vê-lo, desculpe não vir antes, imploro seu perdão, mas fui forçada a dar uma olhada por tudo e resolver meus assuntos, pois fazia muito tempo que não estava em casa, e você sabe que sempre se tem um mundo de coisinhas para fazer depois de se ausentar por algum tempo; tive de acertar coisas com Cartwright... Senhor, tenho estado tão ocupada quanto uma abelha desde o jantar! Mas, por favor, coronel, como você imaginou que eu deveria estar na cidade hoje?

— Tive o prazer de ser informado no sr. Palmer, onde tenho jantado.

— Oh, você esteve lá; bem, e como estão todos naquela casa? Como está Charlotte? Garanto que já está de bom tamanho a esta altura.

— A sra. Palmer parecia muito bem, e estou encarregado de dizer que a senhora com certeza a verá amanhã.

— Ah, claro, foi o que pensei. Bem, coronel, trouxe comigo duas moças, como pode ver... Isto é, pode ver apenas uma delas agora, mas há outra em algum lugar. Sua amiga, srta. Marianne – o que você não lamentará ouvir. Não sei o que você e o sr. Willoughby farão entre vocês a respeito dela. Ah, que coisa boa ser jovem e bonita. Bem! Já fui jovem, mas nunca fui muito bonita – má sorte a minha. No entanto, tive um marido muito bom, e não sei o que de melhor que isso a maior beleza poderia proporcionar. Ah! coitado! Está morto há oito anos, e melhor assim. Mas, coronel, onde você esteve desde que nos separamos? E como vão seus negócios? Venha, venha, não vamos ter segredos entre amigos.

Ele respondeu todas as indagações com sua habitual suavidade, mas sem satisfazê-la em nada. Elinor começou a servir o chá, e Marianne foi obrigada a aparecer de novo.

Após sua entrada, o coronel Brandon ficou mais pensativo e silencioso do que antes, e a sra. Jennings não conseguiu convencê-lo a ficar por muito tempo. Nenhum outro visitante apareceu naquela noite, e as senhoras foram unânimes em concordar em ir cedo para a cama.

Marianne despertou com o ânimo recuperado e aparência feliz na manhã seguinte. A decepção da noite anterior parecia esquecida mediante a expectativa do que aconteceria naquele dia. Não fazia muito que haviam terminado o café da manhã quando a carruagem da sra. Palmer parou na porta, e em poucos minutos ela entrou rindo na sala, tão encantada por ver todas elas que era difícil dizer se tinha mais prazer em encontrar a mãe ou as senhoritas Dashwood novamente. Muito surpresa com a vinda delas à cidade, embora fosse o que ela esperasse desde o início; muito zangada por terem aceitado o convite de sua mãe depois de haverem recusado o seu, embora ao mesmo tempo nunca as fosse perdoar se não viessem!

— O sr. Palmer ficará muito feliz em vê-las — disse ela. — O que acham que ele disse quando soube de sua vinda com mamãe? Já esqueci o que foi, mas foi algo muito engraçado!

Depois de uma ou duas horas gastas no que sua mãe chamou de conversa amena ou, em outras palavras, em todas as variedades de indagações sobre todos os conhecidos por parte da sra. Jennings e em risadas sem motivo da sra. Palmer, esta propôs que todas a acompanhassem a algumas lojas onde ela tinha negócios naquela manhã, com o que a sra. Jennings e Elinor prontamente concordaram, já que também tinham algumas compras a fazer; Marianne, embora se recusando a princípio, foi induzida a ir mesmo assim.

Razão & Sensibilidade

Aonde quer que fossem, Marianne evidentemente manteve-se sempre alerta e vigilante. Especialmente em Bond Street, onde fica grande parte dos negócios, seus olhos permaneceram em constante investigação, e em todas as lojas onde as acompanhantes se ocuparam, sua mente permaneceu distraída de tudo o que realmente estava diante delas, de tudo que interessava e ocupava as outras. Elinor não conseguiu obter dela, inquieta e insatisfeita em todos os lugares, a opinião sobre qualquer artigo de compra, por mais que pudesse interessar a ambas; Marianne não sentia prazer em nada, estava impaciente para estar em casa novamente e controlava com dificuldade sua contrariedade com o aborrecimento com a sra. Palmer, cuja atenção era atraída por tudo que era bonito, caro ou novo, que estava louca para comprar tudo, não conseguia decidir sobre nada e perdia tempo em êxtase e indecisão.

Voltaram para casa no final da manhã; assim que entraram, Marianne subiu as escadas ansiosa. Quando Elinor a seguiu, encontrou-a afastando-se da mesa com um semblante pesaroso, que indicava que Willoughby não estivera ali.

— Nenhuma carta foi deixada aqui para mim desde que saímos? — perguntou ao criado que então entrou com os pacotes. A resposta foi negativa. — Tem certeza? — retrucou ela. — Tem certeza de que nenhum criado, nenhum porteiro deixou uma carta ou bilhete?

O homem respondeu que ninguém deixara nada.

— Que estranho! — disse ela em voz baixa e desapontada, enquanto se virava para a janela.

"Que estranho, de fato!", repetiu Elinor pra si mesma, olhando a irmã com inquietação. "Se ela não soubesse que ele estava na cidade, não teria escrito para ele como fez, teria escrito para Combe Magna; se ele está na cidade, que estranho que não venha nem escreva! Oh, minha querida mãe, você deve estar errada ao permitir que um compromisso entre uma filha tão jovem e um homem tão pouco conhecido seja conduzido de maneira tão duvidosa, tão misteriosa! Anseio por perguntar, mas como a *minha* interferência será suportada?"

Após alguma consideração, Elinor decidiu que, se as aparências continuassem tão desagradáveis como agora por muitos dias mais, ela explicaria à mãe da maneira mais intensa a necessidade de alguma investigação séria sobre o caso.

A sra. Palmer e duas senhoras de mais idade muito conhecidas da sra. Jennings, que ela havia encontrado e convidado pela manhã, jantaram com elas. A primeira as deixou logo depois do chá para cumprir seus compromissos noturnos, e Elinor foi obrigada a participar de uma mesa de uíste com as outras.

Marianne era inútil nessas ocasiões, pois nunca aprenderia o jogo; embora tivesse seu tempo livre, a noite não foi de forma alguma mais produtiva de prazer para ela do que para Elinor, pois foi passada na ansiedade da expectativa e na dor da decepção. Ela às vezes se esforçava por alguns minutos para ler, mas o livro logo era posto de lado, e ela voltava à atividade mais interessante de andar de um lado para o outro pela sala, parando por um momento sempre que chegava à janela na esperança de distinguir a tão esperada batida na porta.

Capítulo 27

— Se o bom tempo continuar — disse a sra. Jennings, quando se encontraram para o café na manhã seguinte —, sir John não vai querer sair de Barton na próxima semana; é triste para os desportistas perderem um dia de prazer. Pobres criaturas! Sempre tenho pena deles quando o fazem; parecem levar a coisa muito a sério.

— É verdade — exclamou Marianne com voz alegre, caminhando até a janela enquanto falava, para examinar o dia. — Não tinha pensado nisso. Esse clima vai manter muitos desportistas no campo.

Foi uma lembrança feliz, todo o seu bom humor foi restaurado.

— De fato é encantador para *eles* — continuou Marianne, enquanto se sentava à mesa do café da manhã com um semblante feliz. — Como devem gostar! Mas — ponderou, com um pequeno retorno da ansiedade — não se pode esperar que dure muito. Nesta época do ano e depois de uma série de chuvas, certamente vai durar muito pouco. As geadas logo começarão, provavelmente com severidade. Em um ou dois dias talvez, essa extrema amenidade dificilmente pode durar mais – não, talvez possa gear nesta noite!

— De qualquer forma — disse Elinor, desejando impedir a sra. Jennings de ver os pensamentos de sua irmã com tanta clareza quanto ela —, atrevo-me a dizer que teremos sir John e lady Middleton na cidade no final da próxima semana.

— Ah, minha querida, garanto que sim. Mary sempre faz as coisas à sua vontade.

"E agora", conjecturou Elinor em silêncio, "ela vai escrever para Combe e enviar pelo correio de hoje."

Mas, se Marianne o *fez*, a carta foi escrita e enviada com um sigilo que escapou a toda vigilância de Elinor para apurar o fato. Fosse como fosse, e por mais longe que estivesse de se sentir completamente satisfeita com a situação, ao ver Marianne de bom humor Elinor não poderia se sentir muito desconfortável. E Marianne estava animada; feliz com o tempo ameno e mais feliz ainda com a expectativa de uma geada.

Passaram a maior parte da manhã deixando cartões nas casas dos conhecidos da sra. Jennings para informá-los de que ela estava na cidade; Marianne ficou o tempo todo ocupada observando a direção do vento, analisando as variações do céu e imaginando uma alteração no clima.

— Você não acha que está mais frio do que de manhã, Elinor? Parece-me uma diferença muito marcante. Mal consigo manter minhas mãos aquecidas, mesmo no meu regalo. Não estava tão frio ontem, creio. As nuvens também parecem se dissipar, vai abrir sol daqui a pouco, e teremos uma tarde clara.

Elinor alternava entre achar graça e se afligir, mas Marianne perseverou, e via sinais inequívocos da geada que se aproximava todas as noites no brilho do fogo e todas as manhãs no aspecto da atmosfera.

As senhoritas Dashwood não tinham motivos para ficar insatisfeitas com o estilo de vida da sra. Jennings e seu círculo de relações, tampouco com seu comportamento com elas, que era invariavelmente gentil. Toda a organização doméstica era conduzida pelo plano mais liberal, e, com exceção de alguns velhos amigos da cidade, que, para desgosto de lady Middleton, sua mãe nunca abandonara, ela não visitou ninguém a quem uma apresentação pudesse perturbar os sentimentos das jovens acompanhantes. Satisfeita por se encontrar em situação mais confortável nesse aspecto do que esperava, Elinor estava muito disposta a se conformar com a falta de real diversão em qualquer uma de suas reuniões noturnas, que, em casa ou fora, envolvendo apenas jogos de cartas, pouco poderiam entretê-la.

O coronel Brandon, que tinha convite permanente para ir à casa, estava com elas quase todos os dias; vinha para olhar Marianne e conversar com Elinor, que muitas vezes sentia mais satisfação em dialogar com ele do que em qualquer outra atividade diária, mas que ao mesmo tempo via com muita preocupação a continuidade do afeto dele por sua irmã. Ela temia que esse afeto estivesse ficando mais forte. Elinor ficava triste ao ver a seriedade com que o coronel costumava observar Marianne, e seu ânimo com certeza estava pior do que em Barton.

Cerca de uma semana após a chegada delas, tornou-se evidente que Willoughby também havia chegado. Seu cartão estava na mesa quando voltaram da saída matinal.

— Bom Deus! — exclamou Marianne. — Ele esteve aqui enquanto estávamos fora.

Elinor, exultante por ter certeza de que ele estava em Londres, aventurou-se a dizer:

— Pode ficar certa de que ele virá de novo amanhã.

Mas Marianne mal pareceu ouvi-la e, à entrada da sra. Jennings, escapou com o precioso cartão.

Esse acontecimento elevou o espírito de Elinor, ao mesmo tempo em que restaurou todo o ânimo de sua irmã e, mais do que isso, sua antiga agitação. A partir daquele momento, a mente de Marianne não mais se aquietou; a expectativa de ver Willoughby a cada hora do dia tornou-a incapaz de fazer qualquer coisa. Na manhã seguinte, insistiu em ficar em casa quando as outras saíram.

Os pensamentos de Elinor foram preenchidos com o que poderia estar acontecendo em Berkeley Street durante sua ausência, mas um olhar de relance para a irmã quando voltaram foi o suficiente para informá-la de que Willoughby não fizera uma segunda visita.

Um bilhete foi então trazido e colocado sobre a mesa.

— Para mim! — gritou Marianne, avançando apressadamente.

— Não, senhora, para minha patroa.

Marianne, não convencida, pegou-o imediatamente.

— É realmente para a sra. Jennings, que enervante!

— Então você está esperando uma carta? — perguntou Elinor, incapaz de permanecer calada.

— Sim, um pouco – não muito.

Após uma breve pausa:

— Você não confia em mim, Marianne.

— Ah, não, Elinor, essa reprovação de *você* – você que não confia em ninguém!

— Eu! — devolveu Elinor um tanto confusa. — Na verdade, Marianne, não tenho nada para contar.

— Nem eu — respondeu Marianne com energia —, nossa situação então é a mesma. Nenhuma de nós tem nada para contar; você, porque não se comunica, e eu porque não escondo nada.

Elinor, angustiada por essa acusação de reserva que ela não se sentia à vontade para negar, não soube como, sob tais circunstâncias, pressionar por maior franqueza de Marianne.

A sra. Jennings logo apareceu, e, quando o bilhete lhe foi entregue, leu em voz alta. Era de lady Middleton, anunciando sua chegada a Conduit Street na noite anterior e solicitando a companhia de sua mãe e primas na noite seguinte. Os negócios de sir John e um forte resfriado dela os impediram de fazer uma visita a Berkeley Street. O convite foi aceito, mas, quando se aproximou a hora do compromisso, sendo necessário como cortesia à sra. Jennings que ambas comparecessem em tal visita, Elinor teve alguma dificuldade em persuadir sua irmã a ir, pois Marianne ainda não tivera sinal de Willoughby e, portanto, não estava disposta a se divertir fora de casa e não queria correr o risco de que ele de novo aparecesse na ausência dela.

No final da noite, Elinor descobriu que a disposição não é substancialmente alterada por uma mudança de residência, pois, embora recém-instalado na cidade, sir John planejou reunir ao seu redor quase vinte jovens e diverti-los com um baile. Essa, entretanto, foi uma iniciativa que lady Middleton não aprovou. No campo, um baile improvisado era bastante admissível, mas em Londres, onde a reputação de elegância era mais importante e menos facilmente alcançada, era muito arriscado, para a gratificação de algumas garotas, saber que lady Middleton fizera um pequeno baile de oito ou nove pares, com dois violinos e um simples bufê leve.

O sr. e a sra. Palmer faziam parte do grupo; do primeiro, que não tinham visto desde que chegara à cidade, pois tomava o cuidado de evitar a aparência de qualquer atenção à sogra e, portanto, nunca se aproximava dela, não receberam nenhum sinal de reconhecimento ao entrar. Ele olhou-as de relance, sem parecer saber quem eram, e apenas acenou com a cabeça para a sra. Jennings do outro lado da sala. Marianne passou os olhos pela sala ao entrar e foi o que bastou – *ele* não estava lá –, então sentou-se, igualmente indisposta para agradar ou ser agradável. Depois de estarem reunidos havia cerca de uma hora, o sr. Palmer caminhou em direção às senhoritas Dashwood para expressar sua surpresa ao vê-las na cidade, embora o coronel Brandon tivesse sido informado da chegada delas à casa dele e ele mesmo ter dito algo muito engraçado ao ouvir que elas viriam.

— Pensei que vocês duas estivessem em Devonshire — disse ele.

— Mesmo? — respondeu Elinor.

— Quando voltam?

— Não sei.

E assim terminou o diálogo.

Nunca em toda a sua vida Marianne se sentira tão indisposta para dançar, nem tão cansada com o exercício como naquela noite. Ela reclamou quando voltaram para Berkeley Street.

— Sim, sim — disse a sra. Jennings —, sabemos a razão disso tudo muito bem; se certa pessoa cujo nome não será mencionado estivesse lá, você não estaria nem um pouco cansada; para falar a verdade, não foi muito bonito da parte dele não ir à reunião quando foi convidado.

— Convidado! — exclamou Marianne.

— Foi o que minha filha Middleton me contou, pois parece que sir John o encontrou na rua esta manhã.

Marianne não disse mais nada, mas pareceu extremamente magoada. Impaciente para fazer algo que pudesse trazer alívio à irmã, Elinor resolveu escrever na manhã seguinte para a mãe, com a esperança de, ao despertar temor pela saúde de Marianne, incitar a investigação adiada por tanto tempo; ficou ainda mais inclinada a isso ao perceber, depois do desjejum do dia seguinte, que Marianne estava escrevendo de novo para Willoughby, pois não poderia supor que fosse para qualquer outra pessoa.

Por volta do meio-dia, a sra. Jennings saiu sozinha a negócios, e Elinor começou sua carta na mesma hora, enquanto Marianne, inquieta demais para se ocupar, ansiosa demais para conversar, ia de uma janela a outra ou sentava-se perto da lareira em meditação melancólica. Elinor foi muito sincera no pedido à mãe, relatando tudo o que havia acontecido, suas suspeitas sobre a inconstância de Willoughby, instando-a, com todas as alegações de dever e afeto, a exigir de Marianne um relato de sua real situação em relação a ele.

Mal havia terminado a carta quando uma batida à porta indicou a chegada de uma visita, e o coronel Brandon foi anunciado. Marianne, que o vira da janela e odiava qualquer tipo de companhia, saiu da sala antes que ele entrasse. Ele parecia mais sério do que o normal e, embora expressasse satisfação por encontrar a srta. Dashwood sozinha, como se tivesse algo em particular para lhe contar, ficou sentado por algum tempo sem dizer uma palavra. Elinor, convencida de que ele tinha alguma comunicação a fazer a respeito de sua irmã, aguardou impaciente. Não era a primeira vez que ela tinha o mesmo tipo de convicção; pois, em mais de uma ocasião, começando com um comentário como "sua irmã parece indisposta hoje" ou "sua irmã parece desanimada", ele parecera a ponto de revelar ou indagar algo específico sobre dela. Após uma pausa de vários minutos, o silêncio foi quebrado por ele perguntando com voz um tanto agitada quando deveria parabenizá-la pela aquisição de um irmão. Elinor não estava preparada para tal pergunta e, não tendo uma resposta pronta, foi obrigada a adotar o expediente simples e comum de perguntar a que ele se referia. Ele tentou sorrir ao responder:

— O noivado de sua irmã com o sr. Willoughby é de conhecimento geral.

— Não pode ser de conhecimento geral — respondeu Elinor —, pois a própria família dela não sabe.

Ele pareceu surpreso e disse:

— Desculpe-me, receio que minha pergunta tenha sido impertinente, mas não supunha que houvesse qualquer intenção de sigilo, já que eles se correspondem abertamente e o casamento é comentado.

— Como pode ser isso? Por quem você pode ter ouvido falar disso?

— Por muitas pessoas, algumas que você não conhece, outras com quem tem mais intimidade, a sra. Jennings, a sra. Palmer e os Middleton. Mas ainda assim eu poderia não ter acreditado – afinal, naquilo em que a mente talvez relute em ser convencida, sempre encontrará algo para sustentar suas dúvidas – se por acaso não tivesse visto uma carta dirigida ao sr. Willoughby, escrita por sua irmã, na mão do criado que me recebeu. Vim perguntar, mas fiquei convencido antes de que pudesse fazer a pergunta. Tudo está finalmente resolvido? É impossível...? Mas não tenho o direito e não poderia ter nenhuma chance de sucesso. Com licença, srta. Dashwood. Creio que errei ao falar tanto, mas mal sei o que fazer e tenho a mais inabalável confiança em sua prudência. Diga-me que está tudo absolutamente resolvido, que qualquer tentativa, que, para resumir, ocultar, se a ocultação for possível, é tudo o que resta.

Essas palavras, que transmitiram a Elinor uma confissão direta do amor do coronel por sua irmã, a afetaram muito. Ela não foi capaz de dizer nada de imediato e, mesmo quando recobrou a presença de espírito, debateu por um instante sobre qual seria a resposta mais adequada. O verdadeiro estado das coisas entre Willoughby e sua irmã era tão pouco conhecido por ela que, ao tentar explicá-lo, poderia falar de mais ou de menos. No entanto, como estava convencida de que a afeição de Marianne por Willoughby não deixava nenhuma esperança de sucesso ao coronel Brandon, fosse qual fosse o resultado de tal afeição, e ao mesmo tempo desejasse proteger sua conduta de censura, depois de alguma consideração achou mais prudente e gentil dizer mais do que realmente sabia ou acreditava. Admitiu, portanto, que, embora nunca tivesse sido informada por eles sobre os termos em que se relacionavam, ela não tinha dúvidas do afeto mútuo e não se espantava ao ouvir falar da correspondência.

Ele a ouviu com atenção silenciosa. Quando ela parou de falar, o coronel levantou-se imediatamente de sua cadeira e disse com voz emocionada:

— Para sua irmã desejo toda a felicidade imaginável; para Willoughby, que possa se esforçar para merecê-la.

A seguir despediu-se e foi embora.

Elinor não obteve nenhum sentimento agradável dessa conversa que abrandasse o desassossego de sua mente sobre outros assuntos; ficou, ao

Razão & Sensibilidade

contrário, com uma impressão melancólica da infelicidade do coronel Brandon e foi impedida até mesmo de desejar que esta cessasse devido à ansiedade quanto ao evento que deveria confirmá-la.

❧ *Capítulo 28*

Nada ocorreu durante os três ou quatro dias seguintes que fizesse Elinor se arrepender de ter recorrido à mãe, pois Willoughby não viera nem escrevera. No final desse período, tiveram de acompanhar lady Middleton a uma festa à qual a sra. Jennings não compareceu por causa da indisposição da filha mais nova; para essa festa, Marianne, totalmente desanimada, descuidada com a aparência e parecendo igualmente indiferente em ir ou ficar, preparou-se sem um olhar de esperança ou uma expressão de prazer. Sentou-se perto da lareira da sala de estar depois do chá até o momento da chegada de lady Middleton, sem se mexer nem uma vez na cadeira ou alterar a atitude, perdida nos próprios pensamentos e insensível à presença da irmã; quando enfim foram informadas de que lady Middleton as aguardava na porta, estremeceu como se tivesse esquecido que esperavam alguém.

Chegaram ao local de destino na hora certa e, assim que a fila de carruagens diante delas permitiu, desceram, subiram as escadas, ouviram seus nomes anunciados de um patamar a outro em voz audível e entraram em um salão esplendidamente iluminado, cheio de convidados e insuportavelmente quente. Depois de prestar homenagem à dona da casa com uma reverência cortês, puderam se misturar à multidão e usufruir de sua cota de calor e incômodo, que sua chegada necessariamente aumentava. Depois de algum tempo falando pouco e fazendo menos ainda, lady Middleton sentou-se à mesa de jogo; como Marianne não estava com ânimo para circular, ela e Elinor felizmente conseguiram cadeiras e acomodaram-se a uma distância não muito grande da mesa.

Estavam ali não fazia muito quando Elinor avistou Willoughby parado a alguns metros delas, conversando atentamente com uma jovem de aparência muito elegante. Elinor logo chamou a atenção dele, que imediatamente se curvou, mas sem tentar falar com ela ou se aproximar de Marianne, embora não pudesse deixar de vê-la; e então continuou a conversa com a mesma senhora. Elinor voltou-se involuntariamente para a irmã, para ver se a cena passaria desapercebida por ela. No mesmo momento Marianne o avistou pela primeira vez e, com o semblante cintilando de súbito deleite, teria avançado na direção dele instantaneamente caso a irmã não a tivesse segurado.

— Deus do céu! — exclamou ela. — Ele está lá... ele está... Oh! Por que ele não olha para mim? Por que não posso falar com ele?

— Por favor, por favor, recomponha-se — exclamou Elinor — e não revele o que sente a todos os presentes. Talvez ele ainda não a tenha avistado.

Isso, entretanto, era mais do que ela poderia acreditar, e se recompor estava não apenas fora do alcance de Marianne naquele momento, estava também além de seu desejo. Ela sentou-se em agonia e impaciência que afetavam todo o seu aspecto.

Por fim, ele se virou de novo e olhou para as duas, Marianne se levantou e, pronunciando o nome dele em tom afetuoso, estendeu-lhe a mão. Ele se aproximou e se dirigiu mais a Elinor do que a Marianne, como se quisesse evitar os olhos dela, e, decidido a não observar sua atitude, perguntou rapidamente pela sra. Dashwood e havia quanto tempo estavam na cidade. Elinor foi privada de toda a presença de espírito com essa abordagem e não conseguiu dizer uma palavra. Mas os sentimentos de sua irmã foram imediatamente expressos. Seu rosto ficou inteiramente rubro e ela exclamou, com a voz tomada pela emoção:

— Meu Deus! Willoughby, qual é o significado disso? Você não recebeu minhas cartas? Não vai apertar minha mão?

Ele não pôde evitar, mas o toque pareceu-lhe doloroso, e ele segurou a mão dela apenas por um momento. Durante todo esse tempo, ele evidentemente lutou para manter a compostura. Elinor observou seu semblante e viu sua expressão ficar mais tranquila. Após uma pausa momentânea, ele falou em tom calmo:

— Tive a honra de visitar Berkeley Street na terça-feira passada e lamento muito não ter tido a sorte de encontrar vocês e a sra. Jennings em casa. Meu cartão não foi extraviado, espero.

— Mas você não recebeu minhas notas? — exclamou Marianne em descontrolada ansiedade. — Deve haver algum engano, tenho certeza – algum engano terrível. O que significa isso? Diga-me, Willoughby, pelo amor de Deus, diga-me, qual é o problema?

Ele não respondeu, sua pele mudou de cor e todo o seu embaraço voltou, mas como se, ao perceber o olhar da jovem com quem estava conversando anteriormente, sentisse a necessidade de um esforço instantâneo, recuperou-se outra vez e disse:

— Sim, tive o prazer de receber a informação que você teve a bondade de me enviar sobre sua chegada à cidade — e em seguida afastou-se apressadamente com uma ligeira reverência e juntou-se à amiga.

Marianne, agora com uma aparência terrivelmente branca e incapaz de se levantar, afundou na cadeira; Elinor, esperando vê-la desmaiar a qualquer momento, tentou protegê-la da curiosidade alheia enquanto a reanimava com água de lavanda.

— Vá até ele, Elinor — exclamou Marianne assim que conseguiu falar —, e obrigue-o a vir a mim. Diga a ele que devo vê-lo novamente... que devo falar com ele imediatamente. Não posso descansar... não terei um momento de paz até que isso seja explicado... qualquer que seja o equívoco terrível. Oh, vá até ele agora mesmo.

— Como poderia fazer isso? Não, minha querida Marianne, você deve esperar. Este não é o lugar para explicações. Espere apenas até amanhã.

Razão & Sensibilidade

Com dificuldade, porém, Elinor conseguiu evitar que Marianne fosse atrás dele; e foi impossível persuadi-la a conter sua agitação, a esperar, pelo menos com uma aparência de compostura, até que pudesse falar com ele com mais privacidade e mais resultado, pois Marianne continuou a dar vazão em voz baixa, sem parar, à miséria de seus sentimentos, com exclamações de lamento. Pouco depois Elinor viu Willoughby sair do salão em direção à escada e, informando a Marianne que ele tinha ido embora, insistiu na impossibilidade de falar com ele novamente naquela noite, como um novo argumento para ela se acalmar. Ela imediatamente implorou à irmã que rogasse a lady Middleton para levá-las para casa, já que ela estava muito infeliz para ficar mais um minuto.

Ao ser informada de que Marianne não estava bem, lady Middleton, educada demais para objetar por um momento ao seu desejo de ir embora, ainda que no meio de uma partida, entregou suas cartas a uma amiga, e partiram assim que a carruagem pôde ser encontrada. Quase nenhuma palavra foi dita durante o retorno a Berkeley Street.

Marianne estava em uma agonia silenciosa, oprimida demais até para chorar; mas, como a sra. Jennings felizmente ainda não voltara para casa, elas puderam ir diretamente para o quarto, onde os sais de amônia a restauraram um pouco. Marianne logo se despiu e se deitou, e, como parecia querer ficar sozinha, sua irmã a deixou e, enquanto esperava a volta da sra. Jennings, teve tempo suficiente para pensar no ocorrido.

Que algum tipo de compromisso havia existido entre Willoughby e Marianne ela não podia duvidar, e que Willoughby havia se cansado parecia igualmente claro, pois, por mais que Marianne ainda pudesse alimentar os próprios desejos, *ela* não podia atribuir tal comportamento a qualquer tipo de engano ou equívoco. Nada além de uma mudança completa de sentimento poderia explicar aquilo. A indignação de Elinor teria sido ainda mais forte do que era se ela não tivesse testemunhado aquele constrangimento de Willoughby que parecia revelar uma consciência da própria má conduta e que a impedia de acreditar que ele era tão sem princípios a ponto de se divertir com o afeto de sua irmã desde o início, sem qualquer plano que resistisse a uma investigação. A distância poderia ter enfraquecido o afeto dele, e a conveniência poderia tê-lo determinado a superá-lo, mas de que tal afeto existira anteriormente ela não podia duvidar.

Quanto a Marianne, Elinor não podia refletir sem a mais profunda preocupação sobre a dor que um encontro tão infeliz já deveria ter causado e sobre a dor ainda mais severa que sobreviria como provável consequência. Sua própria situação era melhor na comparação, pois, enquanto ela pudesse *estimar* Edward tanto como sempre, por mais que pudessem se afastar no futuro, sua mente sempre estaria amparada. Mas todas as circunstâncias que poderiam amargar o mal do afastamento pareciam se unir para aumentar o sofrimento de Marianne em uma separação final de Willoughby – em uma ruptura imediata e irreconciliável com ele.

❦ Capítulo 29

Na manhã seguinte, antes que a empregada acendesse a lareira ou que o sol mostrasse qualquer poder sobre uma manhã fria e sombria de janeiro, Marianne, apenas semivestida, estava ajoelhada em um dos assentos da janela a fim de aproveitar a pouca claridade disponível e escrevia tão rápido quanto o fluxo contínuo de lágrimas permitia. Foi nessa situação que Elinor, despertada do sono pela agitação e pelos soluços, avistou a irmã; depois de observá-la por alguns momentos com ansiedade silenciosa, disse, no tom mais atencioso e gentil:

— Marianne, posso perguntar?

— Não, Elinor — respondeu ela —, não pergunte nada; em breve você saberá de tudo.

A calma com que isso foi dito durou apenas enquanto ela falava, e foi imediatamente seguida pelo retorno da mesma aflição excessiva. Demorou alguns minutos até que ela pudesse continuar a carta, e as frequentes explosões de dor que ainda a obrigavam a reter a pena eram provas suficientes de que era mais do que provável que estivesse escrevendo pela última vez para Willoughby.

Elinor prestou-lhe toda a atenção silenciosa e discreta ao seu alcance e teria tentado acalmá-la e tranquilizá-la ainda mais se Marianne não tivesse suplicado, com toda a ânsia da mais nervosa irritabilidade, para que não falasse com ela por nada desse mundo. Sob tais circunstâncias, era melhor para ambas que não ficassem muito tempo juntas. E o estado de agitação mental de Marianne não apenas a impediu de permanecer no quarto; mal terminou de se vestir, exigiu solidão e mudança contínua de lugar, fazendo-a vagar pela casa até a hora do café da manhã, evitando encontrar qualquer pessoa.

No café da manhã, Marianne não comeu, nem sequer tentou comer qualquer coisa; o esforço de Elinor foi todo empregado não em estimulá-la, nem em ter pena dela, nem em parecer solícita, mas em chamar a atenção da sra. Jennings inteiramente para si. Como era a refeição favorita da sra. Jennings, durava um tempo considerável; quando elas estavam se acomodando em volta da mesa de trabalho comum, uma carta foi entregue a Marianne, que a tomou ansiosamente das mãos do criado e, com uma palidez mortal, saiu correndo da sala.

Com isso, Elinor nem precisou ver o nome do remetente para ter certeza de que deveria ser de Willoughby. Sentiu no mesmo instante tamanho aperto no coração que mal conseguiu manter a cabeça erguida e se sentou tremendo inteira, o que a fez temer que fosse impossível escapar da atenção da sra. Jennings. A boa senhora, porém, viu apenas que Marianne recebera uma carta de Willoughby, o que lhe pareceu muito engraçado e que ela tratou de acordo – com uma risada, disse esperar que Marianne apreciasse. Quanto à angústia de Elinor, a sra. Jennings estava ocupada demais em medir pedaços de lã para seu tapete para perceber qualquer coisa e, continuando calmamente sua conversa, assim que Marianne desapareceu, ela disse:

— Juro que nunca vi uma jovem tão desesperadamente apaixonada em minha vida! *Minhas* meninas não eram nada perto dela, ainda que costumassem ser muito tolas, mas a srta. Marianne é uma criatura bastante alterada. Espero, do fundo do coração, que ele não a deixe esperando por muito mais tempo, pois é muito doloroso vê-la com uma aparência tão doente e desamparada. Por favor, diga-me: quando eles vão se casar?

Elinor, que nunca se sentira menos disposta a falar do que naquele momento, obrigou-se a responder. Tentando sorrir, falou:

— A senhora realmente se convenceu de que minha irmã está noiva do sr. Willoughby? Achei que fosse apenas uma piada, mas uma pergunta tão séria parece sugerir mais, e devo implorar, portanto, que a senhora não se engane mais. Garanto-lhe que nada me surpreenderia mais do que ficar sabendo que eles iriam se casar.

— Que vergonha, que vergonha, srta. Dashwood! Como pode falar assim? Não sabemos todos que deve haver um casamento, que eles estão perdidamente apaixonados um pelo outro desde o instante em que se conheceram? Não os vi juntos em Devonshire todos os dias, o dia inteiro, e não sei que sua irmã veio à cidade comigo com o propósito de comprar o enxoval? Ora, ora, não venha com essa. Porque você é muito astuta, você pensa que ninguém mais tem discernimento, mas não é assim, posso garantir que o assunto é conhecido por toda a cidade há tempos. Conto isso a todos, e Charlotte também.

— Na verdade — disse Elinor, muito séria — a senhora está enganada. A senhora está fazendo algo muito cruel ao espalhar essa história e vai se dar conta do que fez, embora não vá acreditar em mim agora.

A sra. Jennings riu de novo, mas Elinor não teve ânimo para dizer mais nada e, ansiosa por saber o que Willoughby havia escrito, correu para o quarto, onde, ao abrir a porta, viu Marianne estendida na cama, quase sufocada pela tristeza, uma carta em sua mão e duas ou três outras ao seu lado. Elinor se aproximou sem dizer uma palavra; sentando-se na cama, pegou a mão de Marianne, beijou-a afetuosamente várias vezes e depois deu vazão a um acesso de lágrimas que de início não foi menos violento que o de Marianne. Esta, embora incapaz de falar, pareceu sentir toda a ternura daquele comportamento e, depois de algum tempo passado em aflição conjunta, colocou todas as cartas nas mãos de Elinor, então cobriu o rosto com o lenço e quase gritou de agonia. Elinor, que sabia que tal dor, por mais terrível que fosse testemunhá-la, precisava seguir seu curso, observou Marianne até o excesso de sofrimento se esgotar, e a seguir, voltando-se avidamente à carta de Willoughby, leu o seguinte:

Bond Street, janeiro.

Minha cara senhora,
Acabo de ter a honra de receber sua carta, à qual retribuo com meus sinceros agradecimentos. Fiquei muito preocupado ao descobrir que algo em meu comportamento na noite passada não teve sua aprovação; embora eu realmente não saiba como descobrir em que eu poderia ter tido a infelicidade de ofendê-la, imploro seu perdão pelo que posso garantir ter sido totalmente involuntário.

Nunca haverei de pensar em meu antigo relacionamento com sua família em Devonshire sem o mais grato prazer, e espero que isso não seja rompido por algum engano ou má compreensão de minhas ações. Minha estima por toda a sua família é muito sincera, mas, se fui tão infeliz a ponto de dar origem a uma crença em algo maior do que eu sentia ou pretendia expressar, devo me censurar por não ter sido mais cauteloso em minhas manifestações dessa estima.

Você vai concordar que é impossível que eu pudesse estar me referindo a algo mais quando entender que minha afeição está há muito comprometida em outra parte e que não levará muitas semanas, creio eu, para que o compromisso seja formalizado. É com grande pesar que obedeço às suas ordens de devolver as cartas com as quais fui homenageado por você e a mecha de cabelo que você tão gentilmente me concedeu.

Eu sou, querida senhora, seu mais obediente e humilde servo,

John Willoughby

Pode-se imaginar com que indignação tal carta foi lida pela srta. Dashwood. Embora ciente, antes de começar a ler, de que deveria trazer uma confissão de inconstância e confirmar a separação definitiva, Elinor não imaginava que tal linguagem pudesse ser adotada para anunciá-la, nem poderia supor que Willoughby fosse capaz de se afastar tanto da aparência de todos os sentimentos honrados e delicados, se afastar tanto do decoro comum de um cavalheiro a ponto de enviar uma carta tão descaradamente cruel. Uma carta que, em vez de trazer com seu desejo de separação alguma declaração de arrependimento, não reconhecia qualquer violação de compromisso, negava qualquer afeição especial – uma carta em que cada linha era um insulto e que proclamava que seu autor estava mergulhado em desumana vilania.

Elinor fez uma pausa por algum tempo em assombro indignado. Em seguida, leu e releu várias vezes, mas cada leitura servia apenas para aumentar sua repulsa pelo remetente, e tão amargos eram seus sentimentos que ela não ousava confiar em si para falar, a fim de não magoar Marianne ainda mais profundamente, tratando a separação deles não como uma perda de qualquer bem possível, mas como uma fuga do pior e mais irremediável de todos os males – um relacionamento para toda a vida com um homem sem princípios –, como uma verdadeira libertação e uma grande bênção.

Em suas sérias reflexões sobre o conteúdo da carta, sobre a depravação da mente que poderia ditá-la e, provavelmente, sobre a mente diferente de uma pessoa diferente, que não tinha nenhuma outra conexão com o caso além do que seu coração lhe dava com tudo o que se passava, Elinor esqueceu a angústia imediata de sua irmã, esqueceu que ainda tinha três cartas não lidas no colo e esqueceu completamente por quanto tempo ficou no quarto, tanto que, ao ouvir uma carruagem se aproximar da porta, foi até a janela para ver quem poderia estar chegando tão cedo, e ficou totalmente surpresa ao ver a carruagem da sra. Jennings, que ela sabia que fora solicitada para a uma da tarde. Decidida a não deixar Marianne, embora sem esperança de contribuir para seu conforto de momento, Elinor apressou-se em se desculpar por não acompanhar a sra. Jennings, devido a uma indisposição de sua irmã.

A sra. Jennings, com preocupação totalmente amável em virtude do motivo, aceitou a desculpa prontamente, e Elinor, depois de vê-la sair em segurança, voltou para Marianne, encontrando-a tentando se levantar da cama. Elinor a alcançou bem a tempo de evitar que Marianne caísse no chão desmaiada, entontecida pela longa falta de repouso e alimentação adequados, pois haviam se passado muitos dias desde que ela tivera apetite e muitas noites desde que realmente dormira. Agora, quando sua mente não era mais sustentada pela febre do suspense, a consequência de tudo aquilo era sentida em uma cabeça dolorida, um estômago enfraquecido e uma debilidade nervosa geral. Uma taça de vinho, que Elinor providenciou para ela imediatamente, deixou-a mais confortável, e Marianne enfim conseguiu expressar algum reconhecimento de sua bondade, dizendo:

— Pobre Elinor! Como a deixo infeliz!

— Eu só queria — respondeu a irmã — que houvesse algo que eu pudesse fazer para confortá-la.

Isso, como qualquer outra coisa teria sido, foi demais para Marianne, que só pôde exclamar, na angústia de seu coração:

— Oh! Elinor, estou tão infeliz — antes que sua voz se perdesse inteiramente em soluços.

Elinor não podia mais testemunhar em silêncio aquela torrente descontrolada de dor.

— Esforce-se, querida Marianne — exclamou ela —, se não quiser matar a si mesma e a todos que a amam. Pense em sua mãe, pense no sofrimento dela ao ver *você* sofrer, você deve se esforçar por ela.

— Não consigo, não consigo — exclamou Marianne —, deixe-me. Deixe-me se eu a angustio. Deixe-me, odeie-me, esqueça-me, mas não me torture assim! Oh, como é fácil para aqueles que não sentem tristeza falar em esforço! Feliz, feliz Elinor, *você* não faz ideia do que eu sofro.

— Você chama a *mim* de feliz, Marianne? Ah! Se você soubesse! E você acredita que eu estaria feliz enquanto a vejo tão miserável?

— Me perdoe, me perdoe — jogando os braços em volta do pescoço da irmã —, eu sei que você lamenta por mim, eu sei o coração que você tem, mas ainda assim você é... você deve ser feliz, Edward ama você... O que, oh, o que pode acabar com essa felicidade?

— Muitas, muitas circunstâncias — disse Elinor, solenemente.

— Não, não, não — gritou Marianne descontrolada —, ele ama você e apenas você. Você *não pode* ter tristeza.

— Não posso ter prazer ao vê-la nesse estado.

— E você nunca me verá de outra forma. Nada pode colocar fim à minha desgraça.

— Você não deve falar assim, Marianne. Você não tem confortos? Não tem amigos? Sua perda é tal que não deixa margem para consolo? Por mais que você sofra agora, pense no que teria sofrido se a descoberta do caráter dele tivesse demorado mais tempo. Se o compromisso de vocês se prolongasse por meses e meses, como poderia ter acontecido, antes que ele decidisse colocar um ponto final. Cada dia a mais de infeliz confiança de sua parte teria tornado o golpe mais terrível.

— Compromisso! — gritou Marianne. — Não havia compromisso.

— Não havia compromisso!

— Não, ele não é tão indigno quanto você acredita. Ele não quebrou nenhuma promessa feita a mim.

— Mas ele disse que a amava.

— Sim... não... nunca categoricamente. Era implícito, mas nunca abertamente declarado. Às vezes eu pensei que havia sido, mas nunca foi.

— Ainda assim você escreveu para ele?

— Sim. Poderia ser errado depois de tudo que se passou? Mas não consigo dizer.

Elinor não disse mais nada e, voltando-se para as três cartas que agora despertavam uma curiosidade muito mais forte do que antes, examinou imediatamente o conteúdo de todas. A primeira, que foi a que sua irmã mandou quando chegaram à cidade, dizia o seguinte:

Berkeley Street, janeiro.

Você ficará muito surpreso ao receber isto, Willoughby, e penso que sentirá algo mais do que surpresa quando souber que estou na cidade. A oportunidade de vir para cá, ainda que com a sra. Jennings, foi uma tentação à qual não pudemos resistir. Espero que receba este a tempo de vir aqui esta noite, mas não contarei com isso. De qualquer forma, espero você amanhã. Por enquanto, adeus.

M.D.

O segundo bilhete, escrito na manhã seguinte ao baile na casa dos Middleton, continha as seguintes palavras:

Não consigo expressar minha decepção por sua ausência anteontem, nem meu espanto por não ter recebido qualquer resposta ao bilhete que enviei há mais de uma semana. Tenho esperado notícias suas e, mais ainda, esperado vê-lo todas as horas do dia. Por favor, venha novamente o mais breve possível e explique a razão de eu ter esperado em vão. É melhor você vir mais cedo, porque geralmente saímos por volta de uma hora.

Estivemos ontem à noite na casa de lady Middleton, onde houve um baile. Disseram-me que você foi convidado. Mas como pode ser isso? Você deve estar muito diferente desde que nos separamos, se for esse o caso, para não ter ido. Mas não vou supor que isso seja possível e espero muito em breve receber sua garantia pessoal do contrário.

M.D.

O conteúdo do último bilhete de Marianne era o seguinte:

O que devo imaginar, Willoughby, com o seu comportamento de ontem à noite? Mais uma vez exijo uma explicação. Eu estava preparada para encontrá-lo com o prazer que nossa separação naturalmente produziu, com a familiaridade que nossa intimidade em Barton me parecia justificar.

Fui repelida, na verdade! Passei uma noite miserável tentando desculpar uma conduta que dificilmente pode ser chamada de menos do que um insulto; embora eu ainda não tenha conseguido formular qualquer desculpa razoável para seu comportamento, estou totalmente pronta para ouvir sua justificativa.

Talvez você tenha sido mal informado ou propositalmente enganado a meu respeito, o que pode ter me rebaixado em seu conceito. Diga-me o que é, explique os motivos para o modo como você agiu, e ficarei satisfeita em lhe prestar satisfações. Realmente me entristeceria ser obrigada a pensar mal de você, porém, se devo fazê-lo, se devo entender que você é não o que até agora acreditamos que fosse, que sua consideração por todas nós era insincera, que seu comportamento comigo visava apenas enganar, diga o mais rápido possível.

Meus sentimentos atualmente encontram-se em um estado de terrível indecisão; desejo absolvê-lo, mas a certeza, seja qual for, será um alívio para o que agora sofro. Se seus sentimentos não forem mais os mesmos, devolva meus bilhetes e a mecha de meu cabelo que está em seu poder.

M.D.

Que tais cartas, tão cheias de afeto e confiança, pudessem ter sido respondidas daquela forma, Elinor, pelo bem de Willoughby, não estava disposta a acreditar. Mas a condenação dele não a cegou para a impropriedade de terem sido escritas, e Elinor lamentou em silêncio pela imprudência com que Marianne havia se arriscado em tais provas não solicitadas de ternura, não garantidas por nada ocorrido antes e severamente condenadas pelo acontecimento, quando Marianne, percebendo que a irmã havia terminado as cartas, observou-lhe que não continham nada além do que qualquer um teria escrito na mesma situação.

— Eu me sentia — acrescentou ela — tão solenemente comprometida com ele, como se o mais estrito contrato legal nos tivesse unido um ao outro.

— Posso acreditar — disse Elinor —, mas infelizmente ele não sentia o mesmo.

— Ele *sentia* o mesmo, Elinor... por semanas e semanas ele sentiu. Eu sei que sim. O que quer que possa tê-lo mudado agora – e nada além da mais negra magia empregada contra mim pode ter provocado isso –, eu fui tão querida por ele quanto minha alma poderia desejar. Esta mecha de cabelo, da qual ele agora pôde tão facilmente abrir mão, me foi implorada com a mais sincera súplica. Se você tivesse visto o olhar, a atitude dele, se tivesse ouvido sua voz naquele momento! Você se esqueceu da última noite que estivemos juntos em Barton? A manhã em que nos separamos também! Quando ele me disse que poderiam se passar muitas semanas antes de nos encontrarmos novamente... a angústia dele... como poderia eu esquecer sua angústia?

Por alguns instantes ela não conseguiu dizer mais nada, mas, quando a emoção passou, acrescentou em um tom mais firme:

— Elinor, fui cruelmente usada, mas não por Willoughby.

— Querida Marianne, por quem senão ele mesmo? Por quem ele pode ter sido instigado?

— Por todo mundo, mas não por seu coração. Prefiro acreditar que todas as criaturas que conheço se uniram para me arruinar aos olhos dele a acreditar que sua natureza seja capaz de tamanha crueldade. Essa mulher sobre a qual ele escreve, seja ela quem for, ou qualquer um, exceto você, mamãe e Edward, pode ter sido tão bárbaro para me trair. Além de vocês três e de Willoughby, cujo coração conheço tão bem, existe alguma criatura no mundo de cuja maldade eu prefira não suspeitar?

Elinor não quis contestar e apenas respondeu:

— Quem quer que tenha sido esse seu inimigo tão detestável, que seja privado de seu maligno triunfo, minha querida irmã, ao ver como a consciência de sua inocência e de suas boas intenções apoia seu ânimo. É razoável e louvável o orgulho que resiste a tal malevolência.

— Não, não — exclamou Marianne —, em uma desgraça como a minha não há orgulho. Não me importa que saibam que estou destroçada. O triunfo de me ver assim pode ficar à vista de todo mundo. Elinor, Elinor, aqueles que pouco sofrem podem ser orgulhosos e independentes o quanto quiserem, podem resistir a insultos ou retribuir a mortificação, mas eu não posso. Vou sentir, vou ficar destroçada, e eles são bem-vindos para desfrutar da consciência disso.

— Mas pelo bem de nossa mãe e meu...

— Eu faria mais do que por mim mesma. Mas parecer feliz quando estou tão infeliz... Oh! Quem pode exigir isso?

As duas ficaram novamente em silêncio. Elinor, pensativa, se ocupava em caminhar da lareira para a janela, da janela para a lareira, sem perceber se recebia calor de uma ou discernia objetos através da outra. Marianne, sentada ao pé da cama, com a cabeça apoiada em uma de suas colunas, novamente pegou a carta de Willoughby e, depois de estremecer a cada frase, exclamou:

— É demais! Oh, Willoughby, Willoughby, como pode isso ser de sua autoria? Cruel, cruel... Nada pode absolvê-lo. Elinor, nada pode.

O que quer que ele possa ter ouvido a meu respeito... ele não deveria ter desconfiado? Não deveria ter me contado, ter me dado o direito de limpar minha reputação? *A mecha de cabelo que você tão gentilmente me concedeu...* Isso é imperdoável. Willoughby, onde estava seu coração quando você escreveu essas palavras? Oh, insolência brutal! Elinor, ele pode ser justificado?

— Não, Marianne, de maneira nenhuma.

— E essa mulher... Qual pode ter sido a sua artimanha? Há quanto tempo isso pode ter sido premeditado e minuciosamente arquitetado por ela? Quem é ela? Quem pode ser? Alguma vez o ouvi falar de alguma jovem atraente entre suas conhecidas? Oh! Nenhuma, nunca... ele falava apenas de mim.

Outra pausa se seguiu. Marianne estava extremamente agitada e terminou assim:

— Elinor, tenho que ir para casa. Tenho que confortar mamãe. Não podemos partir amanhã?

— Amanhã? Marianne!

— Sim, por que eu deveria ficar aqui? Vim apenas por causa de Willoughby... E agora quem se importa comigo? Quem me estima?

— Seria impossível irmos amanhã. Devemos à sra. Jennings muito mais do que cortesia, e a cortesia mais elementar impede uma partida tão precipitada.

— Bem, então mais um ou dois dias talvez, mas não posso ficar aqui muito tempo, não poderei suportar as perguntas e observações de todas essas pessoas. Os Middleton e Palmer... como vou suportar a pena deles? A pena de uma mulher como lady Middleton! Oh, o que *ele* diria disso!

Elinor aconselhou Marianne a se deitar novamente, e por um momento ela o fez, mas nenhuma posição a deixava tranquila. Agitada pelas dores do corpo e da alma, Marianne se mexia de uma posição para outra, ficando cada vez mais histérica. Elinor conseguiu mantê-la na cama com dificuldade e por algum tempo teve medo de ser forçada a pedir ajuda. No entanto, algumas gotas de lavanda que Marianne enfim foi persuadida a tomar funcionaram e, daquele momento até o retorno da sra. Jennings, ela permaneceu na cama quieta.

❧ *Capítulo 30*

A sra. Jennings foi imediatamente para o quarto delas quando chegou e, sem esperar que seu pedido para entrar fosse atendido, abriu a porta e avançou com um olhar de verdadeira preocupação.

— Como vai, minha querida? — perguntou ela com voz de grande compaixão a Marianne, que desviou o rosto sem responder.

— Como ela está, srta. Dashwood? Coitadinha! Parece muito mal. Não é de admirar. Sim, mas é verdade mesmo. Ele vai se casar muito em breve... sujeito imprestável! Não tenho paciência com ele. A sra. Taylor me contou meia hora atrás, e ela ouviu de uma amiga particular da própria srta. Grey, caso contrário por certo eu não teria acreditado, quase desmaiei com essa. Bem, disse eu, tudo o que posso dizer é que, se isso for verdade, ele se aproveitou de uma jovem dama de minhas relações de forma abominavelmente imprópria, e desejo de toda a minha alma que sua esposa possa atormentar seu coração. E é o que direi para sempre, minha querida, pode contar com isso. Não imagino homens agindo dessa maneira. Se eu voltar a encontrá-lo, aplicarei uma descompostura como ele não recebe há muito tempo. Mas há um consolo, minha querida srta. Marianne: ele não é o único jovem no mundo que vale a pena, e com seu lindo rosto você nunca vai carecer de admiradores. Bem, coitadinha! Não vou incomodá-la mais, pois é melhor que chore de uma vez e acabe com isso. Por sorte, os Parry e os Sanderson estão vindo hoje à noite, e isso vai diverti-la.

A sra. Jennings então saiu do quarto na ponta dos pés, como se supusesse que a aflição de sua jovem amiga pudesse ser agravada pelo barulho.

Marianne, para surpresa da irmã, decidiu jantar com eles. Elinor até a aconselhou o contrário. Mas não, Marianne desceria, poderia suportar muito bem, e a comoção por causa dela seria menor. Elinor, satisfeita por ver Marianne guiada por tal motivo, embora acreditando que dificilmente ela conseguisse participar do jantar, não disse mais nada. Enquanto Marianne permanecia na cama, arrumou-lhe o vestido da melhor maneira que pôde e ficou a postos para ajudá-la a ir para a sala de jantar assim que fossem chamadas.

No jantar, embora parecesse arrasada, Marianne comeu melhor e se manteve mais calma do que sua irmã esperava. Se tivesse tentado falar ou tomado consciência de metade da atenção bem-intencionada, porém desastrada, da sra. Jennings com ela, aquela calma não poderia ser mantida, mas nenhuma sílaba escapou de seus lábios, e a abstração de seus pensamentos preservou-a na ignorância de tudo que se passava diante dela.

Elinor, que fazia justiça à gentileza da sra. Jennings, embora suas efusões fossem com frequência aflitivas e às vezes quase ridículas, fez-lhe agradecimentos e lhe devolveu as cortesias que sua irmã não podia fazer ou devolver por si mesma. A boa amiga viu que Marianne estava infeliz e sentiu que ela merecia tudo que pudesse deixá-la menos infeliz. Tratou-a, portanto, com todo o carinho indulgente de um pai com seu filho favorito no último dia de férias. Marianne deveria ficar no melhor lugar perto da lareira, deveria ser tentada a comer todos os petiscos da casa e se divertir com o relato de todas as notícias do dia.

Se Elinor não tivesse no triste semblante de sua irmã um obstáculo para qualquer alegria, poderia ter se divertido com os esforços da sra. Jennings para curar uma decepção amorosa com uma variedade de doces, azeitonas e uma boa lareira. No entanto, assim que a consciência de tudo aquilo se impôs a Marianne pela repetição contínua, ela não aguentou mais. Com uma viva exclamação de sofrimento e um sinal para a irmã não a seguir, levantou-se de repente e saiu correndo da sala.

— Pobre criatura! — exclamou a sra. Jennings, assim que Marianne se foi. — Como me entristece vê-la desse jeito! E não é que ela foi embora sem terminar seu vinho! E as cerejas secas também! Senhor! Nada parece lhe fazer bem. Se eu soubesse de alguma coisa de que ela pudesse gostar, com certeza mandaria procurar pela cidade inteira. Bem, para mim é a coisa mais estranha que um homem se aproveite de uma moça tão bonita de modo tão impróprio! Mas, quando há muito dinheiro de um lado e quase nenhum do outro, que Deus abençoe! Eles não se importam com mais nada!

— A dama então... a srta. Grey, creio que a senhora a chamou assim... é muito rica?

— Cinquenta mil libras, minha querida. Você já a viu? Uma moça inteligente e elegante, dizem, mas não bonita. Lembro-me muito bem da tia dela, Biddy Henshawe; ela se casou com um homem muito rico. Mas a família é toda rica. Cinquenta mil libras! E pelo que consta, virá em boa hora, pois dizem que ele está em má situação. Não é de admirar! Exibindo-se por aí com sua carruagem e cães de caça! Bem, sem querer falar demais, mas, quando um rapaz, seja quem for, se enamora de uma linda moça e promete casamento, ele não deve quebrar sua palavra apenas porque ficou pobre e uma garota mais rica está pronta para aceitá-lo. Por que em tal caso ele não vende seus cavalos, deixa sua casa, demite os criados e faz uma mudança completa de uma vez? Garanto que a srta. Marianne estaria pronta para esperar até que as coisas se ajeitassem. Mas não é assim hoje em dia; os rapazes de agora não abrem mão de nenhum de seus prazeres.

— A senhora sabe que tipo de moça é a srta. Grey? Ela é considerada amável?

Razão & Sensibilidade

— Nunca ouvi nada de mal a respeito dela. Na verdade, quase nunca a ouvi ser mencionada, exceto pelo que a sra. Taylor disse esta manhã, que um dia a srta. Walker deu a entender que acreditava que o sr. e a sra. Ellison não lamentariam se a srta. Grey se casasse, pois ela e a sra. Ellison jamais conseguiram se entender.

— E quem são os Ellison?

— Os tutores dela, minha querida. Mas agora ela é maior de idade e pode escolher por si; e que bela escolha ela fez! E agora sua pobre irmã foi para o quarto, suponho que para se lamentar sozinha. Não há nada que se possa fazer para confortá-la? Pobre querida, parece muito cruel deixá-la sozinha. Bem, daqui a pouco receberemos alguns amigos, e isso a divertirá um pouco. O que poderemos jogar? Ela odeia uíste, eu sei, mas não há algum jogo de que ela goste?

— Querida senhora, essa gentileza é totalmente desnecessária. Marianne, ouso dizer, não vai deixar o quarto de novo nesta noite. Vou persuadi-la, se puder, a ir para a cama cedo, pois tenho certeza de que ela quer descansar.

— Sim, acredito que seja o melhor para ela. Deixe-a escolher a própria ceia e ir para a cama. Senhor! Não é de admirar que ela estivesse com uma aparência tão ruim e tão abatida nas últimas duas semanas, suponho que esse assunto pairasse sobre sua cabeça durante todo esse tempo. E então a carta que chegou hoje pôs um ponto final! Pobre alma! Se eu tivesse noção disso, por certo não teria brincado com ela de modo algum. Mas então, como eu iria adivinhar uma coisa dessas? Tive certeza de que não era nada além de uma carta de amor comum, e você sabe que os jovens gostam de chistes por causa dessas cartas. Como sir John e minhas filhas ficarão quando souberem disso! Se eu estivesse em meu juízo perfeito, teria passado em Conduit Street no caminho para casa e contado a eles. Mas vou vê-los amanhã.

— Tenho certeza de que é desnecessário a senhora alertar a sra. Palmer e sir John para jamais citarem o sr. Willoughby ou fazerem a menor alusão ao que se passou na presença de minha irmã. A bondade deles deve mostrar-lhes a verdadeira crueldade de parecer saber de alguma coisa quando ela estiver presente; e, quanto menos me for falado sobre esse assunto, mais meus sentimentos serão poupados, como você, minha querida senhora, facilmente acreditará.

— Oh! Senhor! Sim, acredito sim. Deve ser terrível para você ouvir falar disso. Quanto à sua irmã, com certeza eu não mencionaria uma palavra sobre isso a ela por nada deste mundo. Você viu que não falei nada durante o jantar. Nem sir John, nem minhas filhas falarão, pois são todos muito atenciosos e discretos, especialmente se eu sugerir, como certamente o farei. De minha parte acho que, quanto menos se fala sobre essas coisas, melhor, mais rápido são deixadas de lado e esquecidas. E para que serve falar, não é?

— Nesse caso, só serviria para causar dano, talvez mais do que em muitos casos semelhantes, pois foi acompanhado de circunstâncias que, para o bem de todos os envolvidos, o tornam impróprio para ser comentado em público. Devo fazer *uma* justiça ao sr. Willoughby: ele não rompeu nenhum compromisso categórico com minha irmã.

— Por Deus, minha querida! Não finja defendê-lo. Nenhum compromisso categórico, realmente! Depois de levá-la por toda a Allenham House e mostrar os aposentos onde iriam morar no futuro!

Elinor, pelo bem da irmã, não podia insistir no assunto e esperava que isso não fosse exigido por Willoughby, visto que, embora Marianne pudesse perder muito, ele pouco teria a ganhar enfatizando a verdade. Depois de um breve silêncio de ambas as partes, a sra. Jennings, com toda a sua hilaridade natural, irrompeu de novo:

— Bem, minha querida, é verdadeiro o ditado sobre tristeza de um, alegria de outro, pois será a melhor coisa para o coronel Brandon.

Ele enfim a terá, sim, terá. Preste atenção agora: eles estarão casados até meados do verão. Como ele vai sorrir com essa notícia! Espero que ele venha esta noite. Será de longe uma combinação melhor para sua irmã. Duas mil libras por ano sem dívidas ou abatimentos – exceto a filha natural, claro; sim, havia me esquecido disso, mas ela pode ser colocada aos cuidados de um tutor por um pequeno custo, então o que isso significaria? Delaford é um lugar ótimo, posso garantir, exatamente o que eu chamo de um belo lugar antiquado, pleno de confortos e conveniências; cercado de grandes muros e jardins cobertos das melhores árvores frutíferas da região e uma amoreira em um canto! Senhor! Como Charlotte e eu fizemos coisas na única vez em que estivemos lá! Então, há um pombal, encantadores tanques de peixes e um canal muito bonito; tudo, em suma, que alguém poderia desejar. Além disso, fica perto da igreja, e a apenas quatrocentos metros da estrada, então nunca é enfadonho, pois, se você se sentar em um velho caramanchão atrás da casa, pode ver todas as carruagens que passam. Oh! É um bom lugar! Um açougueiro perto da aldeia e a casa paroquial a poucos passos de distância. A meu ver, mil vezes melhor do que Barton Park, onde são obrigados a buscar carne a três milhas e não têm vizinhos próximos a não ser sua mãe. Bem, vou animar o coronel assim que puder. Nada como um novo amor para esquecer outro, você sabe. Se *pudermos* tirar Willoughby da cabeça dela!

— Sim, se pudermos fazer *isso*, senhora — disse Elinor —, será muito bom com ou sem o coronel Brandon.

Elinor então levantou-se e foi se juntar a Marianne, que encontrou, como esperava, no quarto, inclinada em sofrimento silencioso sobre as pequenas brasas que restavam na lareira e que, até a entrada de Elinor, eram a única luz.

— É melhor me deixar — foi a única coisa que Marianne falou.

— Vou deixá-la — disse Elinor —, se você for para a cama.

Por causa da intensidade e agitação momentânea do sofrimento, Marianne de início se recusou a deitar. No entanto, a firme, porém gentil, persuasão da irmã logo a amoleceu, e Elinor viu Marianne deitar a cabeça dolorida no travesseiro e, como esperava, começar a repousar em sossego um pouco antes de deixá-la.

Na sala de estar, para onde se dirigiu, Elinor logo teve a companhia da sra. Jennings, que apareceu com uma taça de vinho cheia.

— Minha querida — disse ela ao entrar —, acabei de lembrar que tenho em casa um antigo vinho de Constantia, um dos melhores que já se experimentou, então trouxe uma taça para sua irmã. Meu pobre marido! Ele gostava tanto! Sempre que tinha uma crise de gota, dizia que este vinho lhe fazia mais bem do que qualquer outra coisa deste mundo. Leve para sua irmã.

— Querida senhora — respondeu Elinor, sorrindo com a diferença da enfermidade para a qual o vinho era recomendado —, como você é bondosa! Mas acabei de deixar Marianne na cama e, espero eu, quase adormecida. Como penso que nada será de maior benefício para ela do que repousar, se me permitir, eu mesma beberei o vinho.

A sra. Jennings, embora lamentando não ter chegado cinco minutos antes, ficou satisfeita com o acordo. Enquanto sorvia a maior parte do vinho, Elinor refletiu que, embora os efeitos sobre uma crise de gota fossem de pouca importância para ela no momento, os poderes curativos sobre um coração decepcionado poderiam ser bastante aproveitados por ela e pela irmã.

O coronel Brandon chegou enquanto o grupo tomava chá, e, pela maneira como olhou em volta à procura de Marianne, Elinor imediatamente imaginou que ele não esperava nem desejava vê-la ali, ou seja, ele já sabia muito bem o que ocasionava sua ausência. A sra. Jennings não teve a mesma impressão, pois, logo depois da chegada do coronel, atravessou a sala até a mesa de chá presidida por Elinor e sussurrou:

— O coronel parece tão sério como de costume. Ele não sabe de nada. Conte a ele, minha querida.

Pouco depois, o coronel puxou uma cadeira para perto de Elinor e, com um olhar que deixava claro que sabia da notícia, perguntou por sua irmã.

— Marianne não está bem — disse ela. — Esteve indisposta o dia inteiro, e nós a persuadimos a ir para a cama.

— Talvez, então — respondeu ele, hesitante —, o que ouvi nesta manhã pode ser... pode ser mais verdadeiro do que eu, de início, poderia acreditar ser possível.

— O que você ouviu?

— Que um cavalheiro, alguém que eu tinha motivos para pensar... enfim, que um homem que eu *sabia* que estava comprometido... mas como vou lhe contar? Se você já sabe, como certamente deve saber, posso ser poupado.

— Você se refere — respondeu Elinor, com uma calma forçada — ao casamento do sr. Willoughby com a srta. Grey. Sim, *sabemos* de tudo. Este parece ter sido um dia de elucidação geral, pois nesta manhã tivemos a revelação. O sr. Willoughby é insondável! Onde você ouviu?

— Em uma papelaria em Pall Mall, onde eu estava a negócios. Duas senhoras aguardavam a carruagem, e uma delas contava à outra sobre o pretendido enlace em uma voz tão pouco discreta que me foi impossível não ouvir tudo. O nome Willoughby, John Willoughby, repetido com frequência, capturou minha atenção, e o que se seguiu foi uma afirmação inequívoca de que agora tudo estava finalmente resolvido a respeito de seu casamento com a srta. Grey... não era mais para ser segredo... que aconteceria dentro de poucas semanas, com muitos detalhes dos preparativos e outras questões. Uma coisa da qual lembro especialmente, porque serviu para identificar ainda mais a pessoa: assim que a cerimônia estiver concluída, irão para Combe Magna, a casa dele em Somersetshire. Qual não foi meu espanto! Mas seria impossível descrever o que senti. Ao perguntar, pois fiquei na loja até elas irem embora, fiquei sabendo que a senhora comunicativa era a sra. Ellison e fui também informado de que esse é o nome do tutor da srta. Grey.

— Sim, é. Mas você também ouviu que a srta. Grey tem cinquenta mil libras? Nisso, se é que em alguma coisa, podemos encontrar uma explicação.

— Pode ser, mas Willoughby é capaz... pelo menos penso eu... — ele parou por um momento, depois acrescentou em um tom de voz inseguro: — E sua irmã, como ela...

— Seu sofrimento foi muito severo. Só espero que seja proporcionalmente curto. Tem sido, é uma aflição muito cruel. Até ontem, creio, ela nunca duvidara da estima de Willoughby, e mesmo agora, talvez... Mas estou quase convencida de que ele nunca foi realmente afeiçoado a ela. Ele foi muito falso! E, de certa forma, parece ter um coração de pedra.

— Ah! — disse o coronel Brandon. — Parece, de fato! Mas sua irmã não... acho que você disse... ela não pensa exatamente como você?

— Você conhece o temperamento dela e pode acreditar que ela ainda o justificaria com grande entusiasmo se pudesse.

Ele não respondeu. Logo depois, com a retirada do serviço de chá e a arrumação para o jogo de cartas, o assunto foi abandonado. A sra. Jennings, que os observava com prazer enquanto conversavam e que esperava ver a comunicação da srta. Dashwood provocar uma alegria instantânea no coronel Brandon, como aconteceria com um homem na flor da juventude, viu com espanto ele permanecer toda a noite mais sério e mais pensativo do que o habitual.

❦ *Capítulo 31*

De uma noite com mais horas de sono do que esperava, Marianne acordou na manhã seguinte com a mesma percepção de sofrimento com que fechara os olhos. Elinor a encorajou tanto quanto possível a falar sobre o que sentia. Assim, antes que o café da manhã estivesse pronto, elas haviam repassado o assunto várias vezes, com a mesma convicção firme e conselhos afetuosos da parte de Elinor e os mesmos sentimentos impetuosos e opiniões divergentes de Marianne.

Às vezes ela conseguia acreditar que Willoughby fosse tão infeliz e inocente quanto ela, em outras se desconsolava diante da impossibilidade de absolvê-lo. Em um momento era absolutamente indiferente às observações de todo mundo, em outro se isolaria para sempre, e em um terceiro poderia resistir com energia. Em uma coisa, porém, Marianne era constante: no que se tratava de evitar, sempre que possível, a presença da sra. Jennings e no silêncio resoluto quando era obrigada a suportá-la. Seu coração estava petrificado na crença de que a sra. Jennings via sua tristeza sem qualquer compaixão.

— Não, não, não, não há como — gritou —, ela não consegue sentir. Sua bondade não é simpatia, sua boa natureza não é ternura. Tudo o que ela quer é fofoca, e ela só gosta de mim agora porque eu as forneço.

Elinor não precisava disso para ter certeza da injustiça que sua irmã frequentemente cometia nas opiniões sobre os outros devido ao requinte irritadiço da própria mente e à grande importância que atribuía às sutilezas de uma forte sensibilidade e ao encanto de maneiras polidas. Assim como metade do mundo, se é que metade é inteligente e boa, Marianne, com excelentes aptidões e excelente caráter, não era nem razoável nem sincera. Esperava dos outros as mesmas opiniões e sentimentos que os dela e julgava os motivos alheios pelo efeito imediato das ações deles sobre ela.

Sendo assim, um fato ocorrido enquanto as irmãs estavam juntas no quarto depois do café da manhã rebaixou ainda mais o coração da sra. Jennings na estima de Marianne, pois, devido à fraqueza dela mesma, tal fato acabou se revelando uma fonte de nova dor para ela, embora a sra. Jennings fosse guiada por um impulso de máxima boa vontade. Com uma carta na mão estendida e o semblante alegre e sorridente pela convicção de trazer conforto, ela entrou no quarto, dizendo:

— Agora, minha querida, trago algo que tenho certeza de que lhe fará bem.

Para Marianne, foi o que bastou. No mesmo instante, sua imaginação colocou diante de si uma carta de Willoughby cheia de ternura e contrição, satisfatória e convincente, explicando tudo o que havia acontecido, imediatamente seguida pelo próprio Willoughby, precipitando-se ansioso no aposento para reforçar aos pés dela, pela eloquência de seu olhar, as garantias da carta. A fantasia de um momento foi destruída no momento seguinte. Diante dela estava a caligrafia de sua mãe, até então jamais indesejável. Na agudeza da decepção que se seguiu àquele êxtase de mais do que esperança, Marianne sentiu como se até aquele momento nunca tivesse sofrido.

Nenhuma linguagem ao alcance de Marianne em seus momentos de maior eloquência poderia expressar a crueldade da sra. Jennings; naquele instante ela só conseguiu censurá-la com as lágrimas que escorreram de seus olhos com violência apaixonada – uma censura, no entanto, tão totalmente despropositada que, depois de muitas expressões de piedade, a sra. Jennings se retirou ainda se referindo à carta de conforto.

Contudo, a carta, quando Marianne ficou calma suficiente para lê-la, trouxe pouco conforto. Willoughby preenchia todas as páginas.

A mãe, ainda confiante no compromisso e acreditando tão fervorosamente quanto sempre na constância dele, fora instigada pelo pedido de Elinor a apenas pedir a Marianne que se abrisse mais com ambas, e isso com tanta ternura por ela, tanto afeto por Willoughby e tamanha convicção da felicidade futura dos dois que Marianne chorou de agonia enquanto lia tudo.

Toda a impaciência para ir para casa voltou outra vez. A mãe lhe era mais querida do que nunca, mais querida pelo excesso de confiança equivocada em Willoughby, e Marianne sentiu uma louca urgência de ir embora. Elinor, incapaz de determinar se era melhor para Marianne ficar em Londres ou em Barton, não ofereceu nenhum conselho, exceto paciência até que os desejos da mãe pudessem ser conhecidos, e por fim obteve o consentimento da irmã para esperar por esse conhecimento.

A sra. Jennings as deixou mais cedo do que de costume, pois não poderia ter sossego até que os Middleton e Palmer tivessem condições de se afligir tanto quanto ela e, recusando categoricamente a companhia oferecida por Elinor, saiu sozinha pelo resto da manhã. Elinor, com o coração muito pesado, ciente da dor que iria comunicar e percebendo, pela carta de Marianne, o quanto fora malsucedida em lançar qualquer base para o que ocorrera, sentou-se para escrever à mãe um relato do que havia acontecido e pedir orientações para o futuro. Já Marianne, que viera para a sala de estar quando a sra. Jennings saíra, permaneceu junto à mesa onde Elinor escrevia, observando o avanço da pena, afligindo-se pelo sofrimento da irmã devido àquela tarefa e lamentando ainda mais sentidamente o efeito que teria sobre a mãe.

Assim continuaram por cerca de um quarto de hora, quando Marianne, cujos nervos não suportavam nenhum ruído súbito, foi surpreendida por uma batida na porta.

— Quem pode ser? — exclamou Elinor. — Ainda é tão cedo! Pensei que *estivéssemos* a salvo.

Marianne foi até a janela.

— É o coronel Brandon! — disse ela, com irritação. — Nunca estamos a salvo *dele*.

— Ele não vai entrar, já que a sra. Jennings saiu.

— Não vou contar com *isso* — disse Marianne, retirando-se para o quarto. — Um homem que não tem nada para fazer com o próprio tempo não tem consciência de sua intromissão na rotina alheia.

O desenrolar provou que a conjectura de Marianne estava correta, embora baseada em injustiça e erro, pois o coronel Brandon *de fato* entrou; Elinor, convencida de que a solicitude em relação a Marianne o trouxera até ali e que viu *essa* solicitude no olhar perturbado e melancólico dele e em sua ansiosa, embora breve, indagação por ela, não perdoou a irmã por considerá-lo de modo tão leviano.

— Encontrei a sra. Jennings em Bond Street — disse o coronel após a primeira saudação —, e ela me encorajou a vir, e fui mais facilmente encorajado porque considerei provável encontrá-la sozinha, o que eu muito desejava. Meu objetivo... meu desejo... meu único interesse em desejar isso... espero... creio que seja... é para ser um meio de proporcionar conforto. Não, não devo dizer conforto... não apresenta conforto... mas certeza, certeza duradoura para a mente de sua irmã. Minha consideração por ela, por você, por sua mãe... você me permitirá prová-la, relatando algumas circunstâncias que nada além de uma consideração *muito* sincera... nada além de um zeloso desejo de ser útil... Penso estar justificado... Porém, como levei muitas horas para me convencer de que estou certo, será que existe alguma razão para temer que eu possa estar errado?

Ele parou.

— Entendo — disse Elinor. — Você tem algo a me dizer sobre o sr. Willoughby que revelará ainda mais o caráter dele. O fato de você contar será a maior prova de amizade que poderá demonstrar por

Marianne. *Minha* gratidão por qualquer informação com esse fim está imediatamente assegurada, a *dela* deverá ser conquistada com o tempo. Por favor, sou toda ouvidos.

— Pois bem, para ser breve, quando deixei Barton em outubro passado... mas isso não lhe dará clareza... preciso retroceder mais. Você vai constatar que sou um narrador muito estranho, srta. Dashwood. Mal sei por onde começar. Creio que um breve relato sobre mim será necessário, e *deverá* ser curto. Sobre esse assunto fico pouco tentado a ser prolixo.

Ele parou um momento para se recompor e então, com um suspiro, continuou.

— Você provavelmente se esqueceu completamente de uma conversa, não é de se supor que possa ter lhe causado qualquer impressão... uma conversa entre nós certa noite em Barton Park... foi a noite de um baile... na qual mencionei uma dama que conheci certa vez, parecida, em alguma medida, com sua irmã Marianne.

— Na verdade — respondeu Elinor — *não* me esqueci.

Ele pareceu satisfeito com a lembrança e acrescentou:

— Se não sou enganado pela incerteza e parcialidade da terna recordação, há uma semelhança muito grande entre elas, tanto na mente quanto na aparência. O mesmo ardor de coração, o mesmo entusiasmo de imaginação e espírito. Essa dama era uma de minhas parentes mais próximas, órfã desde a infância e sob a tutela de meu pai. Nossa idade era quase a mesma, e desde os primeiros anos fomos companheiros de brincadeira e amigos. Não consigo lembrar de uma época em que não amasse Eliza, e minha afeição por ela, à medida que crescemos, era tal que, talvez, a julgar por minha atual sisudez tristonha e desanimada, você possa pensar que eu seja incapaz de tê-la sentido alguma vez. A afeição dela por mim, creio eu, era ardente como o apego de sua irmã ao sr. Willoughby, e, embora por um motivo diferente, não foi menos infeliz. Aos dezessete anos, eu a perdi para sempre. Ela foi casada – casada contra a sua vontade – com meu irmão. Sua fortuna era grande, e a propriedade de nossa família estava em dificuldades. Isso, temo eu, é tudo o que pode ser dito da conduta de alguém que era ao mesmo tempo tio e tutor de Eliza. Meu irmão não a merecia, nem mesmo a amava. Eu esperava que o apreço dela por mim a amparasse em qualquer dificuldade, e por algum tempo assim foi. Mas por fim a desgraça de sua situação, pois ela sofria muitos maus-tratos, superou toda a sua determinação, e, embora ela não tivesse me prometido nada... Mas como estou fazendo um relato truncado! Não lhe contei como isso aconteceu. Estávamos a poucas horas de fugir juntos para a Escócia. A deslealdade ou insensatez da criada de minha prima nos traiu. Fui banido para a casa de um parente situada a grande distância, e ela não teve liberdade, nem companhia, nem diversão, até meu pai conseguir o que queria. Eu havia dependido demais da coragem dela, e o golpe foi severo – porém, se o casamento dela fosse feliz, jovem como eu era, em alguns meses deveria ter me conformado, ou pelo menos não teria por que lamentar agora. Contudo, não foi assim. Meu irmão não tinha consideração por ela, seus prazeres não eram o que deveriam ser e desde o início ele a maltratou. A consequência disso para uma mente tão jovem, tão viva, tão inexperiente como a da sra. Brandon foi apenas natural. De início ela se resignou a toda a desgraça de sua situação, e que bom teria sido se ela não tivesse vivido para superar o desgosto que minha lembrança ocasionava. Porém, é de se admirar que, com tal marido a provocar inconstância e sem amigos para aconselhá-la ou contê-la – pois meu pai viveu apenas mais alguns meses depois do casamento, e eu estava com meu regimento nas Índias Orientais –, ela viesse a se perder? Se eu tivesse permanecido na Inglaterra, talvez... mas eu queria promover a felicidade de ambos, afastando-me dela por anos, e com esse propósito consegui minha transferência. O choque que o casamento dela me

Razão & Sensibilidade

causou — continuou ele, com voz muito agitada — foi insignificante...
nada, se comparado ao que senti quando soube, cerca de dois anos
depois, do divórcio. Foi *isso* que lançou essa escuridão... mesmo agora,
a lembrança do que sofri...

Ele não pôde dizer mais nada e, levantando-se, caminhou apressadamente por alguns minutos pela sala. Elinor, afetada pelo relato
e mais ainda pela angústia do coronel, não conseguia falar. Ele viu a
preocupação dela e, aproximando-se, pegou sua mão, apertou-a e a bei-
jou com gratidão e respeito. Mais alguns minutos de esforço silencioso
deram-lhe condições de prosseguir com compostura.

— Só voltei para a Inglaterra quase três anos depois desse período
infeliz. Minha primeira preocupação quando cheguei foi naturalmente
procurá-la, mas a busca foi tão infrutífera quanto melancólica. Não
consegui localizá-la além de seu primeiro sedutor, e havia todos os
motivos para temer que ela tivesse se afastado dele apenas para afundar
mais em uma vida de pecado. Sua pensão legal não era compatível com
sua fortuna, nem suficiente para seu sustento confortável, e soube, por
intermédio de meu irmão, que o direito de recebê-la fora outorgado
alguns meses antes a outra pessoa. Ele imaginou – e com que calma
conseguia imaginar – que o esbanjamento e consequente angústia a
obrigaram a repassar a pensão em troca de algum auxílio imediato.
Seis meses depois de ter voltado para a Inglaterra, enfim a *encontrei*. A
consideração por um ex-criado que caíra em desgraça levou-me a visitá-
-lo na cadeia onde estava confinado por dívidas. Lá, na mesma cadeia,
por motivo semelhante, estava minha infeliz cunhada. Tão diferente...
tão debilitada... desgastada por todo tipo de intenso sofrimento! Mal
pude acreditar que a figura melancólica e enferma diante de mim fosse
o que restava da moça adorável, viçosa e saudável que um dia eu havia
adorado. O que sofri ao contemplá-la daquele jeito... mas não tenho
o direito de ferir seus sentimentos tentando descrever... Já a magoei

demais. Que ela aparentemente estivesse no último estágio de tuberculose foi... sim, em tal situação foi meu maior conforto. A vida nada mais poderia lhe oferecer além de tempo para uma melhor preparação para a morte, e isso lhe foi concedido. Cuidei para que ela fosse alojada em acomodações confortáveis e com atendentes adequados, visitei-a todos os dias durante o resto de sua curta vida, estive com ela em seus momentos finais.

Novamente ele parou para se recuperar, e Elinor expressou seus sentimentos em uma exclamação de terna aflição pela sina de sua infeliz amiga.

— Espero que sua irmã não se ofenda — disse ele — pela semelhança que imaginei entre ela e minha pobre e desgraçada parente. Seus destinos e sorte não podem ser os mesmos; tivesse a meiga disposição natural de uma sido protegida por uma mente mais firme ou um casamento mais feliz, ela poderia ter sido tudo o que veremos a outra ser. Mas aonde quero chegar com tudo isso? Parece que a estou afligindo por nada. Ah, srta. Dashwood... um assunto como esse... intocado por quatorze anos... é perigoso lidar com isso! *Serei* mais contido... mais conciso. Ela deixou aos meus cuidados a única filha, uma garotinha que tinha então cerca de três anos, fruto de seu primeiro relacionamento proibido. Ela amava a criança e sempre a manteve consigo. Foi um encargo valioso e precioso para mim, e de bom grado eu o teria desempenhado da forma mais plena, cuidando pessoalmente de sua educação, se a natureza de nossas situações o permitisse; mas eu não tinha família nem casa, e minha pequena Eliza foi, portanto, colocada na escola. Eu a via lá sempre que podia, e, após a morte de meu irmão – o que aconteceu há cerca de cinco anos e me deixou de posse da propriedade da família –, ela me visitou em Delaford. Eu disse tratar-se de uma parente distante, mas estou bem ciente de que, no geral, sou suspeito de um uma relação muito mais próxima com ela. Faz agora três anos – ela tinha acabado de completar quatorze anos – que a tirei da escola para colocá-la aos cuidados de uma mulher muito respeitável, residente em Dorsetshire, que tinha sob sua responsabilidade quatro ou cinco outras meninas quase da mesma idade, e por dois anos tive todos os motivos para permanecer satisfeito com a situação. Porém, em fevereiro passado, há quase um ano, ela desapareceu de repente. Eu havia atendido – imprudentemente, como depois se constatou – ao ardente desejo de Eliza de ir para Bath com uma de suas jovens amigas, que iria para lá cuidar da saúde do pai. Eu sabia que ele era um homem muito bom e tinha a menina em bom conceito – melhor do que ela merecia, pois, com um sigilo muito obstinado e despropositado, ela não diria nada, não daria nenhuma pista, embora com certeza soubesse de tudo. O pai, um homem bem-intencionado, mas desprovido de sagacidade, realmente não poderia dar nenhuma informação, creio eu, pois costumava ficar confinado em casa, enquanto as moças andavam pela cidade e travavam conhecimento com quem bem entendiam; ele tentou me convencer, como havia se convencido por completo, de que a filha não tinha qualquer conhecimento do assunto. Em suma, não consegui descobrir nada, exceto que ela se foi; todo o resto, durante oito longos meses, foi deixado a cargo de conjecturas. É possível imaginar o que pensei, o que temi e também o que sofri.

— Deus do céu! — exclamou Elinor. — Poderia ser... ser Willoughby?

— A primeira notícia que me chegou — continuou ele — veio por uma carta dela mesma em outubro passado. Foi enviada para mim de Delaford, e a recebi na manhã da excursão planejada para Whitwell; foi esse o motivo de minha partida tão repentina de Barton, o que com certeza pareceu estranho para todos na ocasião, e acredito ter ofendido alguns. Mal imaginava o sr. Willoughby, suponho, quando seus olhares me censuraram pela descortesia de estragar a diversão, que fui chamado para socorrer alguém a quem ele tornara pobre e miserável; mas, se ele *soubesse*, de que valeria? Teria ele ficado menos alegre ou menos feliz diante dos sorrisos de sua irmã? Não, ele já tinha feito o que nenhum homem dotado de sentimentos é *capaz* de fazer. Ele abandonara a jovem cuja juventude e inocência ele havia seduzido em uma situação de extrema angústia, sem casa digna, sem ajuda, sem amigos, sem saber o endereço dele! Ele a deixara prometendo voltar; não voltou, nem escreveu, nem a auxiliou.

— Isso ultrapassa todos os limites! — exclamou Elinor.

— O caráter dele está agora diante de você: gastador, libertino e pior do que ambas as coisas. Sabendo de tudo isso, como eu já sabia há muitas semanas, imagine o que senti ao ver sua irmã tão apaixonada por ele e, ao ter a confirmação de que ela se casaria com ele, imagine o que senti por causa de vocês todas. Quando vim vê-la na semana passada e a encontrei sozinha, vim decidido a saber a verdade, embora indeciso sobre o que fazer quando *soubesse*. Meu comportamento na ocasião deve ter lhe parecido estranho, mas agora você pode compreender. Sofria por vocês todas serem tão enganadas, por ver sua irmã... mas o que eu poderia fazer? Não tinha esperança de interferir com sucesso, e às vezes pensei que a influência de sua irmã ainda pudesse recuperá-lo. Mas agora, depois de tal tratamento desonroso, quem pode dizer quais seriam os planos dele para ela? Quaisquer que fossem, no entanto, ela agora pode e daqui em diante sem dúvida irá sentir-se grata pela própria condição quando a comparar com a da minha pobre Eliza, quando refletir sobre a situação de ruína e desesperança dessa pobre moça e se colocar no lugar dela, com uma afeição tão forte por ele, ainda tão forte quanto a dela, e com uma mente atormentada pela culpa que deve acompanhá-la por toda a vida. Essa comparação por certo há de lhe ser útil. Ela sentirá que o próprio sofrimento não é nada. Não é oriundo de má conduta e não pode trazer desgraça. Pelo contrário, cada amigo deve se tornar ainda mais seu amigo por causa disso. A preocupação por sua infelicidade e o respeito por sua fortaleza moral diante de tudo isso devem fortalecer todos os relacionamentos. Entretanto, use de seu critério para transmitir a ela o que lhe contei. Você deve saber melhor qual será o efeito; porém, se eu não acreditasse de todo coração que pudesse ser útil, que pudesse diminuir seus arrependimentos, eu não teria me permitido incomodá-la com esse relato de minhas aflições familiares, com uma narrativa que pode dar a impressão de pretender me enaltecer à custa de outros.

Os agradecimentos de Elinor após essa fala foram os mais sinceros, acompanhados também da certeza de que ela esperava que a comunicação do ocorrido fosse de real benefício para Marianne.

— O que me dói acima de tudo — disse Elinor — é ela se esforçar para absolvê-lo, pois isso irrita sua mente mais do que a mais perfeita convicção da indignidade dele irritaria. Agora, embora de início ela vá sofrer muito, tenho certeza de que logo ficará mais tranquila.

Após um breve silêncio, ela prosseguiu:

— Você viu o sr. Willoughby alguma vez desde que deixou Barton?

— Sim — respondeu ele, sério —, uma vez. Um encontro era inevitável.

Elinor, assustada com a atitude dele, olhou ansiosa, dizendo:

— O quê? Você o encontrou para...

— Não poderia ser de outra maneira. Eliza confessou, embora com muita relutância, o nome do amante, e, quando ele voltou para a cidade, o que ocorreu duas semanas depois de mim, nos encontramos, ele para defender, eu para punir sua conduta. Voltamos ilesos, e o embate, portanto, não se tornou conhecido.

Elinor suspirou diante da fantasiosa necessidade daquilo, mas não ousou censurar um homem e soldado.

— Essa é a infeliz semelhança dos destinos da mãe e da filha! E com que imperfeição cumpri meu encargo!

— Ela ainda está na cidade?

— Não. Assim que se recuperou do resguardo, pois a encontrei perto do parto, levei Eliza e a criança para o campo, e lá ela permanece.

Em seguida, lembrando-se de que provavelmente estava mantendo Elinor afastada de sua irmã, o coronel encerrou a visita, recebendo dela mais uma vez os mesmos agradecimentos e deixando-a cheia de compaixão e estima por ele.

❊ *Capítulo 32*

Quando os detalhes da conversa foram repetidos pela senhorita Dashwood à irmã em relato que ela fez logo depois, o efeito não foi inteiramente o esperado por Elinor. Não que Marianne parecesse desconfiar da verdade de qualquer parte, pois ouviu tudo com a atenção mais constante e submissa, não fez objeções nem comentários, não tentou justificar Willoughby e pareceu mostrar com as lágrimas que sentia ser impossível justificá-lo. Embora tal comportamento assegurasse a Elinor que a convicção da culpa dele *havia sido* assimilada pela mente de Marianne, embora visse com satisfação o efeito disso, por Marianne não mais evitar o coronel Brandon quando ele as visitava, por ela conversar com ele, inclusive voluntariamente, com uma espécie de respeito compassivo, e embora visse seu estado de ânimo menos violentamente irritado do que antes, não a via menos arrasada.

A mente de Marianne se estabilizou, mas se estabilizou em um desânimo sombrio. Ela sentiu a perda do caráter de Willoughby ainda mais intensamente do que sentira a perda de seu coração; a sedução e o abandono da srta. Williams, a desgraça daquela pobre moça e a dúvida sobre quais teriam sido um dia os planos dele para *ela* consumiam tanto seu espírito que ela não conseguia falar sobre o que sentia nem mesmo para Elinor, e, ruminando em silêncio suas tristezas, causava mais dor à irmã do que causaria uma manifestação mais franca e frequente.

Descrever os sentimentos ou a linguagem da sra. Dashwood ao receber e responder a carta de Elinor seria apenas repetir o que suas filhas já haviam sentido e dito – uma decepção dificilmente menos dolorosa do que a de Marianne e uma indignação ainda maior do que a de Elinor. Longas cartas, em rápida sucessão, chegaram para contar tudo o que a sra. Dashwood havia sofrido e pensado, para expressar sua preocupação e ansiedade em relação a Marianne e suplicar que ela suportasse o infortúnio com fortitude. De fato, terrível deveria ser a natureza da aflição de Marianne para sua mãe falar de fortitude! Mortificante e humilhante deveria ser a origem daquele desgosto ao qual ela desejava que Marianne não cedesse.

Contrariando o que seria favorável ao próprio bem-estar, a sra. Dashwood havia decidido que seria melhor Marianne ficar em qualquer lugar naquele momento que não em Barton, onde tudo ao seu redor traria o passado de volta da maneira mais intensa e aflitiva, colocando Willoughby constantemente diante ela, pois ela sempre o tinha visto lá. Portanto, a sra. Dashwood recomendou às filhas que não abreviassem de modo algum a visita à sra. Jennings. Embora a duração não tivesse sido fixada, todos esperavam que se estendesse por pelo menos cinco ou seis semanas. Uma variedade de ocupações, coisas e companhias que não estariam disponíveis em Barton seriam inevitáveis ali e ainda poderiam, esperava ela, distrair Marianne de vez em quando com algum interesse além de si mesma e até mesmo algum divertimento, ainda que no momento Marianne rejeitasse ambas as ideias.

Quanto ao perigo de ver Willoughby novamente, a mãe considerava Marianne tão segura na cidade quanto no campo, já que todos os que se diziam amigos delas deveriam cortar relações com ele. O destino não os colocaria frente a frente, a negligência jamais os deixaria expostos à surpresa, e as chances eram menores no movimento de Londres do que no isolamento de Barton, onde Willoughby poderia acabar diante de Marianne durante a visita a Allenham por ocasião de seu casamento – visita essa que a sra. Dashwood de início antevira como um evento provável e depois passara a dar como certa. Ela tinha mais um motivo para desejar que as filhas permanecessem onde estavam: uma carta do enteado dizia que ele e a esposa deveriam estar na cidade antes de meados de fevereiro, e a sra. Dashwood considerava adequado que elas às vezes vissem o irmão.

Marianne havia prometido guiar-se pela opinião da mãe, e a ela se submeteu, portanto, sem oposição, embora fosse completamente diferente do que ela desejava e esperava, embora sentisse que era totalmente errada, baseada em motivos equivocados e que, por exigir sua permanência prolongada em Londres, a privava do único alívio possível de sua miséria – o carinho de sua mãe – e a condenava a tantas companhias e atividades que ela não teria um momento de descanso. Mas para ela era motivo de grande consolo que aquilo que lhe faria mal faria bem para sua irmã; Elinor, por outro lado, suspeitando que não estaria em seu poder evitar Edward por completo, consolou-se pensando que, embora a estada mais longa prejudicasse a própria felicidade, seria melhor para Marianne do que um retorno imediato a Devonshire.

O cuidado de Elinor em proteger a irmã de ouvir menções ao nome de Willoughby não foi em vão. Marianne, embora sem saber, colheu todas as vantagens disso, pois nem a sra. Jennings, nem sir John, nem mesmo a sra. Palmer falaram dele diante dela. Elinor gostaria de que a mesma clemência pudesse se estender a ela, mas era impossível, e ela era obrigada a ouvir dia após dia a indignação de todos.

Sir John nunca havia pensado que aquilo fosse possível. Um homem de quem sempre tivera tantos motivos para pensar bem! Um sujeito tão amável! Ele não acreditava que houvesse cavaleiro mais audaz na Inglaterra! Era inexplicável. Desejava de todo o coração que o diabo o carregasse. Não trocaria mais uma palavra com ele, onde quer que o encontrasse, por nada deste mundo! Não, nem que ficassem de tocaia por duas horas próximos um do outro ao caçar em Barton. Que sujeito canalha! Que cachorro traiçoeiro! Só da última vez em que se encontraram ele lhe ofereceu um dos filhotes de Folly! Aquilo era o fim.

A sra. Palmer, a seu modo, estava igualmente zangada. Estava determinada a cortar relações imediatamente e muito grata por nunca ter se relacionado com ele em absoluto. Desejava de todo o coração que Combe Magna não ficasse tão perto de Cleveland, mas não tinha importância, pois era muito longe para visitas; ela o odiava tanto que estava decidida a nunca mais mencionar seu nome e a falar para todos que encontrasse que tipo de traste ele era. O restante da solidariedade da sra. Palmer foi demonstrado bisbilhotando todos os detalhes a seu alcance sobre o casamento que se aproximava e comunicando-os a Elinor. Ela logo pôde informar em qual oficina fora construída a nova carruagem, qual pintor fizera o retrato do sr. Willoughby e em qual estabelecimento comercial o enxoval da srta. Grey podia ser visto.

Naquela ocasião, a calma e o educado desinteresse de lady Middleton foram um grato alívio para o estado de ânimo de Elinor, frequentemente oprimido pela clamorosa gentileza dos outros. Foi um grande conforto para ela ter certeza de não despertar nenhum interesse em pelo menos *uma* pessoa do seu círculo de amizades, foi um grande conforto saber que havia *uma* pessoa que se encontraria com ela sem sentir qualquer curiosidade por detalhes ou qualquer ansiedade pela saúde de Marianne.

Às vezes as qualificações são elevadas acima de seu valor real pelas circunstâncias do momento, e às vezes Elinor se incomodava com o fato de condolências importunas classificarem a boa educação como mais indispensável ao conforto do que um temperamento agradável.

Lady Middleton expressava sua opinião sobre o caso cerca de uma vez por dia, ou duas, se o assunto vinha à tona com muita frequência, dizendo: "É muito chocante, de fato!", e, com essa manifestação contínua, embora gentil, teve condições não apenas de se encontrar com as senhoritas Dashwood desde o início sem a menor emoção, como também de vê-las sem recordar uma palavra do assunto em pouco tempo. Tendo assim apoiado a dignidade do próprio gênero e verbalizado sua decidida censura ao que havia de errado no gênero oposto, considerou-se livre para tratar dos interesses de suas reuniões; portanto, como a sra. Willoughby era ao mesmo tempo uma mulher elegante e rica, decidiu (embora um tanto a contragosto de sir John) deixar seu cartão com ela assim que se casasse.

As perguntas delicadas e discretas do coronel Brandon nunca eram desagradáveis para a srta. Dashwood. Ele havia conquistado amplamente o privilégio de manter conversas íntimas sobre a decepção de Marianne pelo zelo amigável com que se esforçara para amenizá-la, e Elinor e o coronel sempre conversavam com franqueza. A principal recompensa do coronel pelo doloroso esforço de revelar tristezas passadas e humilhações presentes era o olhar compassivo com que Marianne às vezes o observava e a suavidade de sua voz sempre que (embora não acontecesse com frequência) ela era obrigada ou conseguia se obrigar a falar com ele. *Isso* assegurava ao coronel que seu esforço havia produzido um aumento de boa vontade consigo e dava a Elinor esperanças de que a boa vontade da irmã aumentasse ainda mais depois; porém, a sra. Jennings, que nada sabia de tudo isso e sabia apenas que o coronel continuava tão sério como sempre e que ela não conseguia convencê-lo a fazer a proposta nem incumbi-la de fazer por ele, ao final de dois dias começou a pensar que, em vez de no final de junho, eles se casariam até o final de setembro, e, passada uma semana, que não haveria casamento algum. O bom entendimento entre o coronel e a srta. Dashwood mais parecia indicar que as honras da amoreira, do canal e do teixo seriam todas *dela*, e por algum tempo a sra. Jennings deixou de pensar no sr. Ferrars.

No começo de fevereiro, quinze dias após o recebimento da carta de Willoughby, Elinor teve a dolorosa tarefa de informar à irmã que ele havia se casado. Teve o cuidado de que a informação lhe fosse comunicada assim que soubessem que a cerimônia havia acabado, pois não desejava que a irmã recebesse a notícia pelos jornais, que a via examinar avidamente todas as manhãs. Marianne recebeu a notícia com compostura resoluta, não fez nenhuma observação e a princípio não derramou lágrimas, mas pouco tempo depois elas irromperam, e pelo resto do dia ficou em um estado pouco menos lamentável do que quando soube que deveria esperar por esse acontecimento.

Os Willoughby deixaram a cidade assim que se casaram, e, como agora não haveria perigo de encontrar qualquer um dos dois, Elinor esperava convencer a irmã, que ainda não havia deixado a casa desde o primeiro golpe, a sair de novo aos poucos, como antes.

Por volta dessa época, as duas senhoritas Steele, recentemente chegadas à casa de seu primo em Bartlett's Buildings, Holburn, se apresentaram de novo aos parentes mais importantes em Conduit e Berkeley e foram recebidas por todos com grande cordialidade. Apenas Elinor lamentou vê-las. A presença delas sempre lhe causava dor, e ela mal soube como retribuir de forma graciosa ao prazer avassalador de Lucy ao descobrir que ela *ainda* estava na cidade.

— Eu ficaria muito decepcionada se não a tivesse encontrado aqui *ainda* — disse Lucy repetidamente, com forte ênfase na palavra. — Sempre achei que *encontraria*. Tinha quase certeza de que você não deixaria Londres por enquanto, embora em Barton você tenha *dito*, como deve lembrar, que não deveria ficar mais de *um mês*. Mas na época pensei que você provavelmente mudaria de ideia quando chegasse a hora. Teria sido uma pena partir antes de seu irmão e sua cunhada chegarem. E agora com certeza você não terá pressa em partir. Estou incrivelmente feliz por você não manter *sua palavra*.

Elinor a entendeu perfeitamente e foi forçada a usar todo o autocontrole para parecer que *não* entendera.

— Bem, minha cara — disse a sra. Jennings —, e como foi a viagem?

— Não viajamos de diligência, lhe asseguro — respondeu a srta. Steele com vivo júbilo —, viemos de carruagem e tivemos um rapaz muito elegante para nos acompanhar. O dr. Davies estava vindo para a cidade, então pensamos em nos juntar a ele em uma carruagem, ele se comportou de modo muito gentil e pagou dez ou doze xelins a mais do que nós.

— Oh, oh! — exclamou a sra. Jennings. — Muito bem, de fato! E o doutor é solteiro, garanto.

— Pois bem — disse a srta. Steele, com um sorriso afetado —, agora todo mundo ri de mim por causa do doutor, mas não consigo entender o porquê. Minhas primas dizem ter certeza de que fiz uma conquista, mas de minha parte declaro que nunca penso nele dessa maneira. "Por Deus, ali vem o seu namorado, Nancy", disse minha prima no outro dia, quando o viu atravessando a rua em direção à casa. "Meu namorado, francamente!", disse eu. "Não consigo imaginar a quem você se refere. O doutor não é meu namorado."

— Sim, sim, bela conversa essa... mas não vai adiantar. O doutor é o eleito, estou vendo.

— Não, não mesmo — respondeu a prima, com seriedade fingida —, e lhe imploro que desminta se ouvir falar disso.

A sra. Jennings deu-lhe a gratificante garantia de que com certeza *não* o faria, e a srta. Steele ficou completamente feliz.

— Suponho, srta. Dashwood, que você vá ficar com seu irmão e sua cunhada quando eles chegarem à cidade — disse Lucy, voltando à carga após o fim das insinuações hostis.

— Não, acho que não iremos.

— Oh, sim, ouso dizer que irão.

Elinor não iria agradá-la com mais oposição.

— Que encantador a sra. Dashwood abrir mão da presença de vocês duas por tanto tempo!

— Muito tempo, francamente! — interpôs a sra. Jennings. — Ora, a visita delas mal começou!

Lucy foi silenciada.

— Lamento não podermos ver sua irmã, srta. Dashwood — disse a srta. Steele. — Lamento que ela não esteja bem.

Marianne havia se retirado da sala quando elas chegaram.

— Você é muito bondosa. Minha irmã igualmente lamentará não ter o prazer de vê-las, mas tem sofrido muito com dores de cabeça de fundo nervoso, que a impossibilitam de ter companhia ou conversar.

— Oh, querida, que grande lástima! Mas velhas amigas como Lucy e eu! Acho que ela poderia *nos* ver, e garanto que não diríamos uma palavra.

Com grande civilidade, Elinor recusou a proposta. Sua irmã talvez estivesse deitada ou de camisola; portanto, não poderia vir até elas.

— Oh, se é por isso — exclamou a srta. Steele —, podemos muito bem ir vê-la.

Elinor começou a achar aquela impertinência excessiva, mas foi poupada de conter seu gênio pela severa repreensão de Lucy – atitude que agora, como em muitas ocasiões, embora não conferisse muita meiguice aos modos de uma irmã, era útil para governar os modos da outra.

❧ *Capítulo 33*

Depois de alguma oposição, Marianne cedeu às súplicas da irmã e consentiu em sair por meia hora com ela e a sra. Jennings certa manhã. No entanto, condicionou expressamente a saída a não fazer visitas nem nada mais do que acompanhá-las até a Gray's, em Sackville Street, onde Elinor estava negociando a troca de algumas joias antigas de sua mãe. Quando chegaram à porta, a sra. Jennings lembrou-se de que havia uma senhora do outro lado da rua a quem deveria visitar; como ela não tinha negócios a tratar na Gray's, ficou decidido que, enquanto suas jovens amigas faziam suas transações, ela faria a visita e voltaria para buscá-las.

Ao subir as escadas, as senhoritas Dashwood depararam com tanta gente no recinto diante delas que não havia ninguém disponível para atendê-las, e foram obrigadas a esperar. Tudo o que podiam fazer era sentar na extremidade do balcão que parecia prometer o atendimento mais rápido; apenas um cavalheiro estava ali, e é provável que Elinor tivesse esperanças de estimular sua polidez para um encaminhamento mais rápido. Mas a precisão do olhar e o refinamento do gosto mostraram-se maiores do que a polidez do cavalheiro. Ele estava encomendando um estojo de palitos de dente para si mesmo, e até que o tamanho, formato e ornamentos fossem decididos, depois de examinar e debater por um quarto de hora sobre cada paliteiro da loja, e tudo fosse por fim arranjado conforme sua imaginação criativa, ele não teve tempo para conceder qualquer outra atenção às duas damas exceto a que se resumiu a três ou quatro olhares bastante desabridos, uma espécie de sinal que serviu para imprimir em Elinor a lembrança de uma pessoa e de um rosto de forte, natural e genuína insignificância, embora adornados na última moda.

Marianne foi poupada dos incômodos sentimentos de desprezo e ressentimento decorrentes do exame impertinente de suas feições e do comportamento despudorado dele enquanto avaliava os diferentes horrores dos diferentes estojos para palitos apresentados à sua inspeção por permanecer alheia a tudo isso, pois ela conseguira se recolher tão bem aos próprios pensamentos e permanecer tão ignorante do que se passava ao redor na loja do sr. Gray quanto no próprio quarto.

Por fim, o assunto foi resolvido. O marfim, o ouro, as pérolas, todos receberam a aprovação, e, tendo determinado o último dia em que sua existência poderia prosseguir sem o estojo para palitos de dente, o cavalheiro vestiu as luvas com vagaroso cuidado, concedeu mais um olhar às senhoritas Dashwood, mas que mais parecia exigir do que expressar admiração, e foi embora com um ar satisfeito de autêntica presunção e indiferença fingida.

Elinor não perdeu tempo, expôs seu assunto e estava a ponto de concluí-lo quando outro cavalheiro se postou a seu lado. Ela voltou os olhos para o rosto dele e verificou com certa surpresa que era seu irmão.

O afeto e prazer de ambos com o encontro foi o suficiente para uma aparência muito digna de crédito na loja do sr. Gray. John Dashwood realmente estava longe de lamentar ver as irmãs novamente; pelo contrário, ficou satisfeito, e suas perguntas pela mãe delas foram respeitosas e atenciosas.

Elinor descobriu que ele e Fanny estavam na cidade havia dois dias.

— Queria muito visitá-las ontem — disse ele —, mas foi impossível, pois fomos obrigados a levar Harry para ver os animais selvagens no Exeter Exchange e passamos o resto do dia com a sra. Ferrars. Harry ficou imensamente satisfeito. Eu pretendia visitá-las *nesta* manhã, se conseguisse encontrar meia hora livre, mas sempre se tem muito a fazer ao chegar à cidade. Vim aqui encomendar um sinete para Fanny. Mas penso que amanhã com certeza terei condições de ir a Berkeley Street

Razão & Sensibilidade

e ser apresentado à sua amiga, sra. Jennings. Sei que ela é uma mulher de muito boas condições. E os Middleton também, vocês devem me apresentar a *eles*. Como são parentes de minha madrasta, ficarei feliz em mostrar-lhes todo o respeito. São excelentes vizinhos para vocês no campo, pelo que sei.

— Excelentes, de fato. A atenção deles ao nosso conforto, a amabilidade em todos os detalhes, são maiores do que eu possa expressar.

— Dou-lhe minha palavra de que fico extremamente feliz em ouvir isso, extremamente feliz de fato. Mas é assim que deve ser, eles são pessoas de grande fortuna, são parentes de vocês, e seria razoável esperar toda a civilidade e acomodação que possam servir para tornar sua situação agradável. Então vocês estão muito confortavelmente instaladas em seu chalezinho e não precisam de nada! Edward fez um relato encantador do lugar – o mais completo de seu tipo que já existiu, disse ele – e disse que todas vocês pareciam apreciá-lo mais do que qualquer outra coisa. Foi uma grande satisfação para nós ouvir isso, posso assegurar.

Elinor sentiu um pouco de vergonha do irmão e não lamentou ser dispensada da necessidade de respondê-lo graças à chegada do criado da sra. Jennings, que veio informar que sua senhora esperava por elas na porta. O sr. Dashwood desceu as escadas com elas, foi apresentado à sra. Jennings na porta da carruagem e, repetindo a esperança de poder visitá-las no dia seguinte, despediu-se.

A visita foi devidamente feita. Ele chegou com um pretenso pedido de desculpas da cunhada por não ter vindo também.

— Ela estava tão ocupada com a mãe que realmente não tinha tempo para ir a lugar nenhum.

A sra. Jennings, entretanto, assegurou-lhe imediatamente que ela não deveria fazer cerimônia, pois todas eram primas ou algo assim, e com certeza visitaria a sra. John Dashwood muito em breve e levaria suas cunhadas para vê-la. As maneiras do sr. Dashwood com *elas*, embora calmas, eram perfeitamente amáveis e muito corteses e atenciosas com a sra. Jennings; quando o coronel Brandon chegou logo depois, olhou-o com uma curiosidade que parecia dizer que só queria saber se o coronel era rico para ser igualmente cortês com *ele*.

Depois de permanecer por meia hora, o irmão pediu a Elinor que o acompanhasse a pé até Conduit Street e o apresentasse a sir John e lady Middleton. O tempo estava excepcionalmente bom, e Elinor concordou. Assim que saíram de casa, a indagação começou.

— Quem é o coronel Brandon? É um homem de fortuna?

— Sim, tem uma propriedade muito boa em Dorsetshire.

— Fico feliz com isso. Ele parece muito cavalheiro, e acho, Elinor, que posso parabenizá-la pela perspectiva de uma condição de vida muito respeitável.

— Eu, irmão? O que você quer dizer com isso?

— Ele gosta de você. Observei de perto e estou convencido disso. Qual é o montante de sua fortuna?

— Creio que cerca de duas mil libras por ano.

— Duas mil libras por ano! — exclamou. Em seguida, atingindo um grau de generosidade entusiástica, acrescentou: — Elinor, desejo de todo o coração que seja o *dobro* disso para o seu bem.

— Por certo acredito em você — respondeu Elinor —, mas tenho certeza de que o coronel Brandon não tem o menor desejo de se casar comigo.

— Você está enganada, Elinor, você está muito enganada. Um pequeno empenho de sua parte vai prendê-lo. Talvez no momento ele esteja indeciso, o fato de você ter uma fortuna tão pequena pode fazê-lo recuar, todos os amigos dele talvez o aconselhem contra. Mas algumas das pequenas atenções e encorajamentos que as senhoras tão facilmente podem oferecer o farão se decidir apesar de tudo. E não pode haver razão para que você não tente conquistá-lo. Não se deve supor que qualquer afeição anterior de sua parte... em suma, você sabe que um relacionamento desse tipo está totalmente fora de questão, as objeções são intransponíveis... você tem muito bom senso para não ver tudo isso. O coronel Brandon deve ser o eleito, e de minha parte não faltará cortesia para deixá-lo satisfeito com você e sua família. É um enlace que deve proporcionar satisfação geral. Em suma, é o tipo de coisa que — baixando a voz para um sussurro grandioso — será extremamente agradável a *todas as partes*.

Recompondo-se, acrescentou:

— Quer dizer, seus amigos estão todos realmente ansiosos para vê-la bem estabelecida, especialmente Fanny, pois ela se interessa muito pelo seu bem-estar, asseguro-lhe. E também a mãe dela, a sra. Ferrars, uma mulher muito afável, tenho certeza de que isso lhe daria grande prazer, ela comentou a respeito outro dia.

Elinor não se dignou a responder.

— Pois então, seria algo notável, curioso — continuou ele —, Fanny ter um irmão e eu uma irmã se estabelecendo ao mesmo tempo. No entanto, não é muito improvável.

— O sr. Edward Ferrars — perguntou Elinor em tom firme — vai se casar?

— Não está realmente acertado, mas existe uma discussão nesse sentido. Ele tem uma mãe excelente. A sra. Ferrars, com a maior liberalidade, vai ajudar e conceder a ele mil libras por ano caso ocorra o enlace. A dama é a honorável srta. Morton, filha única do falecido lord Morton, herdeira de trinta mil libras. Um enlace muito desejável de ambos os lados, e não tenho dúvidas de que ocorrerá em breve. Mil libras por ano é uma grande quantia para uma mãe doar de modo contínuo, mas a sra. Ferrars tem um espírito nobre. Para lhe dar mais um exemplo de sua generosidade: outro dia, assim que chegamos à cidade, ciente de que nesse momento não dispomos de muito dinheiro, ela colocou nas mãos de Fanny títulos bancários no valor de duzentas libras. Foi extremamente sensato, pois teremos grandes despesas enquanto estivermos aqui.

Ele fez uma pausa para a concordância e compaixão de Elinor, e ela se forçou a dizer:

— Suas despesas na cidade e no campo devem ser consideráveis, mas sua renda é grande.

— Não tão grande, ouso dizer, como muita gente supõe. Entretanto, não tenho a intenção de reclamar, sem dúvida é confortável, e espero que com o tempo melhore. A cerca de Norland Common, agora em execução, é uma grande fonte de gastos. E fiz uma pequena compra neste semestre, East Kingham Farm, você deve se lembrar do lugar, onde o velho Gibson morava. A terra era tão desejável para mim sob todos os aspectos, tão próxima da minha propriedade, que senti ser meu dever comprá-la. Não ficaria com a consciência tranquila se a deixasse cair em outras mãos. Um homem deve pagar por seu conforto, e isso me custou muito dinheiro.

— Mais do que você pensa que valha real e intrinsecamente.

— Bem, espero que não. Poderia tê-la vendido no dia seguinte por mais do que paguei, mas, quanto ao dinheiro para a compra, eu poderia ter sido muito infeliz, pois na época os títulos estavam tão em baixa que, se por acaso não tivesse a soma necessária no banco, teria que vendê-los com um prejuízo muito grande.

Elinor só conseguiu sorrir.

— Também tivemos outras grandes despesas inevitáveis ao chegar a Norland. Nosso respeitado pai, como você bem sabe, legou todos os pertences de Stanhill que permaneceram em Norland, e que eram muito valiosos, para sua mãe. Longe de mim reclamar disso, ele tinha o indubitável direito de dispor de sua propriedade como quisesse, mas, em consequência disso, fomos obrigados a fazer grandes compras de linho, porcelana, etc., para repor o que foi levado embora. Você pode imaginar, depois de todas essas despesas, o quão longe devemos estar de ser ricos e quão aceitável é a bondade da sra. Ferrars.

— Com certeza — disse Elinor —, e, auxiliados pela liberalidade dela, espero que vocês ainda possam viver em condições confortáveis.

— Mais um ou dois anos podem contribuir muito para isso — respondeu ele em tom sério —, no entanto, ainda há muito a ser feito. Não se assentou uma pedra da estufa de Fanny, e do jardim de flores só existe o traçado.

— Onde será a estufa?

— Sobre a colina atrás da casa. Todas as velhas nogueiras serão derrubadas para abrir espaço. Será um objeto muito belo, visível de muitas partes do parque, e o jardim de flores ficará à frente dele e será extremamente bonito. Removemos todos os velhos tufos de espinheiros que cresciam no topo.

Elinor guardou para si seu mal-estar e censura e ficou muito grata por Marianne não estar presente para compartilhar do acinte.

Tendo então dito o suficiente para deixar clara sua pobreza e acabar com a necessidade de comprar um par de brincos para cada uma das irmãs na próxima visita a Gray's, os pensamentos do sr. Dashwood tomaram um rumo mais alegre, e ele começou a parabenizar Elinor por ter uma amiga como a sra. Jennings.

— Ela de fato parece uma mulher de grande valor – sua casa, seu estilo de vida, tudo indica uma renda excelente –, e é uma relação que não só foi de grande utilidade para vocês até agora, como também no final pode se provar materialmente vantajosa. O convite dela para virem para a cidade com certeza é muito favorável e, de fato, sugere tamanha consideração por vocês que, com toda probabilidade, quando ela morrer, vocês não serão esquecidas. Ela deve ter muito a deixar.

— Absolutamente nada, suponho, pois ela tem apenas sua pensão anual, que irá para as filhas.

— Mas não se pode imaginar que ela gaste toda a sua renda. Poucas pessoas prudentes fariam *isso*, e ela poderá dispor de tudo que economizar.

— E você não acha mais provável que ela deixe para as filhas do que para nós?

— As filhas são extremamente bem casadas, portanto, não consigo perceber a necessidade de ela deixar ainda mais. Ao passo que, na minha opinião, por dedicar tanta atenção a vocês e tratá-las dessa maneira, ela concede uma espécie de crédito sobre sua futura deferência, que uma mulher conscienciosa não desprezaria. Nada pode ser mais gentil do que seu comportamento, e ela dificilmente pode fazer tudo isso sem estar ciente da expectativa que suscita.

— Mas não suscitou nada nas maiores interessadas. Na verdade, irmão, sua preocupação por nosso bem-estar e prosperidade o leva longe demais.

— Ora, com certeza — disse ele, parecendo se recompor — as pessoas têm pouco, têm muito pouco em seu poder. Mas, minha querida Elinor, o que se passa com Marianne? Ela parece muito indisposta, pálida, e emagreceu muito. Está doente?

— Ela não está bem, sofreu de uma indisposição nervosa por várias semanas.

— Sinto muito por isso. Na idade dela, qualquer doença destrói o viço para sempre! O dela foi tão breve! Em setembro passado, era uma das moças mais bonitas que já vi e provavelmente atraente para os homens. Havia algo em seu tipo de beleza que os agrada particularmente. Lembro-me de que Fanny costumava dizer que ela se casaria mais cedo e melhor do que você; não que ela não goste muito de *você*, mas era a impressão dela. No entanto, creio que Fanny esteja enganada. Indago se *agora* Marianne casará com um homem que disponha de quinhentas ou seiscentas libras por ano no máximo, e muito me engano se você não conseguir algo melhor. Dorsetshire! Pouco sei sobre Dorsetshire, mas, minha querida Elinor, ficarei extremamente feliz em saber mais a respeito, e creio que posso garantir que eu e Fanny estaremos entre os primeiros e mais satisfeitos de seus visitantes.

Elinor empenhou-se muito em tentar convencê-lo de que não havia probabilidade de se casar com o coronel Brandon, mas a expectativa era prazerosa demais para que o sr. Dashwood a abandonasse, e ele estava realmente decidido a cultivar uma intimidade com aquele cavalheiro e promover o casamento com todas as atenções possíveis. Ele tinha remorso suficiente por não ter feito nada pelas irmãs para estar extremamente ansioso para que todos os demais fizessem muito, e uma proposta do coronel Brandon ou uma herança da sra. Jennings eram o meio mais fácil de expiar a própria negligência.

Tiveram a sorte de encontrar lady Middleton em casa, e sir John apareceu antes que encerrassem a visita. Houve abundância de cortesia de todas as partes. Sir John estava pronto para gostar de qualquer um, e, embora o sr. Dashwood não parecesse entender muito de cavalos, logo o considerou um sujeito muito afável, enquanto lady Middleton viu elegância suficiente em sua aparência para pensar que valia a pena tê-lo como conhecido, e o sr. Dashwood foi embora encantado com ambos.

— Terei um relato encantador para fazer a Fanny — disse ele, enquanto voltava com a irmã. — Lady Middleton é realmente uma mulher muito elegante! Uma mulher que tenho certeza de que Fanny ficará feliz em conhecer. E a sra. Jennings também, uma mulher extremamente bem-educada, embora não tão elegante quanto a filha. Sua cunhada não precisava ter qualquer escrúpulo em *visitá-la*, o que, para dizer a verdade, foi um pouco o caso, e muito naturalmente, pois só sabíamos que a sra. Jennings era viúva de um homem que ganhara todo o seu dinheiro de forma humilde, e Fanny e a sra. Ferrars estavam fortemente inclinadas a considerar que nem ela nem as filhas eram o tipo de mulher com quem Fanny gostaria de se relacionar. Mas agora posso apresentar um relato muito satisfatório a respeito de ambas.

❧ Capítulo 34

A sra. John Dashwood tinha tanta confiança no julgamento de seu marido que no dia seguinte visitou tanto a sra. Jennings quanto sua filha; e sua confiança foi recompensada ao descobrir que mesmo a primeira, a mulher com quem suas cunhadas estavam hospedadas, de forma alguma era indigna de sua atenção; quanto a lady Middleton, considerou-a uma das mulheres mais charmosas do mundo!

Lady Middleton agradou-se igualmente da sra. Dashwood. Havia uma espécie de egoísmo insensível de ambas as partes, o que as atraía mutuamente, e simpatizaram uma com a outra pelo comportamento insípido e pela falta geral de discernimento.

No entanto, as mesmas maneiras que recomendavam a sra. John Dashwood à boa opinião de lady Middleton não agradaram a sra. Jennings, e para *ela* a sra. John Dashwood não passava de uma mulherzinha de aparência orgulhosa e atitude inamistosa, sem qualquer afeto pelas irmãs do marido e sem quase nada a lhes dizer, pois, do quarto de hora passado em Berkeley Street, ela ficara sentada pelo menos sete minutos e meio em silêncio.

Elinor queria muito saber, embora tivesse optado por não perguntar, se Edward estava na cidade, mas nada induziria Fanny a mencionar voluntariamente o nome do irmão diante dela até que pudesse dizer que o casamento com a srta. Morton estava acertado ou até que as expectativas de seu marido em relação ao coronel Brandon se concretizassem, pois acreditava que os dois ainda estavam tão apegados um ao outro que o zelo em mantê-los separados em palavras e ações em todas as ocasiões nunca era excessivo. Contudo, a informação que ela não deu logo chegou de outra parte. Pouco depois Lucy veio solicitar a compaixão de

Elinor por não poder ver Edward, embora ele tivesse chegado à cidade com o sr. e a sra. Dashwood. Ele não ousava ir a Bartlett's Buildings com medo de ser descoberto, e, embora a impaciência mútua para se encontrarem não pudesse ser descrita em palavras, não podiam fazer nada no momento a não ser escrever.

Edward não tardou a assegurá-las de que estava na cidade, passando duas vezes em Berkeley Street. Por duas vezes seu cartão foi encontrado sobre a mesa quando voltaram dos compromissos matinais. Elinor ficou satisfeita por ele ter aparecido e ainda mais satisfeita por não encontrá-lo.

Os Dashwood ficaram tão prodigiosamente encantados com os Middleton que, embora não tivessem o hábito de dar qualquer coisa, decidiram oferecer-lhes um jantar e, logo depois que começaram a se relacionar, convidaram-nos para jantar em Harley Street, onde haviam alugado uma casa muito boa por três meses. As irmãs e a sra. Jennings também foram convidadas, e John Dashwood teve o cuidado de garantir a presença do coronel Brandon, que, sempre feliz por estar onde as senhoritas Dashwood estivessem, recebeu as efusivas cortesias com alguma surpresa, mas muito mais prazer.

Elas conheceriam a sra. Ferrars, mas Elinor não conseguiu descobrir se seus filhos fariam parte do grupo. A expectativa de vê-la, porém, foi o suficiente para fazer Elinor se interessar pelo compromisso, pois, embora agora pudesse conhecer a mãe de Edward sem aquela forte ansiedade que outrora prometia acompanhar tal apresentação, o desejo de estar na companhia da sra. Ferrars e a curiosidade de saber como ela era permaneciam vivos como sempre.

O interesse com que Elinor aguardava a festa aumentou, mais em termos de intensidade do que de contentamento, ao ouvir que as senhoritas Steele também estariam lá. Tão bem se recomendaram, tão agradáveis se tornaram a lady Middleton com suas deferências, que, embora Lucy com certeza não fosse muito elegante e sua irmã nem mesmo bem-educada, sua senhoria estava tão disposta quanto sir John a convidá-las a passar uma semana ou duas em Conduit Street; e, assim que o convite dos Dashwood foi feito, tornou-se particularmente conveniente para as senhoritas Steele que a visita começasse alguns dias antes da festa.

O direito à atenção da sra. John Dashwood por serem sobrinhas do cavalheiro que durante muitos anos cuidara de seu irmão não faria muito no sentido de lhes garantir assentos à sua mesa, mas, como convidadas de lady Middleton, seriam bem-vindas; Lucy, que havia muito desejava ser conhecida pessoalmente pela família, ter uma visão mais próxima de suas personalidades e de suas próprias dificuldades e ter a oportunidade de se esforçar para agradá-las, raras vezes se sentiu mais feliz em sua vida do que ao receber o cartão da sra. John Dashwood.

Em Elinor o efeito foi muito diferente. Ela imediatamente concluiu que Edward, que morava com a mãe, também deveria ser convidado para a festa dada por sua irmã; e vê-lo pela primeira vez depois de tudo que acontecera, na companhia de Lucy! Ela mal sabia como poderia suportar.

Essas apreensões talvez não se baseassem inteiramente na razão e com certeza de forma alguma na verdade. Elas foram abrandadas, no entanto, não pelo autocontrole, mas pela boa vontade de Lucy, que acreditou infligir uma grande decepção a Elinor ao contar que Edward certamente não estaria em Harley Street na terça-feira e até esperou causar ainda mais dor persuadindo-a de que ele se mantinha afastado pelo extremo afeto por ela, que ele não conseguia esconder quando estavam juntos.

Chegou a terça-feira decisiva em que as duas jovens damas seriam apresentadas àquela formidável sogra.

— Tenha dó de mim, querida srta. Dashwood! — disse Lucy, enquanto subiam as escadas juntas, pois os Middleton chegaram tão imediatamente depois da sra. Jennings que todos seguiram o criado ao mesmo tempo. — Não há ninguém aqui além de você que possa entender o que sinto. Garanto que mal posso aguentar. Santo Deus! Em um momento verei a pessoa de quem depende toda a minha felicidade, que será minha sogra!

Elinor poderia ter proporcionado alívio imediato sugerindo a possibilidade de ser a sogra da srta. Morton e não a de Lucy que elas estavam prestes a ver, mas, em vez disso, assegurou-lhe com grande sinceridade que tinha pena dela – para completo espanto de Lucy, que, embora estivesse muito desconfortável, esperava pelo menos ser objeto de inveja irresistível para Elinor.

A sra. Ferrars era uma mulher miúda, magra, de porte empertigado até a formalidade e semblante sério até o azedume. A pele era pálida, os traços, pequenos, sem beleza e naturalmente inexpressivos, mas uma feliz ruga na testa resgatava seu semblante da desgraça da insipidez, conferindo-lhe forte expressão de orgulho e mau gênio. Não era uma mulher de muitas palavras, pois, ao contrário das pessoas em geral, ela as proferia na mesma proporção de suas ideias, e, das poucas sílabas que deixou escapar, nenhuma foi para a srta. Dashwood, a quem olhou com a determinação de não gostar em todos os aspectos.

Elinor agora não poderia ficar infeliz com tal comportamento. Alguns meses atrás isso a teria machucado imensamente, mas agora não estava ao alcance da sra. Ferrars angustiá-la, e a diferença de sua atitude com as senhoritas Steele, uma diferença que parecia ter o propósito de humilhá-la mais, apenas a divertia. Elinor não pôde deixar de sorrir ao ver a gentileza de mãe e filha com a pessoa que, de todas as outras, se soubessem tanto quanto ela, teriam ficado mais ansiosas para mortificar (pois Lucy foi tratada com particular distinção), enquanto ela, que comparativamente não tinha poder para feri-las, era propositalmente menosprezada por ambas. Contudo, enquanto sorria diante de uma

Razão & Sensibilidade

benevolência tão mal aplicada, Elinor não conseguia refletir sobre a tolice mesquinha da qual surgia tal benevolência nem observar as atenções estudadas com as quais as senhoritas Steele cortejavam a continuidade daquilo sem um total desprezo pelas quatro.

Lucy era puro júbilo por ser tão honrosamente distinta, e a srta. Steele queria apenas ser motivo de gracejos a respeito do dr. Davies para ficar completamente feliz.

O jantar foi grandioso, os criados eram numerosos, e tudo indicava a propensão da anfitriã para a ostentação e as condições do anfitrião para bancá-la. Apesar das melhorias e acréscimos em execução na propriedade de Norland e apesar de seu proprietário, por alguns milhares de libras, quase ter sido obrigado a vender títulos com prejuízo, nada revelou qualquer sintoma daquela indigência que ele tentara insinuar; nenhuma pobreza de qualquer tipo se fez presente, exceto de conversação – mas nessa a deficiência era considerável. John Dashwood não tinha muito a dizer de si mesmo que valesse a pena ouvir; sua esposa, menos ainda. Mas não se tratava de nenhuma desgraça peculiar, pois era o caso da maioria dos presentes, quase todos incorrendo em uma ou outra das seguintes desqualificações a fim de serem agradáveis: falta de bom senso, natural ou aprimorada, falta de elegância, falta de ânimo ou falta de personalidade.

Quando as senhoras se retiraram para a sala de estar depois do jantar, essa pobreza ficou particularmente evidente, pois os cavalheiros *haviam* fornecido alguma variedade à conversa – política, cercar terras e domar cavalos –, mas então tudo acabou, e um único assunto ocupou as senhoras até a chegada do café: a comparação das alturas de Harry Dashwood e o segundo filho de lady Middleton, William, que eram quase da mesma idade. Se as duas crianças estivessem lá, o caso poderia ter sido resolvido com muita facilidade, medindo-as imediatamente; porém, como apenas Harry estava presente, as afirmações de ambas as partes eram apenas conjecturas, e todas tinham o direito de ser igualmente assertivas em sua opinião e repeti-la sempre que quisessem.

As partes ficaram assim: as duas mães, embora realmente convencidas de que o próprio filho fosse o mais alto, educadamente decidiram em favor do outro. As duas avós, com não menos parcialidade, mas mais sinceridade, foram igualmente fervorosas em apoiar o próprio descendente. Lucy, ansiosa para agradar tanto uma mãe quanto a outra, achou que ambos os meninos eram notavelmente altos para a idade e não pôde imaginar que houvesse a mais mínima diferença entre eles; a srta. Steele, com deferência ainda maior, deu parecer, o mais rápido que pôde, em favor de ambos. Elinor, tendo opinado em favor de William, com isso ofendendo ainda mais a sra. Ferrars e Fanny, não viu necessidade de qualquer outra afirmação para reforçar seu parecer; Marianne, quando convocada a dar sua opinião, ofendeu a todas ao declarar que não tinha opinião a dar, pois nunca havia pensado nisso.

Antes de se mudar de Norland, Elinor havia pintado para sua cunhada um par de telas muito bonitas, que, recém-emolduradas e trazidas para a casa, ornamentavam sua atual sala de estar; as telas atraíram a atenção de John Dashwood ao acompanhar os outros cavalheiros até a sala, e ele prestativamente as alcançou ao coronel Brandon para sua admiração.

— Foram pintadas por minha irmã mais velha — disse ele —, e ouso dizer que você, como homem de bom gosto, vai apreciá-las. Não sei se você já tinha visto alguma de suas obras antes, mas é de conhecimento geral que ela desenha muito bem.

O coronel, embora negasse qualquer pretensão de ser um conhecedor, admirou as telas com entusiasmo, como teria feito com qualquer coisa pintada pela srta. Dashwood; com isso, é claro que a curiosidade dos demais foi instigada, e as telas passaram de mão em mão para uma inspeção geral. A sra. Ferrars, sem saber que se tratava de trabalhos de

Elinor, pediu para olhá-las; depois de terem recebido o gratificante testemunho da aprovação de lady Middleton, Fanny apresentou as pinturas à mãe, informando-a atenciosamente que haviam sido feitas pela srta. Dashwood.

— Hum — disse a sra. Ferrars —, muito bonitas — e as devolveu à filha sem nem olhar.

Talvez por um instante Fanny tenha pensado que sua mãe havia sido bastante rude, pois, um pouco ruborizada, disse imediatamente:

— São muito bonitas, senhora... não são? — mas então o medo de ter sido muito cortês e excessivamente encorajadora provavelmente apoderou-se dela, pois logo acrescentou: — A senhora não acha que lembram o estilo de pintura da srta. Morton? Ela pinta de forma *realmente* encantadora! Sua última paisagem é linda!

— Linda mesmo! Mas *ela* é ótima em tudo.

Marianne não suportou aquilo. Ela já estava muito descontente com a sra. Ferrars, e o elogio inoportuno de outrem à custa de Elinor, embora ela não tivesse a menor ideia do principal significado, a instigou a dizer imediata e acaloradamente:

— Que tipo muito peculiar de admiração é esse! O que a srta. Morton significa para nós? Quem a conhece ou quem se importa com ela? É Elinor que *nós* conhecemos e de quem estamos falando.

Assim dizendo, tomou as telas das mãos de sua cunhada para admirá-las como deveriam ser admiradas. A sra. Ferrars pareceu extremamente zangada e, empertigando-se com mais rigidez do que nunca, retrucou com uma invectiva mordaz:

— A srta. Morton é filha de lord Morton.

Fanny também pareceu muito zangada, e seu marido apavorou-se com a audácia da irmã. Elinor ficou muito mais magoada com a intensidade de Marianne do que com o que a produziu, mas os olhos do coronel Brandon, fixos em Marianne, declararam que ele notava apenas o que havia de amável naquilo – o coração afetuoso que não suportava ver a irmã menosprezada.

Os sentimentos de Marianne não pararam por ali. A fria insolência do comportamento geral da sra. Ferrars com a irmã parecia prenunciar para Elinor as dificuldades e angústias sobre as quais seu coração ferido a levava a pensar com horror; instigada por um forte impulso de sensibilidade afetuosa, no momento seguinte foi até a cadeira de sua irmã e, colocando um braço em volta do pescoço de Elinor e seu rosto perto do dela, disse em voz baixa, mas ansiosa:

— Querida, Elinor, não ligue para elas. Não permita que deixem você infeliz.

Marianne não conseguiu dizer mais nada; com o espírito bastante abatido, escondeu o rosto no ombro de Elinor e irrompeu em lágrimas. Aquilo chamou a atenção geral, e quase todos ficaram preocupados. O coronel Brandon levantou-se e foi até elas sem se dar conta do que fazia. A sra. Jennings, com um sagaz "Ah! Pobrezinha", imediatamente deu seus sais a Marianne, e sir John ficou tão desesperadamente enfurecido com o autor daquela aflição nervosa que imediatamente trocou de assento para perto de Lucy Steele e, num sussurro, fez um breve relato de todo o chocante caso.

Em poucos minutos, porém, Marianne recobrou-se o suficiente para pôr fim à agitação e sentar-se entre os demais, embora seu estado de ânimo se mantivesse a noite inteira sob o impacto do que havia acontecido.

— Pobre Marianne! — disse seu irmão ao coronel Brandon, em voz baixa, assim que conseguiu atrair sua atenção. — Ela não tem a saúde da irmã, está muito nervosa, não tem a constituição de Elinor... E deve-se admitir que é muito difícil para uma jovem que *foi* tão bela perder os encantos pessoais. Você talvez não acredite, mas Marianne *era* incrivelmente bela alguns meses atrás, tão bonita quanto Elinor. Agora, como você vê, tudo se foi.

❧ *Capítulo 35*

A curiosidade de Elinor a respeito da sra. Ferrars havia sido satisfeita. Elinor vira nela tudo que tendia a tornar indesejável uma ligação mais estreita entre as famílias. Tinha visto o suficiente do orgulho, da mesquinhez e do resoluto preconceito da sra. Ferrars contra ela para entender todas as dificuldades que teriam atrapalhado o compromisso e retardado o casamento dela e Edward caso ele fosse livre. Tinha visto quase o suficiente para ser grata pelo próprio bem por um obstáculo maior a preservar de sofrer em decorrência de qualquer outro obstáculo criado pela sra. Ferrars, preservá-la de depender de seus caprichos ou de se preocupar em obter sua aprovação. Concluiu que, se não conseguia se alegrar por Edward estar acorrentado a Lucy, pelo menos *tinha* que se alegrar por Lucy ter sido mais amável.

Elinor admirava-se de que Lucy ficasse tão empolgada com a cortesia da sra. Ferrars, de que o interesse e a vaidade a deixassem cega a ponto de fazê-la ver como um elogio a si mesma a atenção prestada a ela apenas por não ser Elinor – ou que visse como motivo de encorajamento uma preferência que só lhe fora dada porque sua verdadeira situação era desconhecida. Que era assim que Lucy via as coisas não apenas fora declarado por seus olhos na ocasião, como também foi declarado novamente na manhã seguinte de modo mais franco; por desejo de Lucy, que esperava a chance de encontrar Elinor a sós para contar o quanto estava feliz, lady Middleton a deixou em Berkeley Street. Por um feliz acaso, uma mensagem da sra. Palmer logo depois que ela chegou fez a sra. Jennings sair.

— Minha querida amiga — exclamou Lucy assim que ficaram sozinhas —, venho falar da minha felicidade. Será que alguma coisa

Razão & Sensibilidade

poderia ser tão lisonjeira quanto a maneira como a sra. Ferrars me tratou ontem? Ela foi incrivelmente afável! Você sabe como eu sentia medo só de pensar em vê-la, mas, no momento em que fui apresentada, houve tamanha afabilidade em seu comportamento que realmente parece mostrar que ela gostou de mim. Não é mesmo? Você viu tudo, não ficou bastante impressionada?

— Ela com certeza foi muito cortês com você.

— Cortês! Você não viu nada além de cortesia? Eu vi muito mais. Uma gentileza que não coube a ninguém além de mim! Sem orgulho, sem altivez, e sua cunhada também, pura doçura e afabilidade!

Elinor queria falar sobre outra coisa, mas Lucy a pressionou para admitir que tinha motivos para estar feliz, e Elinor foi obrigada a continuar.

— Sem dúvida, se elas soubessem do seu compromisso, nada poderia ser mais lisonjeiro do que o tratamento que dispensaram a você; porém, como não era o caso...

— Imaginei que você diria isso — respondeu Lucy rapidamente —, mas não havia razão alguma para que a sra. Ferrars parecesse gostar de mim se não gostasse, e ela gostar de mim é o máximo. Você não vai me convencer de que não há motivo para minha satisfação. Tenho certeza de que tudo vai acabar bem e de que, ao contrário do que eu pensava, não haverá nenhuma dificuldade. A sra. Ferrars é uma mulher encantadora, sua cunhada também. Ambas são mulheres encantadoras, de fato! Admiro-me de nunca ter ouvido falar sobre o quanto a sra. Dashwood é agradável!

Elinor não tinha resposta para isso e não tentou dar nenhuma.

— Você está doente, srta. Dashwood? Parece abatida. Não está falando, com certeza não está bem.

— Nunca estive melhor de saúde.

— Fico feliz de todo o coração, mas realmente não parece. Lamentaria se você estivesse doente; você, que tem sido o maior conforto deste mundo para mim! Deus sabe o que eu teria feito sem a sua amizade.

Elinor tentou dar uma resposta cortês, embora duvidasse do sucesso. Mas pareceu contentar Lucy, pois ela respondeu imediatamente:

— Na verdade, estou totalmente convencida de sua consideração por mim, e, depois do amor de Edward, é o maior conforto que tenho. Pobre Edward! Mas agora há uma coisa boa: devemos ter condições de nos encontrar, e nos encontrar com frequência, porque lady Middleton está encantada com a sra. Dashwood, de modo que iremos bastante a Harley Street, ouso dizer, e Edward passa a metade do tempo com a irmã; além disso, lady Middleton e a sra. Ferrars agora irão nos visitar, e a sra. Ferrars e sua cunhada foram ambas tão bondosas em dizer mais de uma vez que ficariam sempre contentes em me ver. São mulheres muito encantadoras! Tenho certeza de que, se alguma vez você comentar com sua cunhada o que penso dela, não poderá elogiá-la o suficiente.

Elinor não a encorajou a ter esperanças de que ela fosse contar à cunhada. Lucy continuou:

— Tenho certeza de que teria percebido no mesmo instante caso a sra. Ferrars não tivesse gostado de mim. Se ela tivesse me cumprimentado apenas formalmente, por exemplo, sem dizer uma palavra, sem dar qualquer atenção a mim depois, sem me olhar de forma agradável nenhuma vez, você entende o que quero dizer... se eu tivesse sido tratada de modo refratário, desistiria de tudo em desespero. Não poderia suportar. Pois sei que, quando ela não gosta de algo, expressa de um modo muito violento.

Elinor foi impedida de dar qualquer resposta a esse triunfo cortês, pois naquele momento a porta se abriu, o criado anunciou o sr. Ferrars, e Edward entrou imediatamente.

Razão & Sensibilidade

Foi um momento muito embaraçoso, e o semblante de cada um mostrou isso. Pareceram extremamente ridículos, e Edward parecia ter tanta vontade de sair da sala quanto de entrar. A situação que os três muito ansiosamente desejavam evitar abatera-se sobre eles da forma mais desagradável. Não apenas estavam os três reunidos, como também estavam reunidos sem qualquer outra pessoa para auxiliá-los. As damas se recuperaram primeiro. Não cabia a Lucy tomar a dianteira, e a aparência de sigilo ainda precisava ser mantida. Ela podia, portanto, apenas *aparentar* ternura, e, depois de se dirigir a ele brevemente, não disse mais nada.

Mas Elinor tinha mais a fazer e ficou tão ansiosa, pelo bem dele e dela mesma, de fazê-lo bem que se obrigou, depois de um momento para se recompor, a recebê-lo com uma aparência e uma atitude quase despreocupadas e quase naturais e, com mais luta e mais esforço, aprimorou-as ainda mais. Ela não permitiria que a presença de Lucy ou a consciência de alguma injustiça em relação a si a impedisse de dizer que estava feliz em vê-lo e que lamentava muito não estar em casa quando ele passara por Berkeley Street anteriormente. Ela não deixaria de tratar Edward com as atenções que lhe cabiam como amigo e quase parente por medo dos olhos atentos de Lucy, embora logo percebesse que aqueles olhos a observavam minuciosamente.

O comportamento de Elinor deu certa tranquilidade a Edward, e ele teve coragem suficiente para se sentar, mas seu embaraço ainda excedia o das damas em uma proporção que, embora pudesse ser rara entre os de seu gênero, era razoável tendo em vista a circunstância, pois seu coração não tinha a indiferença do coração de Lucy, nem sua consciência poderia ter a mesma tranquilidade da consciência de Elinor.

Lucy, com um ar recatado e sereno, parecia decidida a não contribuir para o conforto dos outros e não dizia uma palavra; quase tudo o que foi dito partiu de Elinor, obrigada a oferecer todas as informações sobre a saúde de sua mãe, sua vinda para a cidade e tudo o mais que Edward deveria ter perguntado, mas não o fez. Os esforços de Elinor não ficaram nisso: logo depois sentiu-se tão heroicamente disposta e decidida a deixar Lucy e Edward a sós que, sob o pretexto de buscar Marianne, realmente fez isso, e o fez da maneira mais elegante, pois aguardou vários minutos no patamar da escada, com a mais nobre coragem, antes de ir buscar a irmã.

Feito isso, chegou a hora de os arrebatamentos de Edward cessarem, pois a alegria de Marianne a levou rapidamente para a sala de estar. O prazer dela em vê-lo foi como todos os seus sentimentos, intenso em si mesmo e intensamente proferido. Ela o recebeu com uma mão estendida e a voz que expressava o carinho de uma irmã.

— Querido Edward! — exclamou ela. — Que momento de grande felicidade! Quase compensa tudo!

Edward tentou retribuir a gentileza como Marianne merecia, mas, diante daquelas testemunhas, não ousou dizer metade do que realmente sentia. Todos se sentaram e ficaram em silêncio por alguns instantes, enquanto Marianne olhava com a mais eloquente ternura ora para Edward, ora para Elinor, lamentando apenas que o deleite de ambos fosse restringido pela presença indesejável de Lucy. Edward foi o primeiro a falar, e o fez para comentar a alteração na aparência de Marianne e expressar o temor de que ela não tivesse se adaptado a Londres.

— Oh, não pense em mim! — respondeu ela com vivacidade espirituosa, embora os olhos estivessem cheios de lágrimas enquanto falava. — Não pense na minha saúde. Elinor está bem, veja. Isso deve ser o suficiente para nós dois.

A observação não foi calculada para deixar Edward ou Elinor mais à vontade, nem para cativar a boa vontade de Lucy, que olhou para Marianne com uma expressão não muito benigna.

— Você gosta de Londres? — perguntou Edward, disposto a dizer qualquer coisa que pudesse introduzir outro assunto.

— Nem um pouco. Esperava muito prazer aqui, mas não encontrei nenhum. Ver você, Edward, é o único conforto que essa cidade me proporcionou, e, graças a Deus, você é o mesmo de sempre!

Ela fez uma pausa. Ninguém falou.

— Creio, Elinor — acrescentou Marianne —, que devemos solicitar a Edward para que nos acompanhe em nosso retorno a Barton. Suponho que iremos daqui a uma ou duas semanas, e acredito que Edward não ficará muito relutante em aceitar a incumbência.

O pobre Edward murmurou alguma coisa, mas o que foi ninguém entendeu, nem mesmo ele. Marianne, que percebera a agitação de Edward e pôde facilmente atribuí-la ao motivo que mais lhe agradava, ficou perfeitamente satisfeita e logo falou de outra coisa.

— Edward, passamos um dia daqueles em Harley Street ontem! Tão enfadonho, tão terrivelmente enfadonho! Mas tenho muito a lhe contar sobre isso, só não posso contar agora.

E com essa admirável discrição, Marianne adiou até terem mais privacidade as declarações sobre ter considerado seus parentes em comum mais desagradáveis do que nunca e de estar particularmente enojada com a mãe dele.

— Mas por que você não estava lá, Edward? Por que você não compareceu?

— Eu tinha um compromisso em outro lugar.

— Compromisso! Mas que compromisso era esse, quando havia essas amigas para encontrar?

— Talvez, senhorita Marianne — exclamou Lucy, ansiosa para se vingar —, você pense que os rapazes nunca mantenham compromissos, tanto pequenos quanto grandes, caso não tenham interesse em mantê-los.

Elinor ficou muito zangada, mas Marianne pareceu totalmente insensível à provocação, pois respondeu calmamente:

— Na verdade não, pois, falando sério, tenho certeza de que apenas a consciência de Edward o manteve afastado de Harley Street. E realmente acredito que ele tem a consciência mais delicada do mundo, a mais escrupulosa em cumprir cada compromisso, mesmo que insignificante e mesmo que contrário a seu interesse ou prazer. Ele é a pessoa que mais teme causar dor, ferir expectativas, e a mais incapaz de ser egoísta entre todas as que conheço. Edward é assim, e é isso que direi. O quê? Você nunca quer ouvir elogios? Então não deve ser meu amigo, pois aqueles que aceitarem meu amor e estima devem se submeter ao meu franco elogio.

Acontece que, no presente caso, a natureza do elogio de Marianne era particularmente inadequada aos sentimentos de dois terços dos ouvintes e foi tão desestimulante para Edward que ele logo se levantou para ir embora.

— Indo embora tão cedo! — disse Marianne. — Meu querido Edward, não vá.

E, puxando-o um pouco de lado, Marianne sussurrou sua convicção de que Lucy não ficaria por muito mais tempo. Mas até mesmo esse encorajamento falhou, pois ele partiu, e Lucy, que não sairia antes mesmo que a visita dele durasse duas horas, foi embora logo depois.

— O que pode trazê-la aqui com tanta frequência? — perguntou Marianne quando Lucy as deixou. — Ela não podia ver que queríamos que ela fosse embora? Que irritante para Edward!

— Por quê? Somos todas amigas dele, e Lucy é a que ele conhece há mais tempo. É natural que ele goste de vê-la tanto quanto a nós.

Marianne olhou para ela fixamente e disse:

— Elinor, você sabe que esse é um tipo de conversa que não suporto. Se está apenas querendo que sua afirmação seja contestada, como devo

Razão & Sensibilidade

supor que seja o caso, você há de lembrar que sou a última pessoa no mundo que o faria. Não me rebaixo a ser enganada por declarações que não são realmente desejadas.

Ela então saiu da sala, e Elinor não se atreveu a segui-la para dizer algo mais, pois, presa como estava pela promessa de segredo a Lucy, não poderia dar nenhuma informação que pudesse convencer Marianne, e, por mais dolorosas que fossem as consequências de sua irmã permanecer no erro, Elinor era obrigada a se submeter. Tudo o que ela podia esperar era que Edward não expusesse a si mesmo e a ela à angústia de ouvir a cordialidade equivocada de Marianne, nem à repetição de qualquer outra parte do sofrimento que acompanhara o recente encontro – e isso ela tinha todos os motivos para esperar.

Capítulo 36

Poucos dias após esse encontro, os jornais anunciaram ao mundo que a esposa do escudeiro Thomas Palmer havia dado à luz um filho e herdeiro, e tudo transcorrera bem; uma nota muito interessante e satisfatória, pelo menos para todos os conhecidos íntimos que já sabiam do fato.

O acontecimento, muito importante para a felicidade da sra. Jennings, produziu uma alteração temporária na sua disponibilidade de tempo e influenciou na mesma medida os compromissos de suas jovens amigas, pois, como desejava estar o máximo possível com Charlotte, a sra. Jennings ia para lá todas as manhãs assim que se vestia e só voltava tarde da noite, e as senhoritas Dashwood, a pedido expresso dos Middleton, passavam o dia inteiro, todos os dias, em Conduit Street. Para o próprio conforto, prefeririam permanecer na casa da sra. Jennings pelo menos na parte da manhã, mas não era algo no que insistir contra a vontade de todos. Assim, passavam o tempo com lady Middleton e as duas senhoritas Steele, por quem sua companhia de fato era tão pouco valorizada quanto pretensamente solicitada.

As Dashwood tinham muito bom senso para serem companhias desejáveis por lady Middleton, e as Steele, com olhos invejosos, as consideravam intrusas no território delas, compartilhando a gentileza que desejavam monopolizar. Embora nada pudesse ser mais polido do que o comportamento de lady Middleton com Elinor e Marianne, ela realmente não gostava em absoluto das Dashwood. Como não bajulavam nem a ela nem a seus filhos, lady Middleton não conseguia acreditar que tivessem boa índole e, como gostavam de ler, as considerava satíricas, talvez sem saber exatamente o que era ser satírico, mas isso não tinha importância. Era uma censura de uso comum e fácil de aplicar.

A presença delas era uma restrição tanto para lady Middleton quanto para Lucy. Coibia a ociosidade de uma e as atividades da outra. Lady Middleton tinha vergonha de não fazer nada diante delas, e Lucy temia ser desprezada por causa da bajulação que em outras ocasiões tinha orgulho de arquitetar e exercitar. A senhorita Steele era a menos afetada das três pela presença das Dashwood, e estas dispunham do poder de conquistá-la. Se uma delas apenas fizesse um relato completo e minucioso do caso entre Marianne e o sr. Willoughby, ela se consideraria amplamente recompensada pelo sacrifício do melhor lugar junto à lareira após o jantar que a chegada delas ocasionou.

Essa conciliação não foi concedida, pois, embora muitas vezes a srta. Steele proferisse manifestações de pena de Marianne diante de Elinor e mais de uma vez fizesse reflexões sobre a inconstância dos rapazes diante de Marianne, nenhum efeito foi produzido, a não ser um olhar de indiferença da primeira ou de repulsa da última. Um esforço ainda mais brando poderia tornar a srta. Steele amiga das Dashwood. Se apenas gracejassem sobre ela e o doutor! Mas as Dashwood, ainda mais do que os outros, estavam tão pouco inclinadas a agradá-la que, se sir John jantasse fora, a senhorita Steele poderia passar um dia inteiro sem ouvir qualquer outra zombaria sobre o assunto além daquelas que ela era gentil o suficiente para conceder a si mesma.

Todo esse ciúme e descontentamento, no entanto, eram totalmente insuspeitados pela sra. Jennings, que achava encantador as moças ficarem juntas e costumava congratular as jovens amigas todas as noites por terem escapado da companhia de uma velha estúpida por tanto tempo. Ela se reunia às Dashwood às vezes na casa de sir John, às vezes na própria casa; fosse onde fosse, sempre estava de excelente humor, plena de alegria e prestígio, atribuindo o bem-estar de Charlotte aos próprios cuidados e pronta para dar detalhes tão exatos e minuciosos das condições da filha que apenas a srta. Steele tinha curiosidade suficiente para desejá-los.

Uma coisa perturbava a sra. Jennings, e *disso* ela fazia reclamações diárias. O sr. Palmer mantinha a opinião – comum entre o seu gênero, mas nada paternal – de que todas as crianças eram iguais; embora ela pudesse perceber claramente, em diferentes momentos, a mais notável semelhança entre aquele bebê e cada um de seus parentes de ambos os lados, não havia como convencer seu pai disso, nem como persuadi-lo de que aquele não era exatamente igual a todos os outros bebês da mesma idade; tampouco havia como levá-lo a reconhecer a simples proposição de que aquela era a mais bela criança do mundo.

Chego agora ao relato de um infortúnio que se abateu sobre a sra. John Dashwood nessa época. Acontece que, quando suas duas cunhadas a visitaram pela primeira vez em Harley Street com a sra. Jennings, outra de suas conhecidas apareceu – uma circunstância que em si parecia improvável de lhe causar transtorno. Contudo, quando a imaginação das pessoas as leva a formar julgamentos errôneos sobre a conduta alheia e a decidir com base nas aparências, a felicidade de uma pessoa sempre acaba, em certa medida, à mercê do acaso. Nesse episódio, a senhora que chegou depois permitiu que sua fantasia ul-trapassasse a verdade e a probabilidade de tal maneira que, por apenas ouvir o nome das senhoritas Dashwood e entender que eram irmãs do sr. Dashwood, imediatamente concluiu que deveriam estar hospedadas em Harley Street, e esse equívoco resultou, um ou dois dias depois, em convites para elas, bem como para o irmão e a cunhada, para um pequeno sarau musical em sua casa.

Por consequência, a sra. John Dashwood foi obrigada não apenas a se submeter ao grande inconveniente de enviar sua carruagem para buscar as senhoritas Dashwood, mas também, o que era ainda pior, a sujeitar-se a todo o dissabor de parecer tratá-las com atenção – e quem poderia dizer que elas não esperariam sair com ela uma segunda vez? É verdade que ela sempre teria o poder de desapontá-las. Mas isso não

Razão & Sensibilidade

bastava, pois, quando as pessoas estão decididas a seguir uma conduta que sabem ser errada, sentem-se ofendidas pela expectativa de algo melhor da parte delas.

Marianne gradativamente habituara-se a sair todos os dias, de tal modo que para ela se tornou indiferente sair ou não; todas as noites arrumava-se em silêncio e mecanicamente para os compromissos, ainda que sem esperar a menor diversão em qualquer um e muitas vezes sem saber aonde iria até o último momento. Ela se tornou tão indiferente a seus trajes e à sua aparência que, durante toda a sua toalete, não lhes dava a metade da atenção que recebia depois de pronta da srta. Steele nos primeiros cinco minutos em que estavam juntas. Nada escapava de *sua* observação minuciosa e curiosidade geral, a srta. Steele via tudo e perguntava tudo, jamais sossegava até saber o preço de cada peça do traje de Marianne, poderia adivinhar o número de vestidos que Marianne tinha com maior precisão do que a própria, não sem esperança de descobrir, antes que se separassem, quanto gastava semanalmente com lavanderia e quanto tinha para os gastos anuais em despesas pessoais.

Além disso, a impertinência desse tipo de escrutínio costumava ser concluída com um elogio que, embora pretendesse ser um agrado, era considerado por Marianne a maior impertinência de todas, pois, depois de aguentar a inspeção do valor e da confecção de seu vestido, da cor dos sapatos e do penteado, ela tinha quase certeza de ouvir: "Palavra de honra, está elegantíssima, e ouso dizer que fará muitas conquistas". Com um encorajamento desse tipo, Marianne rumou na presente ocasião para a carruagem de seu irmão, na qual ela e Elinor estavam prontas para embarcar cinco minutos depois de o veículo ter chegado, uma pontualidade não muito agradável para a cunhada, que fora antes para a casa de sua conhecida e lá esperava algum atraso da parte delas que pudesse ser incômodo para si ou seu cocheiro.

Os acontecimentos da noite não foram muito notáveis. O encontro, como outros saraus musicais, reuniu muitas pessoas que tinham verdadeiro gosto pela apresentação e muitas outras mais que não tinham nenhum; como sempre, os músicos eram, na avaliação deles mesmos e de seus amigos mais próximos, os melhores artistas privados da Inglaterra.

Como Elinor não era musical, nem fingia ser, não tinha o menor escrúpulo em desviar os olhos do pianoforte de cauda sempre que lhe convinha e, não constrangida nem sequer pela presença de uma harpa e de um violoncelo, fitava ao bel-prazer qualquer outro objeto na sala. Em um desses olhares divagantes, avistou entre um grupo de rapazes aquele que lhe dera uma aula sobre estojos de palitos de dente na Gray's. Logo depois ela notou que ele a olhava enquanto conversava com intimidade com seu irmão, e tinha acabado de decidir saber quem era ele por intermédio deste quando os dois vieram em sua direção, e o sr. Dashwood o apresentou como sr. Robert Ferrars.

Ele se dirigiu a ela com uma cortesia descontraída e curvou a cabeça em uma reverência que assegurou tão categoricamente quanto as palavras poderiam tê-lo feito que era exatamente o janota que ouvira Lucy descrever. Que bom seria para Elinor se seu afeto por Edward dependesse menos do mérito dele do que do mérito de seus parentes mais próximos! Pois assim a reverência de seu irmão teria dado o golpe final para o azedume que a mãe e a irmã haviam inspirado. Contudo, enquanto Elinor se intrigava com a diferença entre os dois rapazes, não percebeu a vaidade fútil de um a afastar de toda a apreciação da modéstia e do valor do outro.

"Por que eles eram diferentes?", exclamou Robert no decorrer de uma conversa de um quarto de hora. Falando do irmão e lamentando a extrema falta de tato que realmente acreditava impedir Edward de se misturar na boa sociedade, ele sincera e generosamente atribuiu o fato muito menos a qualquer deficiência natural do que ao infortúnio de uma educação particular; enquanto ele mesmo, provavelmente sem qualquer particularidade, sem qualquer superioridade real inata, meramente pela vantagem de uma escola pública, era muito apto a se misturar no mundo como qualquer outro homem.

— Juro por minha alma — acrescentou ele —, não creio que seja nada mais e sempre digo isso à minha mãe, quando ela se lamenta a respeito. "Minha querida senhora", sempre digo a ela, "você deve se acalmar. O dano agora é irremediável e foi inteiramente causado pela senhora. Por que foi persuadida por meu tio, sir Robert, contra seu próprio julgamento, a colocar Edward em ensino particular no momento mais crítico da vida dele? Se o tivesse mandado para Westminster, assim como eu, em vez de mandá-lo para a casa do sr. Pratt, tudo isso teria sido evitado." Sempre considerei o assunto dessa maneira, e minha mãe está totalmente convencida de seu erro.

Elinor não se opôs à opinião dele porque, qualquer que fosse sua avaliação geral das vantagens de uma escola pública, não conseguia pensar na permanência de Edward com a família do sr. Pratt com qualquer satisfação.

— Você mora em Devonshire, acredito — foi a observação seguinte dele —, em um chalé perto de Dawlish.

Elinor o corrigiu quanto à localização, e pareceu bastante surpreendente para ele que alguém pudesse morar em Devonshire sem ser perto de Dawlish. Todavia, ele concedeu sua sincera aprovação ao tipo de casa delas.

— De minha parte — disse ele —, gosto demais de um chalé, são sempre tão confortáveis e elegantes. E afirmo que, se tivesse algum dinheiro de sobra, compraria um pequeno terreno e construiria um chalé para mim a curta distância de Londres, para onde pudesse me dirigir a qualquer hora, reunir alguns amigos e ser feliz. Aconselho a toda pessoa que vai construir, que construa um chalé. Meu amigo lord

Courtland veio outro dia com o propósito de pedir meu conselho e expôs três projetos diferentes de Bonomi. Eu deveria decidir qual o melhor. "Meu caro Courtland", disse eu, lançando-os todos ao fogo na mesma hora, "não escolha nenhum deles, mas construa um chalé." Suponho que assim será. Algumas pessoas imaginam que não pode haver comodidade e espaço em um chalé, mas isso tudo é um erro. No mês passado estive na casa de meu amigo Elliott, perto de Dartford. Lady Elliott queria fazer um baile. "Mas como?", perguntou ela. "Meu caro Ferrars, diga-me como organizar. Não há um cômodo neste chalé que comporte dez casais, e onde poderia ser a ceia?" Percebi imediatamente que não haveria dificuldade, então respondi: "Minha querida lady Elliott, não se preocupe. A sala de jantar comporta dezoito casais com facilidade, as mesas de jogo podem ser colocadas na sala de estar, a biblioteca pode ser aberta para o chá e outros lanches, e deixe a ceia ser servida no salão". Lady Elliott ficou maravilhada com a ideia. Medimos a sala de jantar e descobrimos que comportaria exatamente dezoito casais, e o evento foi arranjado exatamente de acordo com meu plano. Desse modo, veja que, se as pessoas souberem como agir, podem desfrutar de todo o conforto tanto em chalé quanto na mais espaçosa habitação.

Elinor concordou com tudo, pois achou que ele não merecia o elogio de uma oposição racional.

Como John Dashwood não tinha mais prazer na música do que sua irmã mais velha, sua mente permaneceu igualmente livre para se fixar em qualquer outra coisa, e durante a noite ocorreu-lhe um pensamento que comunicou à esposa, para sua aprovação, quando chegaram em casa. A reflexão sobre o equívoco da sra. Dennison ao supor que suas irmãs eram suas hóspedes sugeria ser adequado que realmente fossem convidadas para tal enquanto os compromissos da sra. Jennings a mantivessem longe de casa. A despesa não seria nada, o incômodo, tampouco, e era uma atenção que a sensibilidade de sua consciência

Razão & Sensibilidade

apontava como necessária para sua completa emancipação da promessa feita ao pai. Fanny ficou surpresa com a proposta.

— Não vejo como isso possa ser feito — disse ela — sem afrontar lady Middleton, pois elas passam todos os dias com ela; do contrário, ficaria extremamente feliz em fazê-lo. Você sabe que estou sempre pronta para prestar-lhes qualquer atenção em meu poder, como mostra o fato de tê-las levado comigo esta noite. Mas elas são convidadas de lady Middleton. Como posso pedir para que se afastem dela?

Seu marido, ainda que com grande humildade, não viu força na objeção.

— Elas já passaram uma semana em Conduit Street, e lady Middleton não poderia ficar descontente por elas concederem o mesmo número de dias para parentes tão próximos.

Fanny parou por um momento, então, com vigor renovado, disse:

— Meu amor, eu as convidaria de todo o coração, se estivesse em meu poder. Mas tinha acabado de decidir que pediria às senhoritas Steele que passassem alguns dias conosco. Elas são muito bem comportadas, boas moças, e acho que essa atenção lhes é devida, pois o tio delas fez muito por Edward. Podemos convidar suas irmãs em algum outro ano, você sabe, mas as senhoritas Steele podem não estar mais na cidade. Tenho certeza de que você vai gostar delas, na verdade, você já gosta muito, como sabe, assim como minha mãe, e elas são as favoritas de Harry!

O sr. Dashwood ficou convencido. Viu a necessidade de convidar as senhoritas Steele imediatamente, e sua consciência foi pacificada pela resolução de convidar suas irmãs em outro ano, ao mesmo tempo, porém, astutamente suspeitando que mais um ano tornaria o convite desnecessário, pois Elinor viria para a cidade como esposa do coronel Brandon, e Marianne, como hóspede deles.

Fanny, regozijando-se com sua evasiva e orgulhosa rapidez e sagacidade, escreveu para Lucy na manhã seguinte, pedindo sua companhia e a da irmã por alguns dias em Harley Street, assim que lady Middleton pudesse dispensá-las. Foi o suficiente para deixar Lucy real e sensatamente feliz. A sra. Dashwood parecia de fato trabalhar em favor dela, acalentando todas as suas esperanças e promovendo todos os seus planos! Essa oportunidade de estar com Edward e sua família era, acima de tudo, da maior importância para os seus interesses, e tal convite era o mais gratificante para seus sentimentos. Era uma vantagem que não poderia ser aceita com gratidão excessiva nem aproveitada com excessiva rapidez; e a visita a lady Middleton, que antes não tinha um prazo específico, de repente foi vista como sempre tendo sido planejada para terminar em dois dias.

Quando o bilhete foi mostrado a Elinor dez minutos depois de ter chegado, fez com que esta compartilhasse pela primeira vez de parte das expectativas de Lucy, pois tal sinal de incomum gentileza concedido a uma conhecida tão recente parecia declarar que a boa vontade com Lucy surgia de algo mais do que meramente o rancor contra ela e, com tempo e jeito, poderia levar a tudo que Lucy desejava. Sua lisonja já havia subjugado o orgulho de lady Middleton e proporcionado uma entrada no coração fechado da sra. John Dashwood, e esses resultados deixavam em aberto a probabilidade de resultados ainda maiores.

As senhoritas Steele mudaram-se para Harley Street, e tudo o que chegou a Elinor a respeito de sua influência reforçou a expectativa do que se sucederia. Sir John, que as visitou lá mais de uma vez, fez relatos completamente impressionantes sobre as boas graças de que desfrutavam. Nunca em sua vida a sra. Dashwood estivera tão satisfeita com nenhuma moça quanto estava com elas; dera a cada uma um estojo de agulhas feito por algum emigrante, chamava Lucy pelo nome de batismo e não sabia se algum dia seria capaz de se separar delas.

✼ *Capítulo 37*

A sra. Palmer estava tão bem ao final de uma quinzena que sua mãe sentiu que não era mais necessário ceder todo o seu tempo a ela e, contentando-se em visitar a filha uma ou duas vezes por dia, voltou para a própria casa e os próprios hábitos, encontrando as senhoritas Dashwood muito dispostas a retomar a rotina anterior.

Na terceira ou quarta manhã após estarem assim reinstaladas em Berkeley Street, a sra. Jennings, ao retornar de sua visita habitual à sra. Palmer, entrou na sala de estar onde Elinor estava sentada sozinha com um ar de tamanha importância e urgência que a preparou para ouvir algo admirável e, dando-lhe tempo apenas para formular essa ideia, começou a justificá-la de imediato, dizendo:

— Minha querida srta. Dashwood! Já sabe da novidade?

— Não, senhora. O que é?

— Algo muito estranho! Mas você ouvirá tudo. Quando cheguei à casa do sr. Palmer, encontrei Charlotte muito nervosa com a criança. Ela tinha certeza de que o filho estava muito doente. Ele chorava, estava agitado, e tinha bolinhas vermelhas por todo o corpo. Olhei e disse: "Minha querida, não é nada, apenas uma irritação na pele", e a enfermeira disse o mesmo. Mas Charlotte não se deu por satisfeita, então o sr. Donavan foi chamado e felizmente tinha acabado de chegar de Harley Street, então veio imediatamente e, assim que viu a criança, disse exatamente o mesmo que nós, que não era nada, apenas uma irritação cutânea, e Charlotte então sossegou. Quando ele estava de saída, me veio à mente, por certo não sei como pensei nisso, mas me veio à mente perguntar a ele se havia alguma novidade. Com isso ele deu um sorriso tolo e afetado, olhou sério e pareceu saber de algo; por fim disse em um sussurro: "Por receio de que qualquer notícia desagradável a respeito da indisposição da cunhada chegue às moças que estão aos seus cuidados, acho aconselhável dizer que creio não haver grandes motivos para alarme, espero que a sra. Dashwood fique muito bem".

— O quê? Fanny está doente?

— Foi exatamente o que eu disse, minha querida: "Senhor! A sra. Dashwood está doente?". Então tudo veio à tona, e, pelo que pude entender, o resumo de uma longa história parece ser o seguinte: o sr. Edward Ferrars, o rapaz a respeito de quem eu costumava brincar com você, mas que agora fico imensamente feliz por nunca ter havido nada de verdade naquilo, o sr. Edward Ferrars, ao que parece, está comprometido com minha prima Lucy há mais de um ano! Veja só isso, minha querida! E ninguém sabia uma sílaba do assunto, exceto Nancy! Você poderia acreditar que tal coisa fosse possível? Não me causa muito espanto que gostem um do outro, mas que a coisa entre eles fosse tão longe e ninguém suspeitasse! *Isso* é estranho! Nunca aconteceu de vê-los juntos, ou tenho certeza de que eu teria descoberto na hora. Bem, foi tudo mantido em grande segredo por medo da sra. Ferrars, e nem ela, nem seu irmão ou sua cunhada suspeitavam de nada, até que na manhã de hoje a pobre Nancy, que, você sabe, é uma criatura bem-intencionada, mas não é discreta, contou tudo. "Senhor!", pensou ela, "todos gostam tanto de Lucy, com certeza não terão nenhuma objeção", e então foi até sua cunhada, que estava sentada sozinha bordando um tapete, sem suspeitar do que estava por vir – pois ela acabara de dizer a seu irmão, apenas cinco minutos antes, que pensava em fazer o casamento de Edward com a filha de algum lord ou algo assim, não me lembro quem. Então, você pode imaginar que golpe foi isso para sua vaidade e orgulho. Caiu em violenta histeria no mesmo instante, com gritos que chegaram aos ouvidos de seu irmão, que estava em seu quarto de vestir no andar de baixo, pensando em escrever uma carta para seu intendente no interior.

Ele veio voando, e houve uma cena terrível, pois àquela altura Lucy já havia chegado sem sonhar com o que se passava. Pobre alma! Tenho pena dela. E devo dizer que acho que ela foi muito maltratada, pois sua cunhada a repreendeu com tanta fúria que logo a levou a um desmaio. Nancy caiu de joelhos e chorou amargamente, e seu irmão andava pela sala e dizia não saber o que fazer. A sra. Dashwood declarou que elas não deveriam ficar mais um minuto na casa, e seu irmão foi forçado a se ajoelhar também, para persuadi-la a deixá-las ficar até que tivessem feito as malas. Então ela voltou a ficar histérica, e ele ficou tão assustado que mandou chamar o sr. Donavan, que encontrou a casa nesse alvoroço. A carruagem estava à porta, pronta para levar minhas pobres primas embora, e elas estavam embarcando quando ele saiu, a pobre Lucy em tal condição, disse ele, que mal conseguia andar, e Nancy quase tão mal quanto a irmã. Declaro que não tenho paciência com sua irmã e espero, de todo o coração, que haja o casamento, apesar dela. Senhor! Como o pobre sr. Edward ficará quando souber disso! Ter sua amada tratada com tanto desprezo! Pois dizem que ele gosta muitíssimo dela, e deve ser mesmo. Eu não me espantaria se ele sentisse a maior paixão! E o sr. Donavan pensa da mesma forma. Eu e ele conversamos muito a respeito, e o melhor de tudo é que ele voltou para Harley Street, para estar por perto quando a sra. Ferrars souber do fato, pois ela foi chamada assim que minhas primas deixaram a casa, e sua irmã tinha certeza de que ela também ficaria histérica – por mim, que fique, pouco me importa. Não tenho pena de nenhuma delas. Não entendo pessoas que fazem tanto alarde por causa de dinheiro e grandeza. Não há nenhuma razão neste mundo para que o sr. Edward e Lucy não se casem, pois tenho certeza de que a sra. Ferrars pode se dar ao luxo de manter seu filho muito bem, e, embora Lucy não tenha quase nada, ela sabe melhor do que ninguém como tirar o máximo de tudo; ouso dizer que, se a sra. Ferrars cedesse apenas quinhentas libras por ano, Lucy manteria uma aparência tão boa quanto outras teriam com oitocentas. Senhor! Eles podem viver aconchegados em um chalé como o de vocês – ou um pouco maior – com duas criadas e dois empregados; acredito que poderia ajudá-los com uma empregada, pois minha Betty tem uma irmã desempregada que lhes serviria perfeitamente.

Nisso a sra. Jennings parou, e, como Elinor tivera tempo suficiente para organizar seus pensamentos, foi capaz de dar uma resposta e fazer as observações que o assunto naturalmente deveria produzir. Feliz por verificar que não era suspeita de nenhum interesse extraordinário no episódio, que a sra. Jennings (como ultimamente muitas vezes Elinor esperava que fosse o caso) havia deixado de imaginá-la ligada a Edward e feliz acima de tudo pela ausência de Marianne, Elinor sentia-se muito apta a falar do caso sem constrangimento e de opinar, como acreditava, com imparcialidade sobre a conduta de todos os envolvidos.

Ela mal podia determinar qual era realmente sua expectativa em relação ao acontecimento, embora se empenhasse seriamente em afastar a ideia de que seria possível terminar de outra forma que não no casamento de Edward e Lucy. Estava ansiosa para saber o que a sra. Ferrars diria e faria, embora não pudesse haver dúvida quanto à natureza, e mais ansiosa ainda para saber como Edward se comportaria. Elinor sentiu muita compaixão por ele; por Lucy, muito pouca, e custou-lhe certo trabalho arranjar esse pouco; pelo restante dos envolvidos, absolutamente nenhuma.

Como a sra. Jennings não conseguia falar sobre outro assunto, Elinor logo percebeu a necessidade de preparar Marianne para a discussão. Não havia tempo a perder em abrir-lhe os olhos, em fazê-la familiarizar-se com a verdade e em se esforçar para que ela conseguisse ouvir falar do caso por outros sem revelar qualquer mal-estar por sua irmã ou qualquer ressentimento em relação a Edward.

Razão & Sensibilidade

O dever de Elinor era doloroso. Ela removeria o que realmente acreditava ser o principal consolo de sua irmã, para fornecer detalhes sobre Edward que temia que arruinassem para sempre a boa opinião que Marianne tinha dele e fazer com que ela sentisse toda a sua decepção outra vez por causa da semelhança nas situações, que a fantasia dela consideraria forte. Porém, por mais indesejável que fosse a tarefa, era necessária, e Elinor, portanto, apressou-se em executá-la.

Ela nem de longe desejava alongar-se nos próprios sentimentos ou retratar-se como sofrendo muito; pelo contrário, queria que o auto-controle que exercera desde que soubera do compromisso de Edward sugerisse a Marianne o que era praticável. Seu relato foi claro e simples; embora não pudesse ser feito sem emoção, não foi acompanhado de agitação violenta, nem dor impetuosa. Isso coube à ouvinte, pois Marianne ouviu com horror e chorou copiosamente. Elinor consolava os outros nas suas próprias aflições não menos do que nas deles, e todo o conforto que podia ser dado mediante a própria compostura mental e uma defesa muito sincera contra qualquer acusação a Edward, exceto de imprudência, foi prontamente oferecido.

Mas Marianne por algum tempo não deu crédito a nenhuma das duas coisas. Edward parecia um segundo Willoughby, e como Elinor, que reconhecera que o amava muito sinceramente, poderia sentir menos do que ela? Quanto a Lucy Steele, Marianne a considerava tão totalmente desagradável, tão absolutamente incapaz de se relacionar com um homem sensato que de início não pôde ser convencida a acreditar e depois a perdoar qualquer afeição anterior de Edward por ela. Marianne nem sequer admitia que isso fosse algo natural, e Elinor deixou que a irmã fosse convencida de que assim era pela única coisa que poderia convencê-la: um melhor conhecimento da humanidade.

O primeiro relato não foi além de informar sobre o compromisso e há quanto tempo este existia. Os sentimentos de Marianne irromperam e puseram fim a toda ordem de detalhes; por algum tempo tudo o que pôde ser feito foi acalmar sua angústia, diminuir sua agitação e combater seu ressentimento. A primeira pergunta, que levou a mais detalhes, foi a seguinte:

— Há quanto tempo você sabia disso, Elinor? Ele escreveu para você?

— Sei disso há quatro meses. Quando Lucy esteve em Barton Park pela primeira vez, em novembro passado, ela me contou confidencialmente sobre o compromisso.

Ante essas palavras, os olhos de Marianne expressaram o espanto que seus lábios não conseguiram proferir. Depois de uma pausa em assombro, ela exclamou:

— Quatro meses! Você sabia disso há quatro meses?

Elinor confirmou.

— O quê? Enquanto cuidava de mim em toda a minha miséria, isso estava em seu coração? E eu a repreendi por ser feliz!

— Não cabia que na época você soubesse o quanto era o contrário!

— Quatro meses! — exclamou Marianne de novo. — Tão calma! Tão alegre! Em que você se apoiou?

— Senti que estava cumprindo meu dever. Minha promessa a Lucy me obrigava a manter segredo. Eu devia a ela, portanto, evitar dar qualquer pista da verdade e devia a minha família e meus amigos não criar uma preocupação a meu respeito que não estivesse em meu poder resolver.

Marianne parecia muito impressionada.

— Muitas vezes desejei esclarecer tudo para você e nossa mãe — acrescentou Elinor —, e uma ou duas vezes tentei, mas sem trair minha promessa eu nunca conseguiria convencê-las.

— Quatro meses! E ainda assim você o amava!

— Sim. Mas não amava apenas Edward, e, como o conforto de outros era valioso para mim, fiquei feliz em poupá-los de saber o que eu sentia. Agora posso pensar e falar sobre isso com pouca emoção. Não quero que você sofra por minha causa, pois asseguro-lhe que não sofro mais de modo significativo. Tenho muitas coisas para me amparar. Tenho a consciência de ter não causado decepção por qualquer imprudência, tenho suportado tanto quanto possível, sem espalhar mais. Absolvi Edward de má conduta essencial. Desejo-lhe muitas felicidades e estou tão certa de que ele cumprirá seu dever que, embora agora possa nutrir algum pesar, por fim ele deve ficar feliz. A Lucy não falta bom senso, e essa é a base sobre a qual tudo de bom pode ser construído. E afinal de contas, Marianne, apesar de tudo o que é fascinante na ideia de um afeto único e constante e de tudo o que se possa dizer sobre a felicidade de alguém depender inteiramente de qualquer pessoa em particular, isso não é assim... não é adequado... não é possível que seja assim. Edward vai se casar com Lucy, ele se casará com uma mulher superior à metade de seu gênero em aparência e entendimento; o tempo e o hábito irão ensiná-lo a esquecer que alguma vez considerou outra superior a ela.

— Se essa é sua maneira de pensar — disse Marianne —, se a perda do que há de mais valioso é tão facilmente compensada por outra coisa, sua resolução, seu autocontrole, são, talvez, um pouco menos admiráveis. Ficam mais próximos de minha compreensão.

— Entendo. Você não supõe que eu já tenha sentido muito. Por quatro meses, Marianne, tive tudo isso pairando sobre a minha mente, sem liberdade de falar a respeito com uma única pessoa, sabendo que deixaria você e nossa mãe muito infelizes quando contasse, e ainda assim impossibilitada de ao menos prepará-las. A história me foi contada... de certa maneira me foi imposta pela própria pessoa cujo compromisso anterior arruinou todas as minhas perspectivas... e contada, penso eu, em triunfo. Portanto, tive de fazer frente às suspeitas dessa pessoa, esforçando-me para parecer indiferente ao que mais profundamente me interessava – e não foi apenas uma vez, tive de ouvir vezes e mais vezes suas esperanças e regozijo. Eu soube que estava separada de Edward para sempre sem ouvir uma coisa que pudesse me fazer desejar menos o relacionamento. Nada provou que ele fosse indigno, nada o declarou indiferente a mim. Tive de lutar contra a rispidez da irmã dele e a insolência de sua mãe e sofrer castigos por um afeto sem gozar de suas vantagens. E tudo isso vinha acontecendo no momento em que, como você bem sabe, essa não era a minha única infelicidade. Se você consegue me imaginar capaz de algum sentimento... por certo pode supor que sofro *agora*. A compostura com que no presente me obrigo a considerar o assunto, o consolo que estou disposta a admitir, são o resultado de um esforço constante e doloroso, não brotaram por si, de início não existiam para aliviar meu espírito. Não, Marianne. Então, se eu não tivesse sido obrigada ao silêncio, talvez nada pudesse ter me impedido... nem mesmo aquilo que eu devia aos meus mais queridos amigos... de mostrar abertamente que eu estava muito infeliz.

Marianne ficou bastante abatida.

— Oh! Elinor — exclamou ela —, você fez com que eu me odeie para sempre. Como tenho sido bárbara com você! Você, que tem sido meu único conforto, que me suportou em toda a minha miséria, que parecia estar sofrendo apenas por mim! É essa a minha gratidão? É a única retribuição que posso lhe dar? Porque seu mérito é gritante, tenho tentado eliminá-lo.

As mais ternas carícias sucederam-se a essa confissão. Com o estado de espírito em que Marianne agora se encontrava, Elinor não teve dificuldade de obter dela as promessas que se faziam necessárias, e a seu pedido Marianne se comprometeu a nunca falar sobre o caso com a menor aparência de amargura, a encontrar Lucy sem trair o menor aumento de antipatia por ela e até mesmo a ver Edward, se por acaso se encontrassem, sem diminuir sua habitual cordialidade. Eram grandes

Razão & Sensibilidade

concessões, mas, quando Marianne sentia que havia ferido alguém, nenhuma reparação era demais para ela.

Marianne cumpriu de modo admirável a promessa de ser discreta. Ouviu tudo o que a sra. Jennings tinha a dizer sobre o assunto com aparência imperturbável, não discordou dela em nada e por três vezes ouviram-na dizer: "Sim, senhora". Ouviu os elogios a Lucy apenas trocando de uma cadeira para outra, e, quando a sra. Jennings falou sobre o afeto de Edward, isso custou-lhe apenas um espasmo na garganta. Tais avanços da irmã rumo ao heroísmo faziam Elinor sentir-se invencível.

A manhã seguinte trouxe nova prova disso com a visita de seu irmão, que chegou com o semblante muito sério para falar do terrível acontecimento e dar notícias de sua esposa.

— Vocês ouviram falar, suponho — disse ele com grande solenidade assim que se sentou —, da chocante descoberta ocorrida sob nosso teto ontem.

Todas concordaram com o olhar, parecia um momento horrível demais para falar.

— Sua cunhada — continuou ele — sofreu terrivelmente. A sra. Ferrars também... em suma, foi uma cena de angústia muito desconcertante, mas espero que a tempestade possa ser superada sem que nenhum de nós seja totalmente vencido. Pobre Fanny! Estava histérica ontem. Mas eu não queria alarmá-las. Donavan diz que não há nada grave a temer, a saúde de Fanny é boa e sua resolução é incomparável. Suportou tudo com a força de um anjo! Diz que nunca mais pensará bem de ninguém, e não é de se estranhar depois de ser tão enganada! Deparar com tanta ingratidão onde tanta bondade foi demonstrada, tanta confiança foi depositada! Foi por pura benevolência de seu coração que ela convidou aquelas moças à sua casa, simplesmente porque achou que mereciam alguma atenção, eram moças inofensivas, bem comportadas, e seriam companhias agradáveis; pois, do contrário, ambos gostaríamos muito de ter convidado você e Marianne para ficar conosco enquanto sua amável amiga estava cuidando da filha. E agora essa recompensa! Com seu estilo afetuoso, a pobre Fanny disse: "Gostaria, de todo o coração, que tivéssemos convidado suas irmãs em vez delas".

Dito isso, continuou.

— Não há como descrever o que a pobre sra. Ferrars sofreu quando Fanny lhe contou. Enquanto ela, com o mais verdadeiro afeto, planejava uma união mais adequada para ele, seria de se supor que Edward poderia estar o tempo todo secretamente comprometido com outra pessoa? Tal suspeita nunca poderia ter passado por sua cabeça! Se ela suspeitasse de qualquer outra inclinação, não poderia ser aquela. "*Ali* com certeza", disse ela, "eu pensava estar segura." Ela ficou em grande agonia. Discutimos o que deveria ser feito, e por fim ela decidiu mandar chamar Edward. Ele veio. Mas lamento relatar o que se seguiu. Tudo o que a sra. Ferrars poderia dizer para fazê-lo pôr fim ao compromisso, acompanhado, como vocês bem podem supor, pelos meus argumentos e pelas súplicas de Fanny, de nada adiantou. O dever, o afeto, tudo foi desconsiderado. Nunca pensei que Edward fosse tão teimoso, tão insensível. A mãe explicou seus planos liberais caso ele se casasse com a srta. Morton, disse que lhe daria a propriedade de Norfolk, que, descontados os impostos, rende mil libras por ano; quando a situação se tornou desesperadora, ofereceu até mil e duzentas libras; caso contrário, se ele ainda persistisse nessa união inferior, descreveu a penúria que por certo acompanhará o enlace. Anunciou que as duas mil libras que ele possui seriam tudo o que ele receberia, que ela jamais o veria de novo, e, longe de lhe proporcionar o menor auxílio, caso Edward se dedicasse a alguma profissão com vistas a um melhor sustento, ela faria tudo ao seu alcance para impedi-lo de progredir em tal profissão.

Marianne, em êxtase de indignação, apertou as mãos e gritou:

— Deus do céu! Não é possível!

Razão & Sensibilidade

— Bem, você pode se admirar, Marianne — respondeu o irmão —, com a obstinação capaz de resistir a argumentos como esses. Sua exclamação é muito natural.

Marianne ia retrucar, mas se lembrou de suas promessas e se absteve.

— Entretanto — prosseguiu ele —, todos esses argumentos foram em vão. Edward falou muito pouco, mas falou da maneira mais decidida. Nada prevaleceria para que renunciasse ao compromisso. Ele o manteria, custasse o que custasse.

— Então — exclamou a sra. Jennings com brusca sinceridade, sem condições de continuar em silêncio —, ele agiu como um homem honesto! Peço-lhe desculpas, sr. Dashwood, mas, se Edward tivesse agido de outra forma, eu o consideraria um patife. Tenho certo interesse pelo assunto, assim como você, pois Lucy Steele é minha prima, e não acredito que exista moça melhor no mundo, nem que mereça mais um bom marido.

John Dashwood ficou atônito, mas sua natureza era calma, não propensa a provocações, e ele nunca desejava ofender ninguém, especialmente alguém de grande fortuna. Portanto, sem qualquer ressentimento, respondeu:

— De forma alguma eu falaria desrespeitosamente de qualquer parente seu, senhora. A senhorita Lucy Steele é, ouso dizer, uma moça muito merecedora, mas, no presente caso, como sabe, a união é impossível. Ter firmado um compromisso secreto com um jovem sob os cuidados de seu tio, filho de uma mulher de tão grande fortuna como a sra. Ferrars, é, talvez, um tanto extraordinário. Em suma, sra. Jennings, não pretendo refletir sobre o comportamento de nenhuma pessoa por quem a senhora tenha consideração. Todos nós desejamos que a srta. Lucy Steele seja extremamente feliz, e a conduta da sra. Ferrars foi aquela que toda mãe consciensiosa e boa, em circunstâncias semelhantes, adotaria. Foi digna e liberal. Edward traçou o próprio destino, e temo que seja um destino ruim.

Marianne suspirou em apreensão semelhante, e o coração de Elinor confrangeu-se pelos sentimentos de Edward por uma mulher que não poderia recompensá-lo enquanto ele enfrentava as ameaças da mãe.

— Bem, senhor — disse a sra. Jennings —, e como isso acabou?

— Lamento dizer, senhora, que em uma ruptura muito infeliz: Edward está dispensado para sempre das atenções de sua mãe. Ele deixou a casa ontem, mas, para onde foi ou se ainda está na cidade, não sei, pois *nós*, é claro, não podemos indagar.

— Pobre rapaz! E o que será dele?

— De fato, senhora, o quê! É um pensamento melancólico. Nascido com a perspectiva de tanta riqueza! Não posso conceber situação mais deplorável. Juros de duas mil libras – como um homem pode viver com isso? E quando a isso se soma a lembrança de que ele poderia, não fosse a própria tolice, receber duas mil e quinhentas libras por ano daqui a três meses – pois a srta. Morton tem trinta mil libras –, não consigo imaginar uma condição mais miserável. Todos sentimos muito por ele, ainda mais que está totalmente fora de nosso alcance ajudá-lo.

— Pobre rapaz! — exclamou a sra. Jennings. — Com certeza ele seria muito bem-vindo para dormir e comer em minha casa, e é o que lhe diria se o visse. Não é adequado que ele agora viva por aí, por conta própria, em estalagens e tavernas.

O coração de Elinor agradeceu-lhe por tamanha bondade com Edward, embora ela não pudesse deixar de sorrir pela forma como foi dito.

— Se ele apenas tivesse feito por si — disse John Dashwood — o que todos os seus amigos estavam dispostos a fazer por ele, poderia agora estar na situação que lhe era adequada e não precisaria de nada. Mas, do jeito que é agora, está fora do alcance de qualquer um ajudá-lo. E há mais uma coisa em curso contra ele, que deve ser a pior de todas: sua

Razão & Sensibilidade

mãe decidiu, com um espírito muito natural, transferir imediatamente para Robert aquela propriedade que poderia ter sido de Edward em circunstâncias adequadas. Eu a deixei nesta manhã com o advogado tratando do assunto.

— Bem! — disse a sra. Jennings. — Essa é a vingança dela. Cada um faz as coisas à sua maneira. Mas não acho que a minha seria tornar um filho independente porque outro me atormentou.

Marianne se levantou e ficou caminhando pela sala.

— Pode haver algo mais irritante para o espírito de um homem — continuou John — do que ver o irmão mais novo de posse de uma propriedade que poderia ser sua? Pobre Edward! Sinto sinceramente por ele.

Passados mais alguns minutos no mesmo tipo de manifestação, encerrou-se a visita. Com repetidas garantias às irmãs de que realmente acreditava não haver perigo na indisposição de Fanny e de que elas, portanto, não precisavam ficar muito preocupadas, John Dashwood foi embora, deixando as três damas unânimes nos sentimentos sobre a atual situação, pelo menos no que se referia à conduta de sra. Ferrars, aos Dashwood e a Edward.

A indignação de Marianne explodiu assim que ele saiu da sala; como sua veemência tornava as reservas impossíveis para Elinor e desnecessárias para a sra. Jennings, todas se uniram em uma crítica vigorosa aos envolvidos.

✿ *Capítulo 38*

A sra. Jennings elogiou com grande entusiasmo a conduta de Edward, mas apenas Elinor e Marianne compreenderam seu verdadeiro mérito. Só *elas* sabiam quão pouco ele tinha para ser tentado à desobediência e quão pequeno era o consolo, além da consciência de fazer o certo, que lhe restaria ao perder os amigos e a fortuna. Elinor se orgulhava da integridade dele, e Marianne perdoou-lhe as ofensas por compaixão pela punição. Embora a confiança entre elas tivesse voltado ao normal por meio dessa revelação pública, não era um assunto no qual qualquer uma delas gostasse de se debruçar quando sozinhas. Elinor o evitava por princípio, pois, pelas afirmações ardorosas e positivas de Marianne, tendia a fixar ainda mais em seus pensamentos a crença na contínua afeição de Edward por ela, coisa que ela preferia abandonar, e a coragem de Marianne logo falhou ao tentar conversar sobre um assunto que a deixava mais insatisfeita do que nunca consigo mesma pela comparação que necessariamente produzia entre sua conduta e a de Elinor.

Marianne sentiu toda a força daquela comparação, mas não como a irmã esperava, como um incentivo para se esforçar; sentiu com toda a dor da autocensura contínua, lamentou amargamente nunca ter se esforçado antes, mas houve apenas a tortura da penitência, sem esperança de emenda. Além disso, a mente de Marianne estava tão enfraquecida que ela imaginava ser impossível esforçar-se no momento; portanto, aquilo apenas a desanimou ainda mais.

Não ouviram nada de novo sobre a situação em Harley Street ou Bartlet's Buildings por um ou dois dias. Embora já soubessem tanto do assunto que a sra. Jennings teria o suficiente para se ocupar espalhando tal conhecimento sem buscar mais informações, desde o início

Razão & Sensibilidade

ela decidira fazer uma visita de conforto e investigação às primas assim que pudesse, e nada, exceto o empecilho de mais visitantes do que o normal, a impedira de ir vê-las até então.

O terceiro dia após a revelação dos detalhes estava tão bom, foi um domingo tão bonito, que atraiu muita gente a Kensington Gardens, embora estivessem apenas na segunda semana de março. A sra. Jennings e Elinor foram para lá, mas Marianne, que sabia que os Willoughby estavam de novo na cidade e vivia em pavor constante de encontrá-los, preferiu ficar em casa a se aventurar em um local tão público.

Uma conhecida íntima da sra. Jennings juntou-se a elas logo depois de entrarem nos jardins, e Elinor não lamentou que as acompanhasse e monopolizasse a conversa com a sra. Jennings, deixando-a em reflexão silenciosa. Elinor não viu nem sinal dos Willoughby, nem de Edward; por algum tempo, não viu ninguém que pudesse lhe interessar pelo que quer que fosse. Mas por fim, e com certa surpresa, viu-se abordada pela srta. Steele, que, embora parecendo um tanto tímida, expressou grande satisfação em encontrá-las e, mediante incentivo de especial gentileza da sra. Jennings, deixou seu grupo por um curto período para se juntar ao delas. A sra. Jennings imediatamente sussurrou para Elinor:

— Tire tudo dela, minha querida. Ela contará qualquer coisa que você perguntar. Como vê, não posso abandonar a sra. Clarke.

Para sorte da curiosidade da sra. Jennings e também de Elinor, a srta. Steele contava qualquer coisa *sem* ser perguntada, pois do contrário não ficariam sabendo de nada.

— Estou tão feliz em encontrá-la — disse a srta. Steele, pegando-a familiarmente pelo braço. — A coisa que mais queria neste mundo era vê-la. — E, em seguida, baixando a voz, disse — Suponho que a sra. Jennings soube de tudo. Ela está zangada?

— Com vocês nem um pouco, creio eu.

— Isso é bom. E lady Middleton, *ela* está zangada?

— Não posso supor que isso seja possível.

— Fico imensamente contente. Santo Deus! Tenho passado por maus bocados! Nunca vi Lucy tão furiosa em minha vida. De início ela jurou que nunca mais arrumaria um chapéu nem faria qualquer outra coisa para mim enquanto vivesse, mas agora voltou a si, e somos tão amigas como sempre. Veja, ela fez esse laço no meu chapéu e colocou a pena na noite passada. Agora *você* vai rir de mim também. Mas por que não deveria usar fitas cor-de-rosa? Não me importo que seja a cor favorita do doutor. De minha parte, estou certa de que nunca saberia que ele gosta mais dessa do que qualquer outra cor se ele não tivesse falado. Minhas primas têm me atormentado! Afirmo que às vezes não sei para que lado olhar quando estamos juntas.

Ela enveredara por um assunto sobre o qual Elinor nada tinha a dizer, e por isso logo julgou conveniente encontrar o caminho de volta para o tema anterior.

— Bem, srta. Dashwood — falou em tom triunfante —, as pessoas podem dizer o que quiserem sobre o sr. Ferrars ter declarado que não se casaria com Lucy, mas não é isso que posso afirmar, e é uma vergonha que esses relatos maldosos sejam espalhados por aí. O que quer que Lucy possa pensar a respeito, não cabia a outras pessoas darem como certo.

— Nunca ouvi nada desse tipo ser sugerido antes, garanto-lhe — disse Elinor.

— Oh, não? Mas *foi* falado, sei muito bem, e por mais de uma pessoa, pois a srta. Godby disse à srta. Sparks que ninguém em seu juízo poderia esperar que o sr. Ferrars desistisse de uma mulher como a srta. Morton, com uma fortuna de trinta mil libras, por Lucy Steele, que não tinha absolutamente nada, e ouvi isso da própria srta. Sparks. Além disso, meu primo Richard disse temer que, quando chegasse a hora, o sr. Ferrars desistisse, e, quando Edward não nos contatou por três dias, eu nem soube o que pensar, e acredito de todo o coração que

Lucy tenha dado tudo por perdido, pois saímos da casa de seu irmão na quarta-feira e não tivemos notícias ao longo de toda a quinta, sexta e sábado, e não sabíamos o que havia acontecido com ele. Lucy chegou a pensar em escrever para ele, mas resolveu não fazê-lo. No entanto, na manhã de hoje, ele chegou assim que voltamos da igreja, e então tudo foi esclarecido. Ele foi chamado a Harley Street na quarta-feira e, repreendido pela mãe e por todos os demais, declarou diante de todos que não amava ninguém a não ser Lucy e não se casaria com ninguém a não ser Lucy. E ficou tão preocupado com o que aconteceu que, assim que saiu da casa da mãe, montou em seu cavalo e partiu para o campo, permanecendo em uma pousada toda a quinta e sexta-feira a fim de decidir o que seria melhor fazer. Ele disse que, depois de repensar tudo diversas vezes, parecia-lhe que, agora que ele não tinha fortuna nem nada, seria muito insensível manter Lucy presa ao compromisso, porque seria em detrimento dela, já que ele nada teria além de duas mil libras, sem esperança de qualquer outra coisa. E se ele fosse ordenado, como pensava fazer, não poderia obter nada além de uma paróquia, e como viveriam com isso? Ele não suportava pensar que ela não vivesse em melhor condição, então implorou, caso ela se importasse minimamente com isso, a encerrar o assunto imediatamente e deixá-lo. Eu o ouvi dizer tudo isso da forma mais clara possível. E foi inteiramente pelo bem *dela*, por causa *dela*, que ele falou em desistir, e não por si mesmo. Posso jurar que ele não disse uma sílaba a respeito de estar cansado dela ou de desejar se casar com a srta. Morton, ou qualquer coisa parecida. Mas com certeza Lucy não daria ouvidos a esse tipo de conversa, então ela disse no mesmo instante – com muita doçura, amor e tudo o mais, você sabe, oh, sim, não dá para se repetir esse tipo de coisa–, disse no mesmo instante que não tinha o menor interesse em desistir por nada deste mundo, pois poderia viver com ele com uma ninharia e, por pouco que ele pudesse ter, ela ficaria muito feliz com tudo ou algo assim.

Então ele ficou imensamente feliz, e conversaram algum tempo sobre o que deveriam fazer e concordaram que ele deveria receber a ordenação imediatamente e deveriam esperar para se casar até que ele tivesse um sustento. E aí não pude ouvir mais nada, pois minha prima me chamou do andar de baixo avisando que a sra. Richardson havia chegado em sua carruagem e nos traria a Kensington Gardens. Por isso, fui forçada a entrar na sala e interrompê-los para perguntar a Lucy se ela gostaria de vir, mas ela não quis deixar Edward; então subi as escadas correndo, coloquei um par de meias de seda e saí com as Richardson.

— Não entendi o que você quis dizer com interrompê-los, vocês estavam todos na mesma sala, não estavam? — disse Elinor.

— Não, de fato, não. Ora, srta. Dashwood, você acha que as pessoas falam de amor quando tem alguém por perto? Oh, que vergonha! Com certeza você sabe muito bem disso — disse ela, rindo afetadamente. — Não, não, eles estavam fechados na sala de estar, e ouvi tudo através da porta.

— Como? — exclamou Elinor. — Você repetiu para mim o que ficou sabendo só por ouvir atrás da porta? Lamento não saber disso antes, pois certamente não teria permitido que me desse detalhes de uma conversa da qual nem você deveria ter conhecimento. Como pode se comportar de forma tão desleal com sua irmã?

— Ah! Não há nada de mal *nisso*. Apenas fiquei junto à porta e ouvi o que pude. E tenho certeza de que Lucy teria feito exatamente o mesmo comigo, pois, um ou dois anos atrás, quando Martha Sharpe e eu tínhamos muitos segredos, ela nunca hesitou em se esconder em um armário ou atrás do anteparo da lareira a fim de ouvir o que falávamos.

Elinor tentou falar de outra coisa, mas a srta. Steele não pôde ser contida além de alguns minutos a respeito do que estava em primeiro plano em sua mente.

— Edward fala em ir para Oxford em breve — disse ela —, mas de momento está alojado no número *** em Pall Mall. Que mulher maldosa a mãe dele, não? E seu irmão e sua cunhada não foram muito gentis! No entanto, não falarei nada contra eles para *você*; além do mais, nos mandaram para casa de carruagem, o que foi mais do que eu esperava. De minha parte, tive receio de que sua irmã nos pedisse os porta-agulhas que havia nos dado um ou dois dias antes, porém, nada foi dito sobre eles, e tomei o cuidado de manter o meu fora de vista. Edward tem alguns negócios em Oxford, diz ele, então deve ficar lá por um tempo; depois *disso*, assim que conseguir encontrar um bispo, será ordenado. Me pergunto que curadoria ele receberá! Meu Deus — e riu enquanto falava —, daria minha vida para saber o que minhas primas vão dizer quando souberem. Vão dizer que eu deveria escrever ao doutor para obter a curadoria para o novo sustento de Edward. Sei que vão falar isso, mas com certeza eu não faria uma coisa dessas por nada deste mundo. Ora! Direi sem rodeios: "Pergunto-me como vocês podem pensar em tal coisa? Escrever para o doutor, francamente!".

— Bem — disse Elinor —, é um conforto estar preparada para o pior. Você tem a resposta pronta.

A srta. Steele ia comentar sobre o mesmo assunto, mas a chegada de seu grupo tornou outro tópico mais urgente.

— Oh, ora! Aí vêm os Richardson. Eu tinha muito mais a contar, mas não devo ficar longe deles por mais tempo. Asseguro-lhe de que são pessoas muito gentis. Ele ganha uma quantia enorme de dinheiro, e eles têm carruagem própria. Não tenho tempo para falar com a sra. Jennings, mas, por favor, diga a ela que fico muito feliz em saber que ela não está com raiva de nós, e lady Middleton também. E, caso aconteça algo que faça você e sua irmã irem embora e a sra. Jennings queira companhia, com certeza ficaríamos muito felizes em ficar com ela pelo tempo que ela quisesse. Suponho que lady Middleton não nos convide mais nessa temporada. Adeus, lamento que a srta. Marianne não esteja aqui. Dê lembranças a ela. Oh! Você está com seu vestido de musselina de bolinhas! Imagino se não tem medo de rasgá-lo.

Essa foi sua preocupação ao partir. Depois disso, só teve tempo de se despedir da sra. Jennings antes que sua companhia fosse reivindicada pela sra. Richardson e Elinor fosse deixada de posse de informações que alimentariam suas reflexões por algum tempo, embora fosse muito pouco além do já previsto e antecipado por sua própria mente. O casamento de Edward com Lucy estava tão firmemente decidido e a data em que ocorreria permanecia tão absolutamente incerta como ela havia concluído que estariam; tudo dependia, exatamente como ela previra, de que ele obtivesse a nomeação – que, de momento, parecia não haver a menor chance de acontecer.

Assim que voltaram para a carruagem, a sra. Jennings estava ávida por informações; como Elinor desejava espalhar o mínimo possível notícias obtidas de forma tão desleal, limitou-se à breve repetição de detalhes bem simples que tinha certeza de que Lucy, pela importância para ela mesma, escolheria divulgar. A continuidade do compromisso e os meios disponíveis para levá-lo a cabo foi tudo que ela falou, e isso produziu a seguinte observação natural da sra. Jennings:

— Esperar ele ter um meio de sustento! Sim, todos nós sabemos como *isso* vai acabar: vão esperar um ano e, sem conseguir nada de bom assim, vão se acomodar em uma paróquia de cinquenta libras por ano, com os juros das duas mil libras dele e o pouco que o sr. Steele e o sr. Pratt puderem dar a ela. Então terão um filho por ano! Que Deus os ajude! Como serão pobres! Vou ver o que posso dar a eles para mobiliar a casa. Duas empregadas e dois homens, sem dúvida! Como falei um dia desses. Não, não, devem conseguir uma moça robusta para todos os trabalhos. A irmã de Betty não serviria para eles *agora*.

Razão & Sensibilidade

Na manhã seguinte, chegou pelo correio uma carta de Lucy para Elinor. Dizia o seguinte:

Bartlett's Building, março.

Espero que minha querida srta. Dashwood perdoe a liberdade que tomo ao lhe escrever, mas sei que sua amizade por mim fará com que fique satisfeita ao ler novidades tão boas sobre mim e meu querido Edward depois de todos os problemas que enfrentamos ultimamente, portanto, não vou pedir mais desculpas, mas irei adiante dizendo que, graças a Deus, embora tenhamos sofrido terrivelmente, ambos estamos muito bem agora e tão felizes como sempre haveremos de estar no amor de um pelo outro. Sofremos grandes provações e grandes perseguições, mas, ao mesmo tempo, somos gratos a muitos amigos, entre os quais você se destaca, e cuja grande bondade sempre lembrarei com gratidão, bem como Edward, com quem falei a respeito.

Tenho certeza de que você ficará feliz em saber, assim como a querida sra. Jennings, que passei duas horas felizes com ele ontem à tarde. Edward não quis ouvir falar em nossa separação, embora eu, sinceramente, como achei que meu dever exigia, tenha insistido por prudência, e teria me separado para sempre naquele momento, se ele consentisse; mas ele disse que isso nunca há de acontecer, não se importa com a raiva de sua mãe desde que possa ter minha afeição. Nossas perspectivas não são muito brilhantes, com certeza, mas devemos esperar e torcer pelo melhor; ele será ordenado em breve; e, se estiver em seu poder recomendá-lo a qualquer um que posa oferecer uma paróquia, tenho certeza de que não nos esquecerá, assim como a querida sra. Jennings, acredito que ela falará em nosso favor a sir John ou ao sr. Palmer, ou a qualquer amigo que possa nos ajudar.

A pobre Anne tem muita culpa pelo que fez, mas o fez com boa intenção, então não digo nada; espero que a sra. Jennings não considere muito incômodo nos visitar caso venha para estes lados em alguma manhã, seria uma grande gentileza, e minhas primas ficariam orgulhosas de conhecê-la. Essa folha de papel chega ao fim e preciso concluir, pedindo-lhe que transmita minhas mais gratas e respeitosas lembranças a ela, sir John, lady Middleton e seus queridos filhos quando você tiver oportunidade de vê-los, e meu amor à srta. Marianne,

Da sua etc.

Assim que Elinor terminou a leitura, fez o que concluiu ser o verdadeiro intento da autora, colocando a carta nas mãos da sra. Jennings, que a leu em voz alta com muitos comentários de satisfação e elogios.

— Muito bem, de fato! Como ela escreve de maneira linda! Sim, era bastante apropriado deixá-lo livre do compromisso, se ele quisesse. Lucy é assim. Pobre alma! Eu gostaria de *poder* garantir o sustento dele, de todo o meu coração. Ela me chama de querida sra. Jennings, como você viu. Ela é uma moça de bom coração. Muito bom, juro. Essa frase está muito bem lapidada. Sim, sim, irei vê-la, com certeza. Como é atenciosa, pensa em todo mundo! Obrigada, minha querida, por mostrar essa carta para mim. É uma das mais bonitas que já vi, e um grande crédito à mente e ao coração de Lucy.

❧ *Capítulo 39*

As senhoritas Dashwood já estavam havia mais de dois meses na cidade, e a impaciência de Marianne para ir embora aumentava a cada dia. Ela suspirava pelo ar, pela liberdade, pelo sossego do campo, e imaginava que, se algum lugar pudesse lhe dar tranquilidade, seria Barton. Elinor não estava menos ansiosa do que ela pela partida, só muito menos inclinada a fazê-lo imediatamente, por estar consciente das dificuldades de uma viagem tão longa, dificuldades que Marianne não pôde ser levada a reconhecer. No entanto, Elinor começou a voltar os pensamentos seriamente para a viagem e já havia mencionado seus desejos à gentil anfitriã, que resistia com toda a eloquência de sua boa vontade, quando foi sugerido um plano que, embora as mantivesse longe de casa por mais algumas semanas, pareceu a Elinor muito mais aceitável do que qualquer outro.

Os Palmer deveriam se mudar para Cleveland no final de março, para o feriado de Páscoa, e a sra. Jennings, com suas duas amigas, recebeu um convite muito caloroso de Charlotte para ir com eles. Isso por si só não teria sido suficiente para a delicadeza da srta. Dashwood, mas o convite foi reforçado com polidez tão verdadeira pelo sr. Palmer que, somado à grande alteração de suas maneiras com elas desde que soubera que Marianne estava infeliz, a induziu a aceitar com prazer. Porém, quando Elinor contou a Marianne o que fizera, a primeira reação não foi muito auspiciosa.

— Cleveland! — exclamou Marianne em grande agitação. — Não, não posso ir para Cleveland.

— Você se esquece — disse Elinor gentilmente — de que a localização não é... que não fica nas proximidades de...

— Mas é em Somersetshire. Não posso ir para Somersetshire. Lá, aonde eu estava tão ansiosa para ir... Não, Elinor, você não pode esperar que eu vá para lá.

Elinor não discutiu sobre a conveniência de superar tais sentimentos, apenas se esforçou para neutralizá-los trabalhando em outros; portanto, expôs a viagem como uma medida que fixaria a data do retorno à querida mãe, a quem Marianne tanto desejava ver, de uma maneira mais aceitável e mais confortável do que qualquer outro plano, e talvez sem nenhum atraso maior. De Cleveland, que ficava a poucos quilômetros de Bristol, a distância até Barton não passava de um dia, embora fosse um longo dia de viagem, e o empregado da mãe delas poderia facilmente ir lá para acompanhá-las; como não poderia haver motivo para ficarem mais de uma semana em Cleveland, poderiam estar em casa em pouco mais de três semanas. Como o afeto de Marianne pela mãe era sincero, triunfou com pouca dificuldade sobre os males imaginários que ela havia criado.

A sra. Jennings estava tão longe de se cansar de suas hóspedes que as pressionou muito para que voltassem com ela de Cleveland. Elinor ficou grata pela atenção, mas isso não alteraria seu projeto; com a concordância da mãe, prontamente obtida, tudo que se relacionava ao retorno delas foi arranjado na medida do possível, e Marianne sentiu certo alívio ao redigir um relatório das horas que ainda a separavam de Barton.

— Ah!, coronel, não sei o que você e eu faremos sem as senhoritas Dashwood — foi a fala da sra. Jennings quando ele a visitou pela primeira vez depois que a partida delas foi resolvida —, pois estão totalmente decididas a ir para casa depois dos Palmer; como ficaremos desamparados quando eu voltar! Senhor! Vamos nos sentar e bocejar um para o outro, tão aborrecidos quanto dois gatos.

Talvez a sra. Jennings tivesse esperanças, mediante esse vigoroso esboço do tédio futuro, de provocar o coronel a fazer a proposta que poderia fazê-lo escapar daquilo; sendo assim, logo depois ela teve um bom motivo para pensar que seu objetivo fora atingido, pois, quando Elinor se deslocou até a janela para tirar com mais precisão as medidas de uma gravura que copiaria para a amiga, ele a seguiu com um olhar particularmente expressivo e conversou com ela ali por vários minutos. O efeito do diálogo sobre a dama também não escapou à observação da sra. Jennings, pois, embora ela fosse muito honrada para ficar escutando e até tivesse mudado de lugar de propósito para *não* poder ouvir, indo para perto do pianoforte em que Marianne tocava, não pôde deixar de ver que Elinor mudara de cor, ficara agitada e tão atenta ao que ele dizia que não prosseguiu com o que estava fazendo.

Confirmando ainda mais suas esperanças, no intervalo em que Marianne passou de uma partitura para outra, inevitavelmente chegaram a seus ouvidos algumas palavras do coronel, com as quais ele parecia estar se desculpando pelas más condições de sua casa. Isso definiu o assunto além de quaisquer dúvidas. A sra. Jennings de fato se espantou por ele pensar ser necessário dizer aquilo, mas supôs que fosse a etiqueta apropriada. O que Elinor disse em resposta ela não pôde distinguir, mas, pelo movimento dos lábios, julgou que a jovem não considerava *aquilo* uma objeção importante, e a sra. Jennings a elogiou em seu coração por ser tão honesta. Eles então conversaram por mais alguns minutos sem que a sra. Jennings captasse uma sílaba, até que outra feliz parada na performance de Marianne trouxe as seguintes palavras na voz calma do coronel:

— Receio que não possa acontecer muito em breve.

Espantada e chocada com um discurso tão pouco enamorado, ela esteve prestes a exclamar: "Senhor! O que haveria de impedi-lo?", mas, controlando seu desejo, limitou-se à seguinte exclamação em silêncio: "Isso é muito estranho! Claro que ele não precisa esperar ficar mais velho".

A demora por parte do coronel, no entanto, não pareceu ofender ou mortificar nem um pouco sua bela acompanhante, pois, ao encerrarem a conferência em seguida e tomarem rumos diferentes, a sra. Jennings ouviu Elinor dizer muito claramente, com uma voz que mostrava que ela sentia o que falava:

— Sempre serei muito grata a você.

A sra. Jennings ficou encantada com aquela gratidão e apenas se espantou que, após ouvir tal frase, o coronel fosse capaz de se despedir delas, como fez imediatamente, com o máximo de sangue-frio, e ir embora sem dar qualquer resposta a Elinor! Ela não imaginava que seu velho amigo pudesse ser um pretendente tão indiferente.

O que realmente se passou entre eles foi o seguinte:

— Fiquei sabendo — disse ele, com grande compaixão — da injustiça que seu amigo, o sr. Ferrars, sofreu da família; se entendi direito, ele foi totalmente rejeitado por manter o compromisso com uma moça muito digna. Fui bem informado? É isso mesmo?

Elinor disse que sim.

— A crueldade, a crueldade temerária — respondeu ele, com grande sentimento — de separar, ou tentar separar, dois jovens há muito apegados um ao outro é terrível. A sra. Ferrars não sabe o que pode estar fazendo, o que pode levar seu filho a fazer. Vi o sr. Ferrars duas ou três vezes em Harley Street e gostei muito dele. Não é um jovem que se possa conhecer intimamente em pouco tempo, mas já o vi o suficiente para lhe querer bem por seu próprio valor e, como amigo seu, ainda mais. Sei que ele pretende se ordenar. Você faria a bondade de dizer a ele que a paróquia de Delaford, que acaba de ficar vaga, como fui informado pelo correio de hoje, é dele, se ele achar que vale a pena aceitá-la, *o que*, na infeliz circunstância em que ele está agora, talvez possa ser um absurdo parecer duvidar; eu só queria que fosse mais valiosa. É uma paróquia, mas pequena; o antigo titular, creio eu, não ganhava mais do que 200 libras por ano, e, embora com certeza possa melhorar, temo que não a ponto de proporcionar a ele uma renda muito confortável. Ainda assim, no entanto, meu prazer em oferecê-la a ele será muito grande. Por favor, assegure-o disso.

O espanto de Elinor com a incumbência dificilmente poderia ter sido maior se o coronel realmente tivesse pedido sua mão em casamento. A nomeação que apenas dois dias antes ela considerava impossível para Edward havia sido fornecida para permitir que ele se casasse – e *ela*, de todas as pessoas no mundo, estava encarregada de concedê-la! Sua emoção foi tal que a sra. Jennings atribuiu a um motivo muito diferente; não obstante quaisquer sentimentos menores, menos puros, menos agradáveis, que pudessem ter participação naquela emoção, a estima de Elinor pela benevolência geral e sua gratidão pela amizade particular que juntas incitaram o coronel Brandon àquele gesto foram fortemente sentidas e calorosamente expressadas. Elinor agradeceu de todo o coração, falou dos princípios e do temperamento de Edward com o louvor que ela sabia ser merecido e prometeu assumir o encargo com prazer, caso realmente fosse desejo do coronel transferir uma tarefa tão agradável para outra pessoa. Ao mesmo tempo, ela não conseguia deixar de pensar que ninguém poderia fazer aquilo tão bem quanto ele. Em suma, era uma tarefa da qual, não querendo causar a Edward a dor de receber um favor *dela*, Elinor ficaria muito feliz de ser poupada; mas o coronel Brandon, por motivos de igual delicadeza, recusando-se da mesma forma, parecia tão desejoso de que fosse por intermédio dela que Elinor não faria mais qualquer oposição.

Ela acreditava que Edward ainda estava na cidade e felizmente tinha ouvido a srta. Steele citar o endereço. Ela poderia comprometer-se, portanto, a informá-lo no decorrer do dia. Depois que isso foi acertado, o coronel Brandon começou a falar da própria vantagem por assegurar um vizinho tão respeitável e agradável e *então* mencionou com pesar que a casa era pequena e sem graça, um mal que Elinor, como a sra. Jennings supôs, considerou insignificante, pelo menos no que se referia ao tamanho.

— O pequeno tamanho da casa — disse ela — não consigo imaginar como inconveniente para eles, pois será proporcional à família e à renda.

Com isso o coronel ficou surpreso, ao descobrir que *ela* considerava o casamento do sr. Ferrars como certo em decorrência da oferta, pois ele não considerava possível que a paróquia de Delaford pudesse proporcionar uma renda para que alguém com o estilo de vida de Edward se aventurasse a se estabelecer – e ele disse isso.

— Essa pequena paróquia *não pode* fazer mais do que deixar o sr. Ferrars confortável como solteiro, não lhe proporciona condições de se casar. Lamento dizer que meu patrocínio acaba com isso, e minha influência dificilmente é mais ampla. Se, no entanto, por um acaso imprevisto, estiver em meu poder servi-lo ainda mais, devo pensar sobre ele de maneira muito diferente do que penso agora, se então não estiver tão pronto para ser útil a ele como sinceramente gostaria de poder ser no momento. O que estou fazendo agora, de fato, parece absolutamente nada, já que pode avançá-lo tão pouco em direção ao que deve ser seu principal, seu único motivo de felicidade. Seu casamento ainda deve ser um bem distante; pelo menos, receio que não possa acontecer muito em breve.

Foi essa a frase que, mal compreendida, tão justamente ofendeu os delicados sentimentos da sra. Jennings, mas, após o relato do que realmente se passou entre o coronel Brandon e Elinor enquanto estavam à janela, a gratidão expressada por esta em sua despedida pode talvez parecer no geral não menos razoavelmente entusiasmada, nem menos adequadamente proferida, do que se decorrente de uma proposta de casamento.

Capítulo 40

— Bem, senhorita Dashwood — disse a sra. Jennings, sorrindo sagazmente assim que o cavalheiro se retirou —, não pergunto o que o coronel lhe disse porque, embora, pela minha honra, tenha *tentado* não ouvir, não pude deixar de compreender o suficiente para entender o assunto. Asseguro-lhe que nunca estive tão feliz em minha vida e lhe desejo felicidades de todo o coração.

— Obrigada, senhora — disse Elinor. — É motivo de grande alegria para mim, e estou muito sensibilizada pela bondade do coronel Brandon. Não há muitos homens que agiriam como ele agiu. Poucas pessoas têm um coração tão compassivo! Nunca fiquei mais atônita em minha vida.

— Senhor! Minha querida, você é muito modesta. Não fico minimamente atônita de forma alguma, pois ultimamente pensei muitas vezes que não havia nada mais provável de acontecer.

— A senhora julgou com base em seu conhecimento da benevolência do coronel, mas não poderia prever que a oportunidade surgisse tão cedo.

— Oportunidade! — repetiu a sra. Jennings. — Oh! Quanto a isso, quando um homem já se decidiu por tal coisa, de uma forma ou de outra logo encontrará uma oportunidade. Bem, minha querida, desejo-lhe felicidades novamente, e, se já houve um casal feliz no mundo, acho que em breve saberei onde procurá-lo.

— A senhora pretende ir a Delaford vê-lo, suponho — disse Elinor, com um sorriso débil.

— Sim, minha querida, sim, de fato. E, quanto à casa ser ruim, não sei de onde o coronel tirou isso, porque é a melhor que já vi.

— Ele falou que está malcuidada.

— Bem, e de quem é a culpa? Por que ele não a conserta? Quem deveria fazer isso senão ele?

Foram interrompidas pela entrada do criado para anunciar a chegada da carruagem, e a sra. Jennings, se preparando imediatamente para sair, disse:

— Bem, minha querida, devo sair com essa conversa pela metade. No entanto, podemos repassar tudo à noite, pois estaremos completamente sozinhas. Não peço que venha comigo, pois ouso dizer que sua mente está muito ocupada com o assunto para se preocupar com companhia; além disso, deve desejar muito contar à sua irmã.

Marianne havia saído da sala antes de a conversa começar.

— Com certeza, senhora, contarei a Marianne, mas de momento não mencionarei a mais ninguém.

— Oh! Muito bem — disse a sra. Jennings um tanto desapontada. — Então não quer que eu conte a Lucy, pois estou pensando em ir até Holborn hoje.

— Não, senhora, nem mesmo a Lucy, por favor. O atraso de um dia não fará muita diferença; até que eu tenha escrito ao sr. Ferrars, acho que não deve ser mencionado a mais ninguém. Farei *isso* imediatamente. É importante não perder tempo, pois é claro que ele terá muito que fazer em relação à sua ordenação.

Essa frase a princípio deixou a sra. Jennings extremamente intrigada. Ela não pôde compreender de imediato por que escrever ao sr. Ferrars com tanta pressa. Alguns momentos de reflexão, no entanto, produziram uma ideia muito feliz, e ela exclamou:

— Oh, ah! Entendo. Vai ser o sr. Ferrars. Bem, tanto melhor para ele. Sim, com certeza, ele deve ser ordenado sem demora, e fico muito feliz em descobrir que as coisas estão tão adiantadas entre vocês. Mas, minha querida, isso não é um tanto fora do habitual? Não é o coronel que deveria escrever? Claro, ele é a pessoa certa.

Elinor não entendeu bem o início do comentário da sra. Jennings, nem achou que valesse a pena indagar; portanto, apenas respondeu à conclusão.

— O coronel Brandon é um homem tão delicado que preferiria que qualquer outra pessoa que não ele anunciasse suas intenções ao sr. Ferrars.

— E então *você* é forçada a fazê-lo. Bem, *isso* é um tipo estranho de delicadeza! Porém, não vou incomodá-la — vendo Elinor se preparando para escrever. — Você sabe melhor dos seus interesses. Adeus, minha querida. Não ouvi nada que me agradasse tanto desde que Charlotte deu à luz.

Ela saiu, mas voltou em seguida.

— Acabo de pensar na irmã de Betty, minha querida. Eu ficaria muito feliz em conseguir uma patroa tão boa para ela. Mas não sei dizer se ela serviria como camareira de uma dama. Ela é uma excelente criada e trabalha muito bem com a agulha. No entanto, você vai resolver tudo isso como achar melhor.

— Com certeza, senhora — respondeu Elinor, sem ouvir direito o que ela dizia, mais ansiosa por ficar sozinha do que por entender o assunto.

Como ela deveria começar – como deveria se expressar em seu bilhete para Edward – era agora toda a sua preocupação. As circunstâncias peculiares entre eles dificultavam aquilo que, para qualquer outra pessoa, teria sido a coisa mais fácil do mundo. Elinor igualmente temia falar de mais ou de menos; sentou-se deliberando sobre o papel, com a pena na mão, até ser interrompida pela entrada do próprio Edward.

Ele havia encontrado a sra. Jennings na porta, a caminho da carruagem, quando veio deixar seu cartão de despedida; depois de se desculpar por não o acompanhar, a sra. Jennings obrigou-o a entrar, dizendo que a srta. Dashwood estava no andar de cima e queria falar com ele sobre um assunto muito particular.

Em meio à sua perplexidade, Elinor estivera se congratulando porque, por mais difícil que fosse se expressar adequadamente por carta, pelo menos era preferível a dar a informação em pessoa, quando o visitante entrou para forçá-la ao maior esforço de todos. Seu espanto e confusão foram enormes com o aparecimento tão repentino de Edward. Ela não o tinha visto desde que o compromisso dele se tornara público, portanto, desde que ele soubera que ela estava ciente do fato; o que, com a consciência do que estivera pensando e do que tinha a dizer a ele, deixou Elinor particularmente desconfortável por alguns minutos. Ele também estava muito angustiado, e se sentaram em uma situação que prometia grande constrangimento. Se havia pedido desculpas pela intromissão ao entrar na sala, Edward não conseguia lembrar; mas, decidindo assegurar-se disso, desculpou-se assim que conseguiu dizer alguma coisa, depois de ocupar uma cadeira.

— A sra. Jennings falou que você desejava conversar comigo — disse ele —, pelo menos foi o que entendi, ou com certeza não teria me intrometido dessa maneira. Embora, ao mesmo tempo, teria sentido muitíssimo por deixar Londres sem ver você e sua irmã, em especial porque provavelmente levará algum tempo... não é provável que tenha o prazer de encontrá-las de novo em breve. Vou para Oxford amanhã.

— Você não teria ido, no entanto — disse Elinor, recuperando-se e decidida a superar o que tanto temia o mais rápido possível —, sem receber nossos votos de boa sorte, mesmo que não tivéssemos condições de oferecê-los pessoalmente. A sra. Jennings estava certa no que disse. Tenho algo importante para informar-lhe, que estava a ponto de comunicar por carta. Estou encarregada de um ofício muito agradável — respirando um pouco mais rápido do que o normal enquanto falava. — O coronel Brandon, que estava aqui há apenas dez minutos,

Razão & Sensibilidade

pediu que eu dissesse que, entendendo que você pretende ser ordenado, ele tem o grande prazer de lhe oferecer a paróquia de Delaford, agora vaga, e apenas deseja que fosse mais valiosa. Permita-me parabenizá-lo por ter um amigo tão respeitável e criterioso e unir-me ao desejo dele de que os benefícios, cerca de duzentas libras por ano, fossem muito mais consideráveis e assim lhe permitissem mais... que pudessem ser mais do que uma acomodação temporária para você... que, em suma, pudessem estabelecer todas as suas ideias de felicidade.

O que Edward sentiu, já que ele não conseguiu dizer, não se pode esperar que alguém diga por ele. Ele *mostrou* todo o espanto que uma informação tão inesperada, tão impensável, não poderia deixar de provocar, mas disse apenas duas palavras:

— Coronel Brandon!

— Sim — continuou Elinor, reunindo mais resolução, já que parte do pior havia passado —, o coronel Brandon pretende que isso seja um testemunho de sua preocupação pelo que se passou recentemente, pela situação cruel em que a conduta injustificável de sua família colocou você, uma preocupação que tenho certeza de que Marianne, eu e todos os seus amigos compartilhamos, e também uma prova da elevada estima do coronel por seu caráter e da particular aprovação de seu comportamento na presente ocasião.

— O coronel Brandon me prover uma paróquia! Será possível?

— A rispidez de seus familiares o deixou atônito por encontrar amizade em outra parte.

— Não — respondeu ele, com súbita consciência —, por encontrar em *você*, pois não posso ignorar que a você, a sua bondade, devo tudo. Sinto isso... eu expressaria se pudesse..., mas, como bem sabe, não sou um orador.

— Você está muito enganado. Garanto-lhe que deve inteiramente, pelo menos quase inteiramente, ao próprio mérito e ao discernimento do coronel Brandon a respeito. Não tive nenhuma participação nisso. Eu nem sabia, até ter conhecimento de seu desígnio, que a paróquia estava vaga, nem nunca me ocorreu que ele pudesse ter uma paróquia para oferecer. Como um amigo meu, de minha família, ele talvez tenha..., na verdade sei que *tem*, prazer ainda maior em concedê-la, mas dou-lhe minha palavra de que você não deve nada a mim.

A verdade obrigou Elinor a reconhecer uma pequena participação no gesto; ao mesmo tempo, ela estava tão relutante em parecer a benfeitora de Edward que admitiu com hesitação, o que provavelmente contribuiu para fixar na mente dele a suspeita recém-surgida. Ele ficou absorto em pensamentos por um breve instante depois que Elinor parou de falar; por fim, e como se fosse um esforço, disse:

— O coronel Brandon parece um homem de grande valor e respeitabilidade. Sempre ouvi falar dele como tal, e sei que seu irmão o tem em alta estima. Ele é, sem dúvida, um homem sensível e um perfeito cavalheiro na maneira de agir.

— De fato — replicou Elinor —, ao conhecê-lo melhor, acredito que você vá verificar que ele é tudo o que ouviu, e, como serão vizinhos próximos, pois entendo que o presbitério fique muito perto da mansão, é particularmente importante que ele *seja* tudo isso.

Edward não respondeu, mas, quando Elinor virou a cabeça para o outro lado, lançou-lhe um olhar tão sério, tão intenso, tão desanimado, que parecia dizer que desejava que a distância entre o presbitério e a mansão fosse muito maior.

— O coronel Brandon, acho, está hospedado em St. James Street — disse ele, logo depois, levantando-se da cadeira.

Elinor informou o número da casa.

— Devo me apressar então para fazer a ele os agradecimentos que você não permite que eu faça a *você*, para assegurar-lhe que me tornou um homem muito... extremamente feliz.

Elinor não se prontificou a detê-lo; separaram-se com uma garantia muito sincera da parte *dela* de votos incessantes de felicidade em todas as mudanças que pudessem ocorrer a ele; da parte *dele*, mais com uma tentativa de retribuir a mesma boa vontade do que o poder de expressá-la.

"Quando eu voltar a vê-lo", disse Elinor para si mesma, enquanto a porta se fechava, "vou vê-lo como marido de Lucy."

E, com essa expectativa agradável, sentou-se para reconsiderar o passado, relembrar as palavras, se esforçar para compreender todos os sentimentos de Edward e, claro, refletir sobre si mesma com descontentamento.

Quando a sra. Jennings chegou em casa, embora tivesse encontrado pessoas que nunca tinha visto antes e das quais, por isso mesmo, tinha muito a dizer, sua mente estava tão mais ocupada com o importante segredo em sua posse do que com qualquer outra coisa que voltou ao assunto assim que Elinor apareceu.

— Bem, minha querida — exclamou ela —, enviei o jovem a você. Não fiz bem? E suponho que você não teve grande dificuldade. Não o achou muito relutante em aceitar sua proposta?

— Não, senhora; *isso* não era muito provável.

— Bem, e quando ele estará pronto? Pois tudo parece depender disso.

— Realmente — disse Elinor —, sei tão pouco desse tipo de procedimento que mal posso conjecturar quanto ao tempo ou preparação necessária, mas suponho que em dois ou três meses a ordenação estará concluída.

— Dois ou três meses! — exclamou a sra. Jennings. — Senhor! Minha querida, com que calma você fala disso, e o coronel poder esperar dois ou três meses! Deus me abençoe! Tenho certeza de que isso *me* deixaria completamente sem paciência! E, embora fique muito feliz por fazerem uma gentileza ao pobre sr. Ferrars, acho que não vale a pena esperar dois ou três meses por ele. Claro que pode ser encontrada outra pessoa que o faça; alguém já ordenado.

— Minha cara senhora — disse Elinor —, em que está pensando? Afinal, o único objetivo do coronel Brandon é ser útil ao sr. Ferrars.

— Deus a abençoe, minha querida! Claro que não quer me convencer de que o coronel se casará com você só para dar dez guinéus ao sr. Ferrars!

O engano não pôde continuar depois disso; houve uma explicação imediata, com a qual ambas se divertiram bastante no momento, sem qualquer perda significativa de felicidade para nenhuma delas, pois a sra. Jennings apenas trocara uma forma de deleite por outra, ainda sem perder a expectativa da primeira.

— Sim, sim, o presbitério é pequeno — disse ela, passada a primeira ebulição de surpresa e satisfação —, e muito provavelmente *pode* estar malcuidado, mas ouvir um homem se desculpando, como pensei, por uma casa que, pelo que sei, tem cinco salas de estar no térreo e que a governanta me disse que pode acomodar quinze camas! E para você, acostumada a morar no chalé de Barton! Parece bastante ridículo. Mas, minha querida, devemos falar ao coronel para fazer alguns reparos no presbitério e deixá-lo confortável antes que Lucy vá para lá.

— Mas o coronel Brandon não parece supor que os benefícios sejam o bastante para permitir que se casem.

— O coronel é um tolo, minha querida; como ele tem duas mil libras por ano, pensa que ninguém pode se casar com menos. Acredite na minha palavra: se eu estiver viva, farei uma visita ao presbitério de Delaford antes do final de setembro e com certeza não irei se Lucy não estiver lá.

Elinor era da mesma opinião quanto à probabilidade de eles não esperarem mais.

❧ *Capítulo 41*

Depois de apresentar seus agradecimentos ao coronel Brandon, Edward foi até Lucy com sua felicidade, e esta era de tal ordem quando ele chegou a Bartlett's Buildings que Lucy pôde assegurar à sra. Jennings, que a visitou novamente no dia seguinte para parabenizá-la, que nunca em sua vida o vira tão animado.

A felicidade e a animação de Lucy eram inequívocas, e ela se juntou à sra. Jennings de todo o coração na expectativa de estarem todos reunidos confortavelmente no presbitério de Delaford antes da festa de São Miguel. Ao mesmo tempo, Lucy estava tão longe de qualquer hesitação em conceder a Elinor o crédito que Edward *daria* que falou da amizade desta por ambos com o mais grato fervor, pronta para reconhecer tudo que deviam a Elinor, e declarou com franqueza que nenhum esforço para o bem deles da parte da srta. Dashwood, no presente ou no futuro, jamais a surpreenderia, pois a considerava capaz de fazer qualquer coisa por aqueles que realmente valorizava. Quanto ao coronel Brandon, Lucy não apenas estava pronta para adorá-lo como um santo, como também, além disso, estava realmente ansiosa para que ele fosse tratado como tal em todas as ocupações mundanas, ansiosa para que seus dízimos aumentassem ao máximo e decidida a se beneficiar em Delaford, tanto quanto possível, de seus servos, sua carruagem, suas vacas e suas aves.

Já fazia mais de uma semana que John Dashwood estivera em Berkeley Street; como desde então não haviam recebido notícias sobre a indisposição de sua esposa, além da indagação verbal, Elinor começou a julgar necessário visitá-la. Contudo, era uma obrigação que não só ia de encontro à sua inclinação, como também não contava com o auxílio de nenhum incentivo de suas companheiras. Marianne, não contente em se recusar terminantemente a ir, insistiu muito para que a irmã não fosse, e a sra. Jennings, embora sua carruagem estivesse sempre à disposição de Elinor, detestava tanto a sra. John Dashwood que nem mesmo a curiosidade de ver como ela estava após a recente descoberta, nem o forte desejo de afrontá-la tomando o partido de Edward, poderiam superar a falta de vontade de estar em sua companhia de novo. Em consequência, Elinor saiu sozinha para uma visita que ninguém poderia ter menos vontade de fazer e correr o risco de um *tête-à-tête* com uma mulher que nenhuma das outras tinha tantos motivos para desgostar.

A sra. Dashwood não estava, mas, antes que a carruagem pudesse sair da casa, seu marido por acaso apareceu. Ele expressou grande prazer em encontrar Elinor, disse que estava indo fazer uma visita a Berkeley Street e, garantindo que Fanny ficaria muito feliz em vê-la, convidou-a a entrar.

Subiram para a sala de estar. Não havia ninguém lá.

— Fanny está em seu quarto, suponho — disse ele. — Irei chamá-la em breve, pois tenho certeza de que ela não fará a menor objeção a vê-la. Muito pelo contrário, na verdade. *Agora*, especialmente, não pode haver..., todavia, você e Marianne sempre foram muito benquistas. Por que Marianne não veio?

Elinor deu todas as desculpas que pôde.

— Não lamento vê-la sozinha — respondeu ele —, pois tenho muito a falar. Essa paróquia do coronel Brandon é verdade? Ele realmente a concedeu a Edward? Ouvi ontem por acaso e estava indo vê-la a fim de indagar mais a respeito.

— É a mais completa verdade. O coronel Brandon concedeu a paróquia de Delaford para Edward.

— Pois então! Bem, isso é muito surpreendente! Nenhum relacionamento! Nenhuma conexão entre eles! E agora que as paróquias alcançam tais preços! Qual é o valor dessa?

— Cerca de duzentas libras por ano.

— Muito bem... e para a nomeação para uma paróquia desse valor, supondo que o titular anterior estivesse velho e doente e provavelmente fosse desocupá-la em breve, ele poderia ter recebido, ouso dizer, mil e quatrocentas libras. Como é que ele não resolveu esse assunto antes da morte dessa pessoa? *Agora*, de fato, seria tarde demais para vendê-la, mas um homem do bom senso do coronel Brandon! Causa-me espanto que ele tenha sido tão imprevidente em assunto de interesse tão comum, tão natural! Bem, estou convencido de que há muita contradição em quase todos os caracteres humanos. Suponho, no entanto, pensando melhor, que o caso provavelmente possa ser *o seguinte*: Edward deve manter a paróquia apenas até que a pessoa a quem o coronel realmente vendeu a nomeação tenha idade suficiente para assumi-la. Sim, sim, é fato, pode ter certeza disso.

Elinor, porém, o contradisse de forma categórica e, ao relatar que ela mesma se incumbira de transmitir a oferta do coronel Brandon a Edward e, portanto, tinha conhecimento dos termos em que fora feita, obrigou-o a se submeter à sua autoridade.

— É realmente espantoso! — exclamou ele, depois de ouvir o que Elinor havia dito. — Qual poderia ser o motivo do coronel?

— Algo muito simples: ser útil ao sr. Ferrars.

— Bem, bem, seja qual for o motivo do coronel, Edward é um homem de muita sorte. Entretanto, não comente o assunto com Fanny, pois, embora eu tenha contado, e ela tenha suportado muito bem, não gostará de ouvir falar muito nisso.

Elinor teve alguma dificuldade para se abster de observar que achava que Fanny poderia suportar com compostura uma aquisição de posses de seu irmão que não empobreceria nem a ela nem a seu filho.

— A sra. Ferrars — acrescentou ele, baixando a voz para o tom condizente com um assunto tão importante — não sabe de nada no momento, e acredito que seja melhor manter tudo totalmente escondido dela enquanto for possível. Quando o casamento acontecer, temo que ela deva ouvir tudo.

— Mas por que tal precaução deve ser tomada? Embora não se deva supor que a sra. Ferrars possa ter a menor satisfação em saber que o filho tem dinheiro suficiente para se manter, pois *isso* está totalmente fora de questão, ainda assim, por que, devido ao seu recente comportamento, ela sentiria alguma coisa? Ela rompeu com o filho, o rejeitou para sempre e fez com que todos aqueles sobre quem tinha alguma influência o rejeitassem da mesma forma. Com certeza, depois de fazer isso, não se pode considerá-la suscetível a qualquer sensação de tristeza ou alegria por causa dele... ela não há de se interessar por nada que se abata sobre ele. Ela não seria tão irresoluta a ponto de arruinar o conforto de um filho e ainda assim manter a ansiedade de uma mãe!

— Ah! Elinor — disse John —, seu raciocínio é muito bom, mas se baseia na ignorância da natureza humana. Quando o infeliz enlace de Edward acontecer, pode estar certa de que a mãe dele sentirá como se nunca o tivesse rejeitado; portanto, todas as circunstâncias que podem acelerar esse terrível evento devem ser ocultadas dela tanto quanto possível. A sra. Ferrars jamais poderá esquecer que Edward é seu filho.

— Você me surpreende, pensei que *nesse* momento isso já tivesse quase desaparecido da memória dela.

— Você a julga muitíssimo mal. A sra. Ferrars é uma das mães mais afetuosas do mundo.

Elinor ficou em silêncio.

— Pensamos *agora* — disse o sr. Dashwood após uma curta pausa — em casar *Robert* com a srta. Morton.

Elinor, sorrindo com o tom solene e de resoluta seriedade de seu irmão, respondeu calmamente:

— A dama, suponho, não tem direito a escolha no caso.

— Escolha! O que você quer dizer?

— Só quis dizer que suponho, pela sua maneira de falar, que tanto faça para a srta. Morton casar-se com Edward ou com Robert.

— Com certeza não pode haver diferença, pois agora, para todos os efeitos e propósitos, Robert será considerado o filho mais velho; quanto a qualquer outra coisa, os dois são rapazes muito agradáveis, não considero um superior ao outro.

Elinor não disse mais nada, e John também ficou em silêncio por um curto período. Suas reflexões terminaram assim:

— *Uma* coisa, minha querida irmã, posso lhe assegurar — pegando a mão de Elinor gentilmente e falando em um sussurro reverente —, e o *farei*, porque sei que isso deve agradá-la. Tenho boas razões para pensar... na verdade, ouvi da maior autoridade, ou não deveria repeti-lo, pois do contrário seria muito errado dizer qualquer coisa sobre isso... mas ouvi da maior autoridade... não que eu alguma vez tenha ouvido a própria sra. Ferrars dizer isso... mas a filha dela *disse*, e ouvi dela... Que, em suma, quaisquer objeções que pudessem haver contra um certo... um certo relacionamento... você me entende... teria sido muito preferível para ela, não teria causado a ela metade do aborrecimento que *esse* causa. Fiquei extremamente satisfeito em saber que a sra. Ferrars considerou sob essa luz, uma circunstância muito gratificante, você sabe, para todos nós. "Não haveria comparação", disse ela, "entre os dois males, e hoje ficaria feliz em aceitar dos males o menor." No entanto, tudo isso está totalmente fora de questão, não se deve pensar ou mencionar... já que qualquer ligação, você sabe... nunca poderia ocorrer... está tudo acabado. Mas pensei apenas em lhe contar porque sei o quanto isso deve agradá-la. Não que você tenha motivos para se arrepender, minha querida Elinor. Não há dúvida de que está indo muito bem... tão bem ou talvez até melhor, considerando-se tudo. O coronel Brandon esteve com você ultimamente?

Elinor tinha ouvido o suficiente, se não para satisfazer sua vaidade e aumentar sua autoestima, ao menos para agitar seus nervos e preencher sua mente; portanto, ficou feliz por ser poupada da necessidade de dizer algo em resposta e do perigo de ouvir mais alguma coisa do irmão com a entrada do sr. Robert Ferrars. Depois de alguns momentos de conversa, John Dashwood, lembrando-se de que Fanny ainda não sabia da presença da cunhada, saiu da sala para buscá-la, e Elinor foi deixada a aprimorar suas relações com Robert, que, pela alegre despreocupação, pela feliz autocomplacência de seus modos enquanto desfrutava de uma divisão tão injusta do amor e da liberalidade de sua mãe, em prejuízo de seu irmão banido, obtida apenas por seu estilo de vida dissipado e pela integridade do irmão, confirmava a opinião mais desfavorável de Elinor sobre sua mente e seu coração.

Mal tinham passado dois minutos a sós e ele começou a falar de Edward, pois também tinha ouvido sobre a paróquia e estava muito curioso a respeito do assunto. Elinor repetiu os detalhes conforme havia fornecido a John, e o efeito sobre Robert, embora muito diferente, não foi menos impressionante. Ele riu de modo desmedido. A ideia de Edward ser clérigo e viver em uma pequena casa paroquial o divertiu além dos limites; quando a isso foi adicionada a imagem fantasiosa de Edward lendo orações em uma sobrepeliz branca e publicando os proclamas do casamento de John Smith e Mary Brown, ele não pôde conceber nada mais ridículo.

Elinor, enquanto esperava, em silêncio e inabalável gravidade, a conclusão de tal insensatez, não pôde evitar que seus olhos se fixassem nele com uma expressão que deixava claro todo o desprezo que aquilo despertava. Foi, no entanto, um olhar muito bem lançado, pois aliviou os sentimentos de Elinor, e Robert não notou. Ele se recompôs não por qualquer reprovação dela, mas pela própria sensibilidade.

— Podemos tratar isso como uma piada — disse ele, por fim, recuperando-se do riso afetado que havia prolongado consideravelmente a alegria genuína do momento —, mas, juro por minha alma, é um assunto muito sério. Pobre Edward! Está arruinado para sempre. Lamento muito por isso, pois sei que ele é uma criatura de muito bom coração, um dos sujeitos mais bem-intencionados do mundo, talvez. Você não deve julgá-lo, senhorita Dashwood, a partir de *seu* conhecimento superficial dele. Pobre Edward! Seus modos inatos por certo não são os mais adequados. Mas nem todos nascemos, você sabe, com os mesmos atributos, a mesma atitude. Pobre sujeito! Vê-lo em um círculo de estranhos! Com certeza era muito lamentável! Mas, por minha alma, acredito que ele tem o melhor coração do reino e declaro que nunca fiquei tão chocado em minha vida como quando tudo veio à tona. Não pude acreditar. Minha mãe foi a primeira pessoa a me contar, e eu, sentindo-me chamado a agir de modo resoluto, imediatamente disse a ela: "Minha querida senhora, não sei o que pretende fazer quanto a isso, mas de minha parte devo dizer que, se Edward se casar com essa moça, nunca mais vou vê-lo". Foi o que eu disse na mesma hora. Fiquei surpreendentemente chocado, de fato! Pobre Edward! Causou tudo isso completamente por si... isolou-se para sempre de toda a sociedade decente! Mas, como disse sem rodeios a minha mãe, não estou nem um pouco surpreso; dado o estilo da educação dele, isso sempre foi o esperado. Minha pobre mãe ficou meio desesperada.

— Você já viu a dama?

— Sim, uma vez, enquanto ela estava hospedada nesta casa, fiquei por dez minutos e vi o suficiente. Uma mera moça do campo, desajeitada, sem estilo, sem elegância e quase sem beleza. Lembro-me perfeitamente dela. Bem o tipo de moça que suponho que provavelmente cative o pobre Edward. Tão logo minha mãe relatou o caso, me ofereci imediatamente para falar com ele e dissuadi-lo do enlace, mas descobri que *já* era tarde demais para fazer qualquer coisa, pois infelizmente eu não estava presente no começo e não sabia de nada até o rompimento ocorrer, quando não mais me cabia interferir, você sabe. Se tivesse sido informado algumas horas antes... acho muito provável... que algo pudesse ter acontecido. Eu, com certeza, teria exposto o caso a Edward de forma muito forte. "Meu caro", eu diria, "considere o que está fazendo. Você está estabelecendo uma ligação das mais vergonhosas, uma que sua família é unânime em desaprovar." Em suma, não posso deixar de pensar que poderia ter se encontrado um meio. Mas agora é tarde demais. Ele deve estar na penúria, você sabe; isso é certo; penúria absoluta.

Robert Ferrars havia acabado de fazer essa declaração com grande compostura quando a entrada da sra. John Dashwood pôs fim ao assunto.

Embora *ela* nunca tenha falado sobre o caso a não ser com a própria família, Elinor pôde perceber a influência dos acontecimentos na mente da sra. Dashwood, no semblante confuso com que ela entrou e na tentativa de comportamento cordial com a cunhada. Chegou até a se preocupar ao descobrir que Elinor e sua irmã deixariam a cidade em breve, pois esperava vê-las mais vezes; um esforço no qual o marido, que a acompanhou até a sala, observando embevecido suas palavras, parecia distinguir tudo o que haveria de mais afetuoso e gracioso.

Capítulo 42

Mais uma breve visita a Harley Street, na qual John Dashwood felicitou Elinor por viajarem até Barton sem nenhuma despesa e por o coronel Brandon acompanhá-las a Cleveland em um ou dois dias, completou o contato entre o irmão e as irmãs na cidade; um convite morno de Fanny para irem a Norland sempre que acontecesse de passarem por lá, a coisa mais improvável de ocorrer, com uma garantia mais calorosa, embora menos pública, de John a Elinor de prontamente vê-la em Delaford era tudo o que previa algum encontro no campo.

Elinor divertia-se ao observar que todos os seus amigos pareciam decididos a mandá-la para Delaford – lugar que, entre todos os outros, ela agora menos escolheria visitar e onde tampouco desejaria residir –, pois era considerado seu futuro lar não só por seu irmão e pela sra. Jennings, mas até mesmo por Lucy, que, quando se despediram, fez um convite insistente para que a visitasse lá.

Bem no início de abril, no começo de uma manhã, os grupos de Hanover Square e Berkeley Street partiram de suas respectivas casas para se encontrar a determinada hora na estrada. Para a comodidade de Charlotte e seu filho, levariam mais de dois dias na jornada, e o sr. Palmer, viajando mais rapidamente com o coronel Brandon, deveria se juntar a elas em Cleveland logo após sua chegada.

Marianne, cujas horas de conforto em Londres haviam sido tão poucas, há muito ansiosa para ir embora, não conseguiu, quando chegou o momento, despedir-se da casa em que pela última vez desfrutara das esperanças e da confiança em Willoughby, agora extintas para sempre, sem grande sofrimento. Nem conseguiu deixar o lugar em que Willoughby permanecia, ocupado em novos compromissos e novos esquemas dos quais *ela* não poderia compartilhar, sem derramar muitas lágrimas.

A satisfação de Elinor no momento da partida foi mais positiva. Ela não tinha um objeto em que pensamentos persistentes se fixassem, não deixava ninguém que provocasse um instante de arrependimento por se separar para sempre, estava satisfeita por se libertar da perseguição da amizade de Lucy, estava grata por levar a irmã embora sem ter visto Willoughby desde seu casamento e tinha grandes esperanças no que alguns meses de tranquilidade em Barton poderiam fazer para restaurar a paz de espírito de Marianne e reforçar a sua.

A jornada foi realizada em segurança. O segundo dia conduziu-as para o querido, ou proibido, condado de Somerset, que assim habitava alternadamente a imaginação de Marianne; na manhã do terceiro, chegaram a Cleveland.

Cleveland era uma casa espaçosa, de construção moderna, situada em um gramado inclinado. Não tinha parque, mas os campos de lazer eram razoavelmente extensos; como todos os outros lugares do mesmo nível, tinha arbustos ao ar livre e uma trilha mais fechada no bosque, uma estrada de cascalho fino serpenteando em torno de uma plantação que conduzia à entrada da frente, o gramado pontilhado por árvores; a casa ficava sob a guarda de abetos, freixos da montanha e acácias; uma barreira espessa dessas árvores, intercaladas com altos choupos da Lombardia, ocultava a área de serviço.

Marianne entrou na casa com o coração transbordando de emoção pela consciência de estar a apenas cento e trinta quilômetros de Barton, e não a cinquenta quilômetros de Combe Magna; antes de completar cinco minutos dentro de suas paredes, enquanto os outros estavam ocupados ajudando Charlotte a mostrar seu filho para a governanta, ela saiu de novo, escapulindo através dos arbustos sinuosos, que agora começavam a ficar viçosos, até uma colina distante, onde, de um templo

Razão & Sensibilidade

grego, seus olhos, vagando por uma vasta faixa de campo ao sudeste, podiam descansar ternamente na crista distante dos morros no horizonte e imaginar que daqueles cumes Combe Magna podia ser avistada.

Nesse momento de precioso e inestimável tormento, ela se regozijou em lágrimas de agonia por estar em Cleveland; ao voltar para a casa por um percurso diferente, sentindo todo o feliz privilégio da liberdade do campo, de vagar de um lugar para outro no luxo e na liberdade da solidão, ela decidiu passar quase todas as horas de cada dia que permanecesse com os Palmer entregue ao prazer dessas caminhadas solitárias.

Voltou bem a tempo de se juntar aos demais quando deixaram a casa para uma excursão pelas instalações mais próximas; o resto da manhã se passou tranquilamente, vagando pela horta, examinando as floradas nos muros, ouvindo as queixas do jardineiro sobre as pragas, circulando pela estufa, onde a perda de suas plantas favoritas, imprudentemente expostas à geada persistente e queimadas pelo frio, provocou o riso de Charlotte, e visitando o aviário, onde, nas esperanças frustradas de sua empregada porque as galinhas abandonaram os ninhos ou foram capturadas por uma raposa, ou por causa da rápida diminuição de uma ninhada promissora, Charlotte encontrou novas fontes de divertimento.

A manhã estava bonita e seca, e Marianne, em seu plano de atividades externas, não havia previsto nenhuma mudança climática durante a estada em Cleveland. Com grande surpresa, portanto, se viu impedida de sair de novo depois do jantar por causa de uma chuva forte. Ela pretendia caminhar ao crepúsculo até o templo grego, talvez por todo o terreno, e uma noite meramente fria ou úmida não a teria impedido, mas, sob uma chuva forte e constante, nem mesmo *ela* conseguiria fazer de conta que o tempo estava seco ou agradável para caminhar.

O grupo era pequeno, e as horas passaram tranquilamente. A sra. Palmer tinha seu filho, a sra. Jennings, seu tapete; conversaram sobre os amigos que haviam deixado em Londres, organizaram os compromissos de lady Middleton e conjecturaram se o sr. Palmer e o coronel Brandon iriam além de Reading naquela noite. Elinor, embora pouco interessada, juntou-se à conversa; Marianne, que tinha o dom de achar o caminho para a biblioteca em todas as casas, por mais que esse local fosse evitado pelos moradores, logo arranjou um livro para si.

Da parte da sra. Palmer, não faltava nada que o bom humor constante e amigável pudesse fazer para que se sentissem bem-vindas. A franqueza e cordialidade de suas maneiras mais do que compensavam aquela falta de compostura e de elegância que muitas vezes a deixavam devendo em termos de polidez; sua gentileza, adornada por um rosto muito bonito, era envolvente; sua insensatez, embora evidente, não era repulsiva, porque não era presunçosa; e Elinor poderia perdoar tudo, exceto suas risadas.

Os dois cavalheiros chegaram no dia seguinte para um jantar muito tardio, proporcionando um agradável aumento do grupo e uma muito bem-vinda variedade à conversa, que uma longa manhã da mesma chuva contínua havia reduzido em muito.

Elinor vira o sr. Palmer tão pouco, e nesse pouco vira tanta variedade no tratamento dele à irmã e a si mesma, que não sabia o que esperar ao encontrá-lo em família. No entanto, considerou-o um cavalheiro perfeito em seu comportamento com todos os visitantes e apenas ocasionalmente rude com a esposa e a sogra; viu que ele era capaz de ser uma companhia agradável e só não o era sempre devido à grande propensão para se imaginar tão superior às pessoas em geral como deveria se sentir em relação à sra. Jennings e a Charlotte. Quanto ao resto de seu caráter e hábitos, pelo que Elinor podia perceber, era marcado por traços comuns a seu sexo e idade. Era educado ao comer, mas impontual; afeiçoado ao filho, embora fingisse desprezá-lo; passava as manhãs, que deveriam ser dedicadas aos negócios, no bilhar. No entanto, de modo geral, Elinor gostou dele muito mais do que esperava, e em seu coração

Razão & Sensibilidade

não lamentava não poder gostar mais, não lamentava ser levada, pela observação de seu epicurismo, egoísmo e vaidade, a perder-se em recordações do temperamento generoso de Edward, de seu gosto simples e seus sentimentos tímidos.

De Edward, ou pelo menos de algumas de suas atividades, ela agora recebia informações do coronel Brandon, que estivera em Dorsetshire recentemente e que, tratando-a ao mesmo tempo como a amiga desinteressada do sr. Ferrars e uma espécie de confidente, falou muito com ela sobre o presbitério de Delaford, descreveu suas deficiências e contou o que pretendia fazer para eliminá-las. O comportamento do coronel com Elinor neste, bem como em todos os outros detalhes, seu visível prazer ao encontrá-la após uma ausência de apenas dez dias, sua disposição para conversar com ela e o respeito por sua opinião poderiam muito bem justificar a convicção da sra. Jennings do afeto dele por Elinor e talvez até tivessem bastado para fazê-la suspeitar disso se, desde o início e ainda agora, Elinor não acreditasse que Marianne era a verdadeira favorita do coronel. Sendo assim, tal ideia nunca lhe passara pela cabeça, a não ser por sugestão da sra. Jennings, e Elinor não tinha como não acreditar que não fosse uma melhor observadora do que a sra. Jennings – ela observava os olhos, ao passo que a sra. Jennings pensava apenas no comportamento do coronel. Por isso, enquanto os olhares atentos e ansiosos do coronel devido à dor de cabeça e garganta de Marianne, início de um forte resfriado, escaparam inteiramente à observação da sra. Jennings porque não expressos em palavras, *ela* pôde identificar os sentimentos intensos e o sobressalto desnecessário de um enamorado.

Dois encantadores passeios ao crepúsculo na terceira e quarta noites de sua estada, não apenas no cascalho seco dos arbustos, mas também por todo o terreno, especialmente nas partes mais distantes, onde havia um quê de mais selvagem do que no resto, onde as árvores eram mais velhas e a grama, mais alta e mais úmida – somados à imprudência ainda maior de ficar com os sapatos e meias molhados –, causaram um resfriado muito violento, que, embora não levado a sério e negado por Marianne por um ou dois dias, se impôs à preocupação de todos e à atenção dela quando seu mal-estar aumentou. Chegaram receitas de todos os lados, e, como de costume, foram todas recusadas. Embora pesada e febril, com dor nos membros, tosse e garganta dolorida, uma boa noite de sono a curaria por completo, e foi com dificuldade que Elinor a persuadiu, quando Marianne foi para a cama, a tomar um ou dois dos remédios mais simples.

❧ *Capítulo 43*

Marianne se levantou na manhã seguinte no horário de costume. A cada indagação respondeu que estava melhor, e tentou prová-lo ocupando-se de suas atividades habituais. Mas um dia passado sentada tiritando diante da lareira com um livro na mão que não conseguiu ler, ou deitada no sofá, esgotada e apática, não depôs em favor de sua convalescença; quando, por fim, foi para a cama cedo, cada vez mais indisposta, o coronel Brandon estava atônito com a compostura de Elinor, que, embora atendendo e cuidando de Marianne o dia inteiro contra a vontade desta e forçando-lhe os remédios adequados à noite, confiava, como Marianne, na eficácia do sono e não estava realmente alarmada.

Contudo, uma noite muito agitada e febril frustrou a expectativa de ambas; quando Marianne, depois de insistir em se levantar, confessou-se incapaz de ficar sentada e voltou voluntariamente para a cama, Elinor estava pronta para seguir o conselho da sra. Jennings e mandar chamar o boticário dos Palmer. Ele veio, examinou a paciente e encorajou a srta. Dashwood a esperar que em poucos dias a saúde da irmã estivesse restaurada; contudo, ao declarar que a enfermidade tinha uma tendência infecciosa e ao permitir que a palavra "infecção" escapasse de seus lábios, provocou alarme instantâneo na sra. Palmer, por causa do bebê.

A sra. Jennings, que desde o início estivera mais inclinada do que Elinor a considerar a doença de Marianne séria, levou muito a sério o diagnóstico do sr. Harris e, corroborando os temores e a cautela de Charlotte, insistiu na necessidade de sua partida imediata com o filho; o sr. Palmer, embora tratasse as apreensões de ambas como frívolas, considerou a ansiedade e a importunação da esposa grandes demais para serem suportadas. Sua partida, portanto, foi decidida, e, uma hora após a chegada do sr. Harris, Charlotte, com o filho e a babá, rumou para a casa de um parente próximo do sr. Palmer que vivia a alguns quilômetros, do outro lado de Bath, onde o marido prometeu, mediante as súplicas ardentes, juntar-se a ela em um ou dois dias e para onde ela insistiu quase com a mesma intensidade que sua mãe a acompanhasse. A sra. Jennings, no entanto, com uma bondade de coração que fez Elinor realmente amá-la, declarou sua resolução de não sair de Cleveland enquanto Marianne permanecesse doente e de se esforçar, com seu cuidado e atenção, para ocupar o lugar da mãe, de quem ela havia afastado Marianne; e o tempo todo Elinor teve na sra. Jennings uma companheira muito disposta e ativa, desejosa de compartilhar todas as fadigas e, por sua grande experiência em enfermagem, de valor essencial em muitas ocasiões.

A pobre Marianne, apática e abatida pela natureza de sua enfermidade e se sentindo totalmente indisposta, não podia mais esperar encontrar-se recuperada no dia seguinte, e o pensamento sobre o que o dia seguinte teria proporcionado, não fosse essa infeliz doença, agravava o quadro de saúde, pois naquele dia elas deveriam ter começado a jornada para casa e, acompanhadas em todo o trajeto por um servo da sra. Jennings, deveriam pegar sua mãe de surpresa na manhã seguinte. O pouco que Marianne falou foi apenas para lamentar o adiamento inevitável, embora Elinor tentasse elevar seu ânimo e fazê-la acreditar, como ela *então* realmente acreditava, que seria um período bem curto.

O dia seguinte apresentou pouca ou nenhuma alteração no estado da paciente; ela com certeza não estava melhor, mas pelo menos não parecia pior. O grupo estava agora mais reduzido, pois o sr. Palmer, embora muito relutante em partir, tanto por uma questão de verdadeira humanidade e boa índole como também por não gostar de parecer acuado pela esposa, foi enfim persuadido pelo coronel Brandon a cumprir a

Razão & Sensibilidade

promessa de segui-la; enquanto ele se preparava para partir, o coronel Brandon, com um esforço muito maior, também começou a falar em ir embora. Aqui, entretanto, a gentileza da sra. Jennings interpôs-se de maneira muito aceitável, pois deixar o coronel ir embora enquanto sua amada estava tão aflita por causa da irmã seria privar a ambos, pensou ela, de todo conforto; portanto, dizendo imediatamente que a estada dele em Cleveland era necessária, que ela o queria para jogar piquet à noite, enquanto a srta. Dashwood estivesse lá em cima com a irmã, etc., exortou-o tão fortemente a ficar que ele, satisfazendo o maior desejo do próprio coração ao se submeter, não conseguiu sequer fingir objeção por muito tempo, porque o pedido da sra. Jennings foi calorosamente apoiado pelo sr. Palmer, que pareceu sentir-se aliviado por deixar uma pessoa tão apta a ajudar ou aconselhar a srta. Dashwood em qualquer emergência.

Marianne, é claro, foi mantida na ignorância de todos esses arranjos. Ela não sabia que tinha provocado a partida dos proprietários de Cleveland cerca de sete dias após sua chegada. Não ficou surpresa por não ver a sra. Palmer em nenhum momento e, como isso também não a preocupou, nunca mencionou seu nome.

Dois dias se passaram desde a hora da partida do sr. Palmer, e a situação de Marianne continuou na mesma, com pouca variação. O sr. Harris, que a atendia todos os dias, ainda falava de modo confiante em uma recuperação rápida, e a srta. Dashwood estava igualmente otimista, mas a expectativa dos demais não era de forma alguma tão positiva. A sra. Jennings havia concluído, desde o começo da crise, que Marianne nunca se recuperaria, e o coronel Brandon, cuja principal ocupação era ouvir os pressentimentos da sra. Jennings, não estava com a mente em condições de resistir àquela influência. Ele tentava afastar racionalmente os temores que o parecer diverso do boticário parecia tornar absurdos, mas as muitas horas de cada dia em que ficava inteiramente sozinho eram por demais favoráveis para acolher todo tipo de ideia melancólica, e ele não conseguia expulsar de sua mente a convicção de que não mais veria Marianne.

Na manhã do terceiro dia, porém, as sombrias previsões de ambos quase desapareceram quando o sr. Harris declarou que sua paciente havia melhorado de forma significativa. Seu pulso estava muito mais forte, e todos os sintomas, mais favoráveis do que na visita anterior. Elinor, com todas as agradáveis esperanças confirmadas, era só alegria, regozijando-se por ter seguido o próprio julgamento e não o de sua amiga nas cartas à mãe, minimizando a indisposição que as retardava em Cleveland e quase fixando a data em que Marianne poderia viajar.

Mas o dia não terminou tão auspiciosamente quanto começou. Ao anoitecer, Marianne adoeceu de novo, ficando mais pesada, agitada e desconfortável do que antes. Sua irmã, porém, ainda otimista, estava disposta a atribuir a mudança apenas ao cansaço por ter ficado sentada enquanto arrumavam a cama; administrando cuidadosamente os cordiais prescritos, viu-a, com satisfação, cair no sono, do qual esperava os efeitos mais benéficos. O sono de Marianne, embora não tão calmo quanto sua irmã desejava, durou um período considerável; ansiosa por observar o resultado, Elinor resolveu manter-se ao lado dela durante todo o tempo. A sra. Jennings, nada sabendo de qualquer alteração no quadro da paciente, foi para a cama mais cedo do que o habitual; sua criada, que era uma das principais ajudantes, estava descansando no quarto da governanta, e Elinor ficou sozinha com Marianne.

O sono de Marianne ficou cada vez mais agitado; sua irmã, que observava com atenção fixa a mudança contínua de postura e ouvia os ruídos queixosos frequentes, mas inarticulados, que escapavam de seus lábios, estava quase desejando despertá-la de um sono tão doloroso, quando Marianne, acordada de súbito por algum barulho na casa, começou a se levantar às pressas e, com impetuosidade febril, gritou:

Razão & Sensibilidade

— Mamãe está vindo?

— Ainda não — exclamou Elinor, disfarçando seu terror e ajudando Marianne a se deitar de novo —, mas ela estará aqui em breve, espero. É um longo trajeto daqui até Barton, você sabe.

— Mas ela não deve passar por Londres — gritou Marianne no mesmo tom alvoroçado. — Eu nunca a verei se ela for por Londres.

Elinor percebeu alarmada que Marianne não estava em si e, enquanto tentava acalmá-la, sentiu ansiosamente seu pulso. Estava mais fraco e mais acelerado do que nunca! Enquanto Marianne seguia falando descontroladamente sobre a mãe, o desassossego de Elinor aumentou de tal forma que decidiu mandar chamar o sr. Harris na mesma hora e despachar um mensageiro a Barton para buscar a mãe. Consultar o coronel Brandon sobre a melhor maneira de fazer isso foi o pensamento imediato após a decisão; assim que chamou a empregada para substituí-la ao lado da irmã, desceu apressada para a sala de estar, onde sabia que o coronel costumava ser encontrado em horário muito mais avançado do que o atual.

Não era hora de hesitar. Elinor expôs seus medos e dificuldades a ele sem rodeios. Os medos o coronel não teve coragem nem confiança para tentar remover – ouviu em desânimo silencioso; mas as dificuldades foram imediatamente remediadas, pois, com uma prontidão à altura da ocasião e o serviço organizado de antemão em sua mente, ofereceu-se como mensageiro para buscar a sra. Dashwood. Elinor não ofereceu resistência que não fosse facilmente superada. Ela fez um agradecimento breve, mas ardente, e, enquanto o coronel despachava seu criado às pressas com uma mensagem para o sr. Harris e o pedido de cavalos dos correios, Elinor escreveu algumas linhas para a mãe.

Com que gratidão foi apreciado o conforto de um amigo – ou de um acompanhante para sua mãe – como o coronel Brandon naquele momento! Um acompanhante cujo discernimento guiaria, cuja presença deveria aliviar e cuja amizade poderia acalmar a sra. Dashwood – a presença, as maneiras e a ajuda do coronel Brandon diminuiriam, tanto quanto *pudesse* ser diminuído, o choque de tal chamado.

Enquanto isso, *ele*, fosse o que fosse que pudesse sentir, agiu com toda a firmeza de uma mente serena, fez todos os arranjos necessários com a maior rapidez e calculou com exatidão para quando Elinor poderia esperar o retorno dele. Nenhum momento foi perdido em atrasos de qualquer tipo. Os cavalos chegaram antes mesmo do esperado, e o coronel Brandon, com apenas um aperto de mão, um olhar solene e algumas palavras faladas baixo demais para alcançar o ouvido de Elinor, correu para dentro da carruagem. Era então cerca de meia-noite, e ela voltou ao quarto da irmã para esperar a chegada do boticário e observá-la o resto da noite.

Foi uma noite de sofrimento quase igual para ambas. Hora após hora foram passadas em dor insone e delírio por Marianne e na mais cruel ansiedade por Elinor antes que o sr. Harris aparecesse. Uma vez suscitadas, as apreensões da srta. Dashwood suplantaram em muito toda a sua segurança anterior, e a criada que se sentou com ela, pois Elinor não permitiu que a sra. Jennings fosse chamada, apenas a torturou ainda mais com insinuações do que sua patroa sempre pensara.

As ideias de Marianne ainda estavam, a intervalos, incoerentes e fixadas na mãe, e, sempre que ela a mencionava, doía o coração da pobre Elinor, que, censurando-se por ter feito pouco caso de dias de doença e desesperada por algum alívio imediato, imaginava que todo alívio logo seria em vão, que era tarde demais para tudo, e via sua mãe em sofrimento, chegando tarde demais para ver aquela filha querida ou para vê-la lúcida.

Elinor estava prestes a mandar chamar o sr. Harris de novo ou, se *ele* não pudesse vir, algum outro, quando ele chegou – mas não antes das cinco horas. Sua opinião, no entanto, produziu uma pequena

Razão & Sensibilidade

compensação pela demora, pois, ainda que reconhecesse uma alteração muito inesperada e desagradável na paciente, não a considerou de grande perigo e falou do alívio que um novo tratamento deveria proporcionar com uma confiança que, em menor grau, foi transmitida a Elinor. Ele prometeu retornar dentro de três ou quatro horas e deixou a paciente e sua ansiosa cuidadora mais serenas do que as encontrara.

Com grande preocupação e muitas censuras por não ter sido chamada em auxílio, a sra. Jennings ouviu pela manhã o que havia acontecido. Suas apreensões anteriores, agora revigoradas com mais motivo, não lhe deixavam nenhuma dúvida do que sucederia, e, embora tentasse confortar Elinor, sua convicção do perigo que Marianne corria não lhe permitia oferecer o consolo da esperança. Seu coração estava realmente triste. A rápida decadência, a morte prematura de uma garota tão jovem, tão adorável como Marianne, teria impressionado uma pessoa menos interessada. Marianne tinha outros direitos à compaixão da sra. Jennings. Havia sido sua acompanhante por três meses, ainda estava sob seus cuidados, e era sabido que tinha sido gravemente ferida e estava infeliz havia tempos. A aflição de Elinor, particularmente querida pela sra. Jennings, estava diante de seus olhos; quanto à mãe delas, quando a sra. Jennings considerou que Marianne provavelmente poderia ser para ela o que Charlotte era para si, sua solidariedade pelo sofrimento *dela* foi muito sincera.

O sr. Harris foi pontual em sua segunda visita, mas suas esperanças no que a vinda anterior produziria foram frustradas. Seus medicamentos haviam falhado, a febre não baixara, e Marianne, apenas mais quieta, sem lucidez, permanecia em pesado estupor. Elinor percebeu tudo – acima de tudo os medos do sr. Harris – no mesmo instante e propôs buscar auxílio adicional. Mas ele julgou desnecessário: ainda tinha outra coisa para tentar, um novo tratamento, em cujo sucesso estava tão confiante quanto no anterior, e sua visita terminou com promessas encorajadoras que chegaram aos ouvidos, mas não conseguiram entrar no coração, da srta. Dashwood. Ela estava calma, exceto quando pensava na mãe, mas quase sem esperança, e nesse estado continuou até o meio-dia, mal se mexendo da cabeceira da irmã, os pensamentos vagando de uma imagem de tristeza a outra, de um amigo em sofrimento a outro, o espírito oprimido ao máximo pela conversa com a sra. Jennings, que não hesitou em atribuir a gravidade e o perigo da moléstia às muitas semanas de indisposição que a decepção de Marianne havia causado. Elinor reconheceu a sensatez da ideia, e isso trouxe nova angústia a suas reflexões.

Por volta do meio-dia, porém, ela começou, mas com cautela, com um pavor de se decepcionar que a manteve calada por algum tempo até mesmo com sua amiga, a imaginar, a ter esperança de estar percebendo uma leve alteração no pulso de Marianne. Ela esperou, observou e o examinou repetidas vezes; por fim, com uma agitação mais difícil de esconder sob a calma exterior do que toda a angústia prévia, aventurou-se a comunicar suas esperanças. A sra. Jennings, embora forçada mediante exame a reconhecer um restabelecimento temporário, tentou evitar que sua jovem amiga se permitisse pensar na continuidade daquilo. Elinor, analisando cada motivo de desconfiança, disse a si mesma para não ter esperanças. Mas era tarde demais. A esperança já havia entrado, e, sentindo toda aquela vibração ansiosa, ela se curvou sobre a irmã para observar – ela mal sabia o quê. Meia hora se passou, e o sintoma favorável ainda abençoava Marianne. Surgiram outros para confirmá--lo. A respiração, a pele, os lábios, tudo deleitava Elinor com sinais de recuperação. Marianne fixou os olhos nela com um aspecto lúcido, embora lânguido. A ansiedade e a esperança agora oprimiam Elinor na mesma medida e não lhe deram nenhum momento de tranquilidade até a chegada do sr. Harris às quatro horas, quando suas garantias e

Razão & Sensibilidade

felicitações pela recuperação de Marianne, que superara as expectativas dele, proporcionaram confiança, conforto e lágrimas de alegria a Elinor.

Marianne estava significativamente melhor em todos os aspectos, e ele a declarou totalmente fora de perigo. A sra. Jennings, talvez dando-se por satisfeita com a justificativa parcial de seus presságios no recente sobressalto, permitiu-se confiar no julgamento do sr. Harris e admitiu, com alegria sincera, e logo com inequívoca empolgação, a probabilidade de uma recuperação completa.

Elinor não conseguia ficar empolgada. Sua alegria era de um tipo diferente e conduzia a qualquer coisa, menos animação. Marianne restaurada à vida, à saúde, aos amigos e à sua mãe amorosa era uma ideia que preenchia seu coração com sensações de refinado conforto e o expandia em gratidão fervorosa, mas não levava a nenhuma demonstração de alegria, nem palavras, nem sorrisos. Tudo dentro do peito de Elinor era satisfação silenciosa e forte.

Ela permaneceu ao lado da irmã durante toda a tarde, com exceção de poucos intervalos, acalmando todos os medos, satisfazendo todas as indagações do espírito debilitado de Marianne, fornecendo todos os socorros e observando quase todos os olhares e todas as respirações. A possibilidade de uma recaída ocorria-lhe em alguns momentos, é claro, lembrando-a de sua ansiedade, mas, quando viu, em seu exame frequente e minucioso, que todos os sintomas de recuperação continuavam e viu Marianne mergulhar em um sono pacífico, estável e aparentemente confortável às seis horas, Elinor silenciou todas as dúvidas.

Então aproximou-se a hora em que o coronel Brandon deveria estar de volta. Às dez horas, acreditava Elinor, ou pelo menos não muito depois, sua mãe seria aliviada do suspense terrível em que deveria estar enquanto viajava. O coronel também! Talvez pouco menos digno de piedade! Oh! Como era lento o passar do tempo que ainda os mantinha na ignorância!

Às sete horas, deixando Marianne docemente adormecida, Elinor juntou-se à sra. Jennings na sala de estar para tomar chá. Do desjejum ela fora privada por seus medos, e no jantar, pela repentina reviravolta, de comer muito; aquele lanche, portanto, com o contentamento que ela sentia, foi particularmente bem-vindo. Encerrado o chá, a sra. Jennings quis persuadir Elinor a descansar um pouco antes da chegada da mãe e a permitir que ela ocupasse seu lugar ao lado de Marianne, mas Elinor não sentia cansaço, não tinha condição de dormir naquele momento e não ficaria longe da irmã por um instante sem motivo. A sra. Jennings, portanto, acompanhou-a escada acima até o quarto da doente para se certificar de que tudo continuava bem, deixou-a lá com seus afazeres e pensamentos e se retirou para o próprio quarto para escrever cartas e dormir.

A noite estava fria e tempestuosa. O vento rugia ao redor da casa, a chuva batia nas janelas, mas Elinor, plena de felicidade interna, não reparava nisso. Marianne dormia em meio ao estrondo, e os viajantes tinham à espera uma rica recompensa para todo aquele incômodo.

O relógio bateu oito horas. Se fossem dez, Elinor teria ficado convencida de ter ouvido uma carruagem se aproximar da casa; tão forte foi a convicção que, apesar de ser *quase* impossível eles já terem chegado, ela foi para o quarto de vestir contíguo e abriu a veneziana para se convencer da verdade. No mesmo instante viu que seus ouvidos não a haviam enganado. As lanternas flamejantes de uma carruagem estavam bem à vista. À luz oscilante, ela julgou discernir que era puxada por quatro cavalos, o que denunciava o excesso de preocupação de sua pobre mãe e ao mesmo tempo explicava a inesperada rapidez.

Nunca na vida Elinor achou tão difícil ficar calma como naquele momento. O conhecimento do que sua mãe deveria estar sentindo quando a carruagem parou na porta – dúvida, pavor, talvez desespero! E o que *ela* tinha a contar! Com tal conhecimento era impossível ficar

Razão & Sensibilidade

calma. Só restava ser rápida; portanto, esperou apenas até deixar a empregada da sra. Jennings com Marianne, depois desceu as escadas correndo.

A agitação no vestíbulo, enquanto passava por um saguão interno, garantiu-lhe que já estavam na casa. Elinor correu para a sala de estar. Entrou e viu apenas Willoughby.

Capítulo 44

Elinor, recuando com um olhar horrorizado ao vê-lo, obedeceu ao primeiro impulso de seu coração ao se virar instantaneamente para sair da sala, e sua mão já estava na fechadura, quando a ação foi suspensa pelo avanço apressado de Willoughby, dizendo, com voz mais de comando do que de súplica:

— Senhorita Dashwood, meia hora, dez minutos... suplico-lhe que fique.

— Não, senhor — respondeu ela com firmeza —, não vou ficar. Seu assunto não pode ser comigo. Os criados, suponho, esqueceram-se de dizer que o sr. Palmer não está em casa.

— Se tivessem dito — exclamou ele com veemência — que o sr. Palmer e todos os seus parentes tinham ido para o diabo, isso não teria me afastado da porta. Meu assunto é com você e somente você.

— Comigo! — disse Elinor em total espanto. — Bem, senhor, seja rápido e, se possível, menos impetuoso.

— Sente-se e serei ambas as coisas.

Ela hesitou, não sabia o que fazer. A possibilidade de o coronel Brandon chegar e encontrá-la ali passou por sua mente. Mas Elinor havia prometido ouvir Willoughby, e sua curiosidade, não menos do que sua honra, estava comprometida. Após um momento de ponderação, concluindo que a prudência exigia rapidez e que sua aquiescência seria a melhor forma de garanti-la, Elinor caminhou em silêncio até a mesa e sentou-se. Ele ocupou a cadeira em frente, e, por meio minuto, nenhum dos dois disse uma palavra.

— Por favor, seja rápido, senhor — disse Elinor, impaciente. — Não tenho tempo a perder.

Razão & Sensibilidade

Ele estava sentado em atitude de profunda meditação e parecia não ouvi-la.

— Sua irmã — disse ele abruptamente um momento depois — está fora de perigo. Ouvi do criado. Deus seja louvado! Mas é verdade? É mesmo verdade?

Elinor não falou. Ele repetiu a pergunta com ansiedade ainda maior.

— Pelo amor de Deus, diga-me, ela está fora de perigo ou não?

— Esperamos que esteja.

Ele se levantou e caminhou pela sala.

— Se tivesse sabido disso meia hora atrás... Mas, já que estou aqui — falou ele com vivacidade forçada, enquanto voltava para seu assento —, o que isso significa? Desta vez, srta. Dashwood... talvez esta seja a última vez... alegremo-nos juntos. Estou com ótimo ânimo para a alegria. Diga-me honestamente — um brilho mais intenso espalhou-se pelas bochechas dele —, você me considera mais um patife ou um tolo?

Elinor olhou para ele com mais espanto do que nunca. Começou a pensar que ele devia estar bêbado. A estranheza de tal visita e de tal comportamento não parecia explicável de outra forma; com essa impressão, ela se levantou de imediato, dizendo:

— Sr. Willoughby, de momento aconselho-o a retornar a Combe; não disponho de mais tempo para permanecer com você. Qualquer que seja seu assunto comigo, será mais bem lembrado e explicado amanhã.

— Entendo — respondeu ele, com um sorriso expressivo e a voz perfeitamente calma. — Sim, estou muito bêbado. Meio litro de cerveja preta com rosbife em Marlborough foi o suficiente para me derrubar.

— Em Marlborough! — exclamou Elinor, cada vez entendendo menos o que ele pretendia.

— Sim, deixei Londres esta manhã às oito horas, e os únicos dez minutos que passei fora de minha carruagem desde então foi para um almoço em Marlborough.

A atitude firme e a inteligência do olhar dele ao falar convenceram Elinor de que, qualquer que fosse a loucura imperdoável que pudesse tê-lo trazido a Cleveland, não havia sido intoxicação. Após um momento de ponderação, ela disse:

— Sr. Willoughby, você *deve* sentir, e eu com certeza *sinto*, que, depois do que aconteceu, você vir aqui dessa maneira e forçar sua presença a mim requer uma justificativa muito especial. O que pretende com isso?

— Pretendo — disse ele, em tom enérgico e sério —, se puder, fazer com que você me odeie um grau a menos do que me odeia *agora*. Quero oferecer algum tipo de explicação, algum tipo de desculpa pelo que se passou; abrir meu coração a você e, convencendo-a de que, embora eu sempre tenha sido um estúpido, nem sempre fui um canalha, obter algo como o perdão de Ma... de sua irmã.

— É esse o verdadeiro motivo de sua vinda?

— Por minha alma que é.

Foi a resposta dele, com um ardor que trouxe tudo do antigo Willoughby à lembrança de Elinor e, mesmo a contragosto, a fez pensar que ele era sincero.

— Se isso é tudo, já pode dar-se por satisfeito, pois Marianne o *perdoou*... ela o perdoou *há muito tempo*.

— É mesmo? — exclamou ele, no mesmo tom ansioso. — Então ela me perdoou antes do que deveria. Mas ela deve me perdoar de novo, e em bases mais razoáveis. *Agora* você vai me ouvir?

Elinor assentiu com a cabeça.

— Não sei — disse ele, após uma pausa de expectativa por parte dela e de reflexão dele — como *você* pode ter avaliado meu comportamento com sua irmã ou que motivo diabólico pode ter imputado a mim. Talvez você dificilmente venha a ter-me em melhor conceito, entretanto, vale a pena tentar, e você ouvirá tudo. Quando me tornei íntimo de sua

Razão & Sensibilidade

família, eu não tinha outra intenção, nenhum outro plano em vista, a não ser passar meu tempo de maneira agradável enquanto era obrigado a permanecer em Devonshire, de maneira mais agradável do que nunca. A aparência adorável e a conduta interessante de sua irmã não podiam deixar de me agradar; o comportamento dela comigo desde o início foi de uma natureza... É espantoso, quando reflito sobre como foram as coisas, e como *ela* era, que meu coração fosse tão insensível! Mas, devo confessar, de início minha vaidade apenas aumentou devido a isso. Desatento à felicidade dela, pensando apenas em minha diversão, cedendo a sentimentos aos quais sempre tive o hábito de ceder, me esforcei, por todos os meios ao meu alcance, para tornar-me agradável a ela, sem qualquer intenção de retribuir seu afeto.

Nesse momento, voltando os olhos para Willoughby com o mais raivoso desprezo, a srta. Dashwood o interrompeu, dizendo:

— Não vale a pena, sr. Willoughby, você relatar ou eu ouvir por mais tempo. Um começo desses não pode levar a lugar algum. Não me faça sofrer ouvindo mais alguma coisa sobre esse assunto.

— Insisto em que você ouça tudo — respondeu ele. — Minha fortuna nunca foi grande, e sempre fui esbanjador, sempre tive o hábito de me associar a pessoas com renda superior à minha. Todos os anos, desde a maioridade, ou mesmo antes, creio eu, aumentei minhas dívidas; embora a morte de minha velha prima, a sra. Smith, fosse me libertar, sendo esse evento incerto e possivelmente muito distante, já há algum tempo minha intenção era restabelecer minha condição casando-me com uma mulher de fortuna. Portanto, ligar-me a sua irmã era impensável; com mesquinhez, egoísmo, crueldade, que nenhum olhar indignado ou desdenhoso, nem mesmo o seu, srta. Dashwood, poderia reprovar o suficiente. Assim eu agia, tentando atrair a consideração dela sem qualquer pensamento de retribuir. Mas uma coisa pode ser dita sobre mim: mesmo naquele horrendo estado de vaidade egoísta, eu não sabia a extensão do mal que arquitetei, porque *na época* eu não sabia o que era amar. Mas será que já sei? Bem, pode-se duvidar, pois, se eu realmente amasse, poderia ter sacrificado meus sentimentos à vaidade, à avareza? Ou, mais ainda, poderia eu ter sacrificado os sentimentos dela? Ao evitar uma relativa pobreza que o afeto e a companhia dela teriam destituído de todos os horrores, ao elevar-me à riqueza, perdi tudo que poderia fazer desta uma bênção.

— Então — disse Elinor em tom mais brando —, você acredita que esteve afeiçoado a ela em algum momento?

— Resistir a tais atrativos, resistir a tanta ternura! Que homem neste mundo conseguiria fazer isso? Sim, pouco a pouco me vi sinceramente apaixonado por ela, e as horas mais felizes de minha vida foram as que passei com ela quando senti que minhas intenções eram estritamente honradas e meus sentimentos, inocentes. Mesmo então, porém, quando totalmente decidido a fazer-lhe a corte de forma respeitosa, me permiti adiar indevidamente, dia após dia, o momento de fazê-lo, por uma relutância em firmar um compromisso enquanto minha situação fosse tão embaraçosa. Não vou argumentar aqui, nem vou parar para você discorrer sobre o absurdo, e, pior do que o absurdo, a hesitação em empenhar minha lealdade quando minha honra já estava em dívida. Os acontecimentos provaram que fui um tolo ardiloso, produzindo com grande circunspecção uma possível oportunidade de me tornar desprezível e desgraçado para sempre. Por fim, porém, minha decisão foi tomada, e eu havia decidido, tão logo pudesse conversar a sós com ela, justificar as atenções que invariavelmente lhe concedera e assegurar-lhe abertamente a afeição que tanto já havia me esforçado para demonstrar. Porém, nesse ínterim, no ínterim das poucas horas que se passariam antes que eu pudesse ter a oportunidade de falar com ela em particular, ocorreu uma circunstância, uma infeliz circunstância, que arruinou minha decisão e com isso todo o meu bem-estar. Foi descoberto... — nesse

Razão & Sensibilidade

momento ele hesitou e olhou para baixo — a sra. Smith foi informada de alguma forma, imagino que por algum parente distante, cujo interesse era privar-me de seu favor, de um caso, de um relacionamento..., mas não preciso me explicar mais — acrescentou ele, olhando para Elinor bastante corado e com um semblante inquiridor. — Seu amigo íntimo... você provavelmente já ouviu toda a história há muito tempo.

— Ouvi — respondeu Elinor, igualmente corada e de novo endurecendo o coração contra qualquer compaixão por ele —, ouvi tudo. E, como você se esquivará de qualquer parte de sua culpa nesse terrível incidente, confesso que está além de minha compreensão.

— Lembre-se — exclamou Willoughby — de quem você ouviu o relato. Ele poderia ser imparcial? Reconheço que a situação e o caráter dela deveriam ter sido respeitados por mim. Não quero me justificar, mas ao mesmo tempo não posso permitir que você suponha que não tive nenhum estímulo... Que, por ter sido prejudicada, ela fosse irrepreensível, e que, por eu ter sido um libertino, ela fosse uma santa. Se a violência das paixões dela, a fraqueza de entendimento... No entanto, não pretendo me defender. O afeto dela por mim merecia um tratamento melhor, e muitas vezes, com grande autocensura, recordo a ternura que, por um período muito breve, teve o poder de gerar certa retribuição. Eu gostaria... eu desejaria sinceramente que nunca tivesse acontecido. Mas machuquei mais do que ela, machuquei alguém cuja afeição por mim – posso dizê-lo? – não era menos ardente do que a dela, e cuja mente, oh!, quão infinitamente superior!

— No entanto, sua indiferença com aquela infeliz jovem, devo dizer, por mais desagradável que me seja a discussão de tal assunto... sua indiferença não é desculpa para sua cruel negligência em relação a ela. Não considere qualquer fraqueza, qualquer defeito natural de entendimento da parte dela como desculpa para a desenfreada crueldade tão evidente em si. Você deve ter sabido que, enquanto se divertia em

Devonshire, tratando de novos planos, sempre alegre, sempre feliz, ela foi reduzida à mais extrema indigência.

— Mas, por minha alma, eu *não* sabia — respondeu ele acaloradamente —, não me lembro de ter-lhe omitido meu endereço, e o bom senso poderia tê-la orientado a descobrir.

— Bem, senhor, e o que disse a sra. Smith?

— Ela me culpou imediatamente pelo ultraje, e pode-se imaginar minha confusão. A pureza de sua vida, a formalidade de suas noções, sua ignorância do mundo, tudo estava contra mim. O caso em si eu não podia negar, e todos os esforços para atenuá-lo foram em vão. Ela estava predisposta, creio eu, a duvidar da moralidade de minha conduta em geral; além disso, estava descontente com a pouquíssima atenção, a pouquíssima parte de meu tempo que lhe dediquei naquela visita. Em suma, terminou em uma ruptura total. De certa forma, eu poderia ter me salvado. Do alto de sua moralidade – boa mulher! – ela se propôs a perdoar o passado se eu me casasse com Eliza. Isso não era possível, e fui formalmente destituído de seus favores e expulso de sua casa. Após esse acontecimento, eu deveria partir na manhã seguinte; passei a noite sozinho deliberando qual deveria ser minha conduta futura. A luta foi grande, mas acabou logo. Minha afeição por Marianne, minha convicção absoluta de sua estima por mim, tudo era insuficiente para superar o pavor da pobreza ou suplantar as falsas ideias da necessidade de riqueza que eu estava naturalmente inclinado a sentir e que as companhias ricas haviam aumentado. Tinha motivos para acreditar que conquistaria minha atual esposa se decidisse cortejá-la, e me forcei a pensar que era a única coisa prudente que me restava fazer. Todavia, uma cena difícil me aguardava antes que pudesse deixar Devonshire: eu havia combinado de jantar com vocês naquele mesmo dia; portanto, fazia-se necessária alguma desculpa para eu desmarcar o compromisso. Refleti longamente se deveria escrever o pedido de desculpas ou apresentá-lo pessoalmente.

Senti que seria terrível ver Marianne, até duvidei que pudesse vê-la de novo e manter minha decisão. Nesse ponto, entretanto, subestimei minha magnanimidade, conforme os acontecimentos comprovaram, pois fui, a vi, a vi infeliz e a deixei infeliz, e fui embora esperando nunca mais vê-la de novo.

— Por que você foi lá, sr. Willoughby? — disse Elinor em tom de censura. — Um bilhete teria cumprido a finalidade. Por que foi necessário ir lá?

— Foi necessário para o meu orgulho. Não suportaria ir embora de uma maneira que pudesse levar vocês ou o resto da vizinhança a suspeitar do que realmente havia acontecido entre a sra. Smith e mim. Por isso, resolvi passar pelo chalé a caminho de Honiton. Ver sua querida irmã, porém, foi realmente terrível. Para agravar a questão, encontrei-a sozinha. Vocês tinham ido não sei aonde. Eu a deixara na noite anterior tão plena e firmemente decidido a fazer o certo! Em poucas horas teria me comprometido com ela para sempre; lembro-me de quão feliz, quão alegre me sentia enquanto caminhava do chalé até Allenham, satisfeito comigo mesmo, encantado com tudo! Mas, em nossa última conversa como amigos, abordei-a com um sentimento de culpa que quase me tirou o poder de dissimular. A tristeza, a decepção, o profundo desgosto dela quando eu disse que era obrigado a deixar Devonshire imediatamente, nunca esquecerei, somados a tanta confiança, tanta crença em mim! Oh, Deus! Que patife desumano que eu fui!

Ambos ficaram em silêncio por alguns momentos. Elinor falou primeiro.

— Você disse a ela que deveria voltar logo?

— Não sei o que disse a ela — respondeu ele, impaciente —, sem dúvida menos do que seria devido pelo passado e com toda a probabilidade muito mais do que o justificado pelo futuro. Não consigo pensar nisso. Não adianta. Então veio sua querida mãe para me torturar ainda mais com toda a sua gentileza e confiança. Graças a Deus isso me torturou. Eu estava arrasado. Srta. Dashwood, você não faz ideia do conforto que me causa olhar para minha desgraça passada. Sinto tamanho rancor de mim mesmo pela estúpida e canalha insensatez de meu coração que hoje todos os meus sofrimentos passados são apenas triunfo e exultação para mim. Bem, fui embora, deixei tudo o que amava e fui ao encontro daqueles a quem, na melhor das hipóteses, eu era apenas indiferente. Minha jornada para a cidade... muito tediosa, viajando com meus cavalos, sem ninguém com quem conversar... meus pensamentos tão alegres... tudo muito convidativo quando eu olhava para o futuro... quando olhava para o passado em Barton, a imagem muito reconfortante! Oh, foi uma jornada abençoada!

Ele parou.

— Bem, senhor — disse Elinor, que, embora com pena dele, estava impaciente para que ele partisse —, isso é tudo?

— Ah! Não... esqueceu o que se passou na cidade? Aquela carta infame... Ela mostrou a você?

— Sim, vi todos os bilhetes enviados.

— Quando o primeiro dela chegou a mim, o que aconteceu imediatamente, pois eu estava na cidade o tempo todo, o que senti é... como se diz, impossível de descrever com palavras; em uma palavra bem simples, talvez simples demais para despertar qualquer emoção, meus sentimentos foram muito, muito dolorosos. Cada linha, cada palavra, era, na metáfora banalizada que a querida escritora, se estivesse aqui, proibiria, um punhal no meu coração. Saber que Marianne estava na cidade foi... na mesma linguagem... um choque. Choques e punhais! Como ela me reprovaria! Seu gosto, suas opiniões... acredito que os conheço melhor do que os meus... e tenho certeza de que me são mais caros.

O coração de Elinor, que sofrera muitas alterações no curso dessa conversa extraordinária, agora estava novamente amolecido. No entanto, ela sentiu que era seu dever controlar ideias como esta última em seu interlocutor.

— Isso não está certo, sr. Willoughby. Lembre-se de que você é casado. Relate apenas o que sua consciência achar necessário que eu ouça.

— O bilhete de Marianne, comprovando que eu ainda era tão querido por ela quanto antes, que, apesar das muitas, muitas semanas de afastamento, ela mantinha-se constante nos próprios sentimentos e tinha plena fé na constância dos meus, despertou todo o meu remorso. Digo despertou porque o passar do tempo em Londres, as atividades e a dissipação em certa medida o abrandaram, e eu estava me tornando um canalha empedernido, imaginando-me indiferente a ela e optando por imaginar que ela também se tornara indiferente a mim, falando comigo mesmo sobre nosso antigo afeto como um mero episódio frívolo e insignificante, dando de ombros para provar que assim era e silenciando cada reprovação e superando cada escrúpulo dizendo secretamente de vez em quando: "Ficarei extremamente feliz em saber que ela fez um bom casamento". Mas aquele bilhete fez com que eu me conhecesse melhor. Senti que ela era infinitamente mais querida por mim do que qualquer outra mulher no mundo e que eu a estava tratando de modo infame. Mas tudo já estava acertado entre a srta. Gray e mim. Era impossível voltar atrás. Tudo o que eu tinha a fazer era evitar vocês duas. Não enviei nenhuma resposta a Marianne, com a intenção de me preservar de mais bilhetes dela, e por algum tempo inclusive me mantive decidido a não visitar Berkeley Street; mas, por fim, julgando mais sensato fingir a aparência de um relacionamento comum e frio mais do que qualquer outra coisa, observei vocês saírem de casa certa manhã e deixei meu cartão.

— Nos observou sair de casa!

— Isso mesmo. Você ficaria surpresa em saber quantas vezes observei vocês, quantas vezes estive prestes a encontrá-las. Entrei em muitas lojas para evitar ser visto enquanto a carruagem de vocês passava. Como eu estava hospedado em Bond Street, dificilmente houve um dia em que não tenha avistado alguma de vocês, e nada além da vigilância mais constante de minha parte, o mais firme e inabalável desejo de me manter fora de suas vistas, poderia ter nos mantido separados por tanto tempo. Evitei os Middleton tanto quanto possível, bem como todos os outros que pudessem ser conhecidos em comum. Entretanto, sem saber que eles estavam na cidade, esbarrei com sir John, creio eu que no dia de sua chegada e um dia depois de ter passado na casa da sra. Jennings. Ele me convidou para uma festa, um baile em sua casa à noite. Ele não me disse, a título de incentivo, que você e sua irmã iriam, mas considerei como algo certo para ousar me aproximar. A manhã seguinte trouxe outra nota curta de Marianne, ainda afetuosa, franca, ingênua, confiante, tudo que poderia tornar minha conduta ainda mais odiosa. Não consegui responder. Tentei, mas não consegui formular uma frase. Mas pensei nela, creio eu, a cada segundo do dia. Se *puder* ter pena de mim, senhorita Dashwood, tenha pena de minha situação *naquele momento*. Com a mente e o coração preenchidos por sua irmã, fui forçado a bancar o enamorado feliz para outra mulher! Aquelas três ou quatro semanas foram as piores de todas. Bem, finalmente, como não preciso lhe contar, a presença de vocês se impôs, e que belo papel o meu! Que noite de agonia foi aquela! De um lado, Marianne, bela como um anjo, chamando-me de Willoughby com uma entonação! Oh, Deus! Estendendo-me a mão, pedindo uma explicação com aqueles olhos encantadores fixos em meu rosto com uma ansiedade tão eloquente! E de outro lado Sophia, com um ciúme infernal, olhando tudo aquilo... Bem, não importa; está acabado agora. Que noite! Fugi de vocês assim que pude, mas não antes de ver o doce rosto de Marianne pálido como a morte. Essa foi a última, a última imagem que tive dela, a última vez que a vi. Foi uma visão horrível! Contudo, hoje, quando pensei que ela realmente estivesse morrendo, foi uma espécie de conforto, para mim, imaginar que eu sabia exatamente qual seria o aspecto dela para aqueles que a vissem pela última vez neste mundo. Ela estava diante de mim, constantemente diante de mim, enquanto eu viajava, com a mesma aparência e cor.

Sucedeu-se uma curta pausa de reflexão mútua. Willoughby primeiro levantou-se e quebrou o silêncio, dizendo:

— Bem, deixe-me ir embora de uma vez. É certo que sua irmã está melhor, sem dúvida fora de perigo?

— Temos certeza disso.

— E sua pobre mãe! Tão afeiçoada a Marianne.

— Mas a carta, sr. Willoughby, sua carta; tem algo a dizer sobre isso?

— Sim, sim, especialmente sobre *isso*. Como sabe, sua irmã escreveu-me de novo na manhã seguinte. Você viu o que ela disse. Eu estava tomando café da manhã nos Ellison, e a carta de Marianne, com algumas outras, foi levada de minha pousada para lá. Aconteceu de atrair a atenção de Sophia antes que eu percebesse, o tamanho, a elegância do papel, a letra, tudo a fez suspeitar imediatamente. Já haviam chegado a ela comentários sobre minha afeição por uma moça de Devonshire, e o que ela observara na noite anterior havia mostrado quem era a jovem, deixando-a mais enciumada do que nunca. Assim, fingindo aquele ar de brincadeira que é encantador em uma mulher que se ama, ela prontamente abriu a carta e leu seu conteúdo. Foi bem paga pelo atrevimento. Ficou arrasada com o que leu. A infelicidade dela eu poderia ter suportado, mas sua cólera... seu rancor... Tinham de ser apaziguados fosse como fosse. Em suma, o que você acha do estilo de escrita de minha esposa? Delicado... terno... verdadeiramente feminino, não é?

— Sua esposa! A carta foi escrita de próprio punho por você.

— Sim, mas só tenho o crédito de copiar servilmente frases que me envergonho de ter assinado. O original é todo dela... os felizes pensamentos e a gentil redação. Mas o que eu poderia fazer? Estávamos comprometidos, tudo sendo preparado, a data quase marcada... Mas estou falando como um tolo. Preparativos! Data! Para ser sincero, eu precisava do dinheiro dela, e na minha situação eu faria qualquer coisa para evitar um rompimento. Afinal de contas, que importância o linguajar em que minha resposta fosse redigida teria para a opinião de Marianne e de seus amigos sobre o meu caráter? Serviria a um único propósito. Meu objetivo era me declarar um canalha, e pouco importava se eu o fizesse em tom reverente ou agressivo. "Estou arruinado para sempre na opinião deles", disse a mim mesmo, "estou excluído para sempre do convívio com eles, já me consideram um sujeito sem princípios, essa carta só fará com que me considerem um cafajeste". Tais eram os meus pensamentos enquanto, numa espécie de desleixo desesperado, copiei as palavras de minha esposa e me separei das últimas relíquias de Marianne. Seus três bilhetes... infelizmente estavam todos em minha carteira, ou eu teria negado sua existência e guardado para sempre... fui forçado a entregá-los e não pude nem mesmo beijá-los. E a mecha de cabelo, que também sempre carreguei comigo na mesma carteira, agora revistada por minha senhora com a mais insinuante virulência, a querida mecha, tudo, todas as lembranças me foram arrancadas.

— Você está muito errado, sr. Willoughby, isso é muito censurável — disse Elinor, enquanto sua voz, contra a sua vontade, traía a emoção compassiva —, você não deve falar dessa maneira nem da sra. Willoughby, nem de minha irmã. Você fez sua escolha. Ela não lhe foi imposta. Sua esposa tem direito à sua cortesia, ao seu respeito, pelo menos. Ela deve ter afeto por você ou não teria se casado. Tratá-la com grosseria, falar dela com desprezo não serve como reparação para Marianne, nem posso supor que seja um alívio para sua consciência.

— Não me fale de minha esposa — disse ele com um pesado suspiro. — Ela não merece sua compaixão. Ela sabia que eu não tinha afeto por ela quando nos casamos. Bem, casados estamos e fomos para Combe Magna para sermos felizes, depois voltamos para a cidade para nos divertirmos. E agora você tem pena de mim, senhorita Dashwood? Ou falei tudo isso em vão? Em um grau que seja, sou menos culpado em sua opinião do que era antes? Minhas intenções nem sempre foram erradas. Atenuei minha culpa em algum ponto?

— Sim, com certeza removeu algo... um pouco. De modo geral, você mostrou-se menos falho do que eu o considerava. Mostrou que seu coração é menos perverso, muito menos perverso. Mas nem sei... a desgraça que você infligiu... nem sei o que poderia ter sido pior.

— Você vai relatar a sua irmã, quando ela estiver recuperada, o que lhe contei? Deixe-me ser um pouco reabilitado na opinião dela, assim como na sua. Você disse que ela já me perdoou. Permita-me imaginar que um melhor conhecimento de meu coração e de meus atuais sentimentos produzirão nela um perdão mais espontâneo, mais natural, mais gentil, menos formal. Conte a ela sobre minha desgraça e minha penitência... diga a ela que meu coração nunca lhe foi inconstante, e, se quiser, que neste momento ela me é mais querida do que nunca.

— Direi a ela tudo o que seja necessário para o que se possa considerar como sua justificativa. Mas você não me explicou o motivo específico de sua vinda agora, nem como soube da doença dela.

— Ontem à noite, topei com sir John Middleton no saguão de Drury Lane, e, quando ele me viu, falou comigo pela primeira vez nesses dois meses. Que ele tivesse cortado relações comigo desde meu casamento aceitei sem surpresa ou ressentimento. Dessa vez, no entanto, com sua natureza bondosa, honesta e estúpida, cheia de indignação contra mim e preocupação por sua irmã, ele não resistiu à tentação de contar o que sabia que deveria, embora provavelmente ele não achasse que fosse, me afligir horrivelmente. Portanto, da forma mais brusca possível, falou que Marianne Dashwood estava morrendo de febre infecciosa em Cleveland... uma carta da sra. Jennings recebida naquela manhã anunciava o risco iminente... os Palmer haviam partido apavorados etc. Fiquei chocado demais para conseguir me passar por indiferente até mesmo para o obtuso sir John. O coração dele abrandou-se ao ver meu coração sofrer, e sua má vontade extinguiu-se tanto que, ao nos despedirmos, ele quase apertou minha mão enquanto me lembrava de uma velha promessa sobre um filhote de perdigueiro. O que senti ao ouvir que sua irmã estava morrendo... e morrendo acreditando que eu era o maior vilão da Terra, me desprezando, me odiando em seus últimos momentos... pois como eu poderia saber que esquemas horríveis não me teriam sido imputados? Eu tinha certeza de que uma pessoa poderia me descrever como capaz de qualquer coisa... O que eu senti foi terrível! Logo tomei uma decisão, e às oito horas desta manhã eu estava em minha carruagem. Agora você sabe tudo.

Elinor não respondeu. Seus pensamentos estavam silenciosamente fixos no dano irreparável que uma independência muito precoce e os consequentes hábitos de ociosidade, dissipação e luxo haviam causado na mente, no caráter, na felicidade de um homem que, a todas as vantagens de sua aparência e seus talentos, unia uma disposição naturalmente franca e honesta e um temperamento sensível e afetuoso. O mundo o tornara extravagante e vaidoso... A extravagância e a vaidade o haviam tornado frio e egoísta. A vaidade, ao mesmo tempo em que buscava o próprio triunfo culpado às custas de outrem, o envolvera em um afeto real, que a extravagância, ou pelo menos sua filha, a necessidade, exigira que fosse sacrificado. Ao conduzi-lo para o mal, cada tendência defeituosa o conduzira igualmente ao castigo. O afeto do qual ele havia se separado externamente indo de encontro à honra, contra o sentimento, todos os melhores interesses, agora, quando não mais permitido, governava cada pensamento, e o relacionamento em prol do qual, com pouco escrúpulo, ele havido deixado Marianne entregue ao tormento provavelmente se revelaria para ele uma fonte de infelicidade de natureza muito mais incurável. Desse tipo de devaneio Elinor foi despertada ao final de alguns minutos por Willoughby, que, recobrando-se de um devaneio pelo menos igualmente doloroso, começou a se preparar para partir e disse:

— Não adianta ficar aqui, devo ir embora.

— Vai voltar para a cidade?

— Não. Para Combe Magna. Tenho negócios lá; de lá irei para a cidade em um ou dois dias. Adeus.

Ele estendeu a mão. Ela não podia recusar-lhe a sua; ele a apertou com carinho.

— E você me julga um pouco melhor do que antes? — perguntou ele, soltando-lhe a mão e se encostando à lareira, como se esquecesse que estava de partida.

Elinor assegurou-lhe que sim, que o perdoava, que tinha pena, que lhe queria bem... que até mesmo desejava-lhe felicidade... e acrescentou alguns conselhos gentis quanto ao comportamento mais apropriado para promovê-la. A resposta dele não foi muito encorajadora.

— Quanto a isso — disse Willoughby —, devo me arrastar pelo mundo o melhor que puder. A felicidade doméstica está fora de questão. Se, no entanto, eu puder pensar que você e sua família se interessam por meu destino e minhas ações, isso pode ser o meio... pode me manter alerta... pelo menos, pode ser algo pelo que viver. Marianne com certeza está perdida para mim para sempre. Se por um acaso abençoado eu ficasse livre novamente...

Elinor o deteve com uma reprovação.

— Bem — respondeu ele —, mais uma vez, adeus. Agora irei embora e viverei com pavor de um evento.

— A que se refere?

— Ao casamento de sua irmã.

— Você está muito enganado. Ela não poderia estar mais perdida para você do que está agora.

— Mas ela será conquistada por outro. E, se esse outro for aquele que, entre todos, eu menos poderia suportar... Mas não ficarei para me privar de toda a sua misericordiosa boa vontade, mostrando que, onde mais feri, menos posso perdoar. Adeus, que Deus a abençoe!

E com essas palavras, saiu quase correndo da sala.

❧ Capítulo 45

Por algum tempo depois que Willoughby partiu, mesmo depois de o som de sua carruagem ter desaparecido ao longe, Elinor permaneceu oprimida demais por uma infinidade de ideias amplamente divergentes entre si, mas das quais a tristeza era o resultado geral, para pensar até mesmo na irmã.

Willoughby, ele, a quem apenas meia hora atrás ela abominava como o mais indigno dos homens, Willoughby, apesar de todos os seus defeitos, instigou um grau de comiseração pelos sofrimentos produzidos por tais defeitos que fez Elinor pensar nele, agora separado para sempre da família dela, com uma ternura e um pesar mais proporcionais, como ela logo reconheceu para si mesma, aos desejos dele do que a seus méritos. Elinor sentia que a influência de Willoughby sobre sua mente era intensificada por circunstâncias que não deveriam ter peso, pela aparência excepcionalmente atraente, por aquela maneira franca, afetuosa e vivaz que não há mérito em possuir e por aquele amor ainda ardente por Marianne, ao qual nem era inocente condescender. Mas ela sentiu que demoraria muito, muito, muito para sentir menos a influência dele.

Quando finalmente retornou para perto de Marianne, encontrou-a acordando, revigorada por um sono tão longo e doce quanto ela esperava. O coração de Elinor estava cheio. Passado, presente, futuro, a visita de Willoughby, Marianne a salvo e a esperada chegada de sua mãe lançaram-na por inteiro em uma agitação de espírito que afastou qualquer indício de fadiga e a fez temer apenas trair-se para sua irmã. No entanto, curto foi o período em que esse temor pôde afetá-la, pois, meia hora depois de Willoughby deixar a casa, Elinor foi novamente chamada escada abaixo pelo som de outra carruagem. Ansiosa para poupar a mãe de qualquer instante do horrível suspense, correu imediatamente para o corredor e alcançou a porta externa bem a tempo de recebê-la e ampará-la ao entrar.

A sra. Dashwood, cujo terror, à medida que se aproximavam da casa, produzira quase a convicção de que Marianne não mais vivia, não tinha voz para perguntar por ela, nem mesmo voz para falar com Elinor, mas ela, sem esperar saudação ou indagação, imediatamente proporcionou o feliz alívio, e a mãe, recebendo-o com todo o habitual ardor, no mesmo instante foi tão dominada pela felicidade quanto antes pelo medo. Foi para a sala de estar amparada pela filha e pelo amigo; lá, derramando lágrimas de alegria, embora ainda incapaz de falar, abraçou Elinor repetidas vezes, afastando-se dela a intervalos para apertar a mão do coronel Brandon com um olhar que expressava ao mesmo tempo sua gratidão e sua convicção de que ele compartilhava com ela a bem-aventurança do momento. Ele compartilhava, porém com um silêncio ainda maior do que o dela.

Assim que a sra. Dashwood se recuperou, seu primeiro desejo foi ver Marianne, e em dois minutos estava com a filha amada, mais querida do que nunca pela ausência, infelicidade e perigo. O deleite de Elinor ao ver o que cada uma sentia com o encontro só foi contido pela apreensão de que privasse Marianne de mais sono, mas a sra. Dashwood conseguia ficar calma, conseguia até ser prudente quando a vida de uma filha estava em jogo, e Marianne, satisfeita em saber que a mãe estava perto dela e ciente de que estava fraca demais para conversar, submeteu-se prontamente ao silêncio e à quietude prescritos por todas as enfermeiras ao redor.

A sra. Dashwood ficaria com ela a noite toda; Elinor, atendendo à súplica da mãe, foi para a cama. Mas o repouso que uma noite inteira sem dormir e muitas horas de angústia extremamente cansativa pareciam exigir foi impedido pela perturbação de espírito. Willoughby, o *pobre Willoughby*, como ela agora se permitia chamá-lo, estava constantemente em seus pensamentos; ela não pudera deixar de ouvir as justificativas dele e ora se culpava, ora se absolvia por tê-lo julgado tão severamente antes. Por outro lado, a promessa de contar à irmã era invariavelmente dolorosa. Temia fazê-lo, temia os efeitos sobre Marianne, tinha dúvidas de que, depois de tal explicação, ela pudesse ser feliz com outro, e por um momento desejou que Willoughby ficasse viúvo. Então, lembran-do-se do coronel Brandon, censurou-se, sentiu que os sofrimentos e a constância dele, muito mais do que o rival, mereciam a recompensa de sua irmã e desejou qualquer coisa em vez da morte da sra. Willoughby.

O choque da incumbência do coronel Brandon em Barton havia sido muito suavizado pelo próprio alarme prévio da sra. Dashwood; tão grande era sua inquietação a respeito de Marianne que ela já havia decidido partir para Cleveland naquele mesmo dia sem esperar por mais informações, e a viagem já estava tão organizada antes de o coronel chegar que os Carey eram esperados a qualquer momento para buscar Margaret, pois a mãe não estava disposta a levá-la para onde poderia haver uma infecção.

Marianne continuou a melhorar todos os dias, e a aparência e o espírito de alegria radiante da sra. Dashwood provavam que ela era, conforme se declarava repetidamente, uma das mulheres mais felizes do mundo. Elinor não podia ouvir a declaração nem testemunhar suas provas sem às vezes se perguntar se a mãe alguma vez se lembrava de Edward. Mas a sra. Dashwood, confiando no relato moderado que Elinor lhe enviara sobre a própria decepção, era levada pela exuberância de sua alegria a pensar apenas no que pudesse aumentá-la. Marianne lhe fora devolvida de um perigo no qual, como agora a sra. Dashwood começava a sentir, seu julgamento equivocado ao encorajar o infeliz relacionamento com Willoughby contribuíra para colocá-la, e na recuperação da filha ela tinha mais uma fonte de alegria impensada por Elinor. Essa lhe foi comunicada, portanto, tão logo surgiu uma oportunidade de conversa privada entre elas.

— Finalmente estamos a sós. Minha Elinor, você ainda não sabe de toda a minha felicidade. O coronel Brandon ama Marianne. Ele mesmo me contou.

A filha, sentindo-se alternadamente satisfeita e angustiada, surpresa e não surpresa, manteve-se em total silêncio e atenção.

— Você não é como eu em nada, querida Elinor, ou eu ficaria surpresa com sua compostura neste momento. Se eu tivesse parado para desejar qualquer bem possível para minha família, teria decidido que o objetivo mais desejável seria o coronel Brandon casar-se com uma de vocês. E acredito que Marianne será mais feliz com ele do que você.

Elinor ficou inclinada a perguntar o motivo para a mãe pensar assim, certa de que nada baseado em uma consideração imparcial sobre idades, temperamentos ou sentimentos poderia ser a causa; mas a mãe sempre era levada pela imaginação em qualquer assunto interessante; portanto, em vez de inquirir, Elinor ignorou com um sorriso.

— Ele abriu o coração para mim ontem, enquanto viajávamos. Aconteceu de forma bastante inesperada, de forma totalmente não planejada. Eu, como você pode muito bem imaginar, não conseguia falar de nada além de minha filha; ele não conseguia esconder a angústia, que percebi ser igual à minha, e, talvez pensando que no mundo de hoje uma mera amizade não justificaria uma simpatia tão calorosa, ou melhor, não pensando em nada, suponho, dando vazão a sentimentos irresistíveis, me deu a conhecer seu afeto sincero, terno e constante por Marianne. Ele a amou, minha Elinor, desde o primeiro momento em que a viu.

Nisso, no entanto, Elinor não percebeu nem a linguagem nem as declarações do coronel Brandon, mas os adornos naturais da ativa fantasia de sua mãe, que modelava a seu gosto tudo o que a encantava.

— A consideração dele por Marianne, superando infinitamente tudo o que Willoughby alguma vez sentiu ou fingiu, tão mais ardente, mais sincera e constante, seja como for que se diga, subsistiu mesmo mediante o conhecimento da infeliz predisposição da querida Marianne por aquele jovem indigno! E sem egoísmo... sem alimentar nenhuma esperança! Ele poderia tê-la visto feliz com outro... Uma mente tão nobre! Tanta franqueza, tanta sinceridade! Ninguém pode se enganar a respeito dele.

— O caráter do coronel Brandon — disse Elinor —, de um homem excelente, é bem reconhecido.

— Sei que é — respondeu a mãe em tom sério —, ou depois de tal susto eu seria a última pessoa a encorajar tal afeto ou mesmo a ficar contente com isso. Mas, tendo ele vindo a mim como veio, com uma amizade tão ativa, tão prestativa, é suficiente para provar que ele é um homem dos mais dignos.

— O caráter dele, no entanto — respondeu Elinor —, não se baseia em *um só* ato de gentileza que a afeição por Marianne, caso a bondade estivesse fora de questão, teria impelido. A sra. Jennings e os Middleton o conhecem intimamente há tempo; eles o amam e respeitam igualmente. Até mesmo meu conhecimento dele, embora recente, é muito considerável, e eu o tenho em tão alto conceito e estima que, se Marianne puder ser feliz com ele, estarei tão pronta quanto a senhora para pensar que tal relacionamento é a maior bênção do mundo para nós. Que resposta a senhora deu a ele? Permitiu que tivesse esperança?

— Oh! Meu amor, naquele momento eu não poderia falar de esperança para ele nem para mim mesma. Marianne poderia estar morrendo. Mas ele não pediu esperança ou encorajamento. Sua confidência foi involuntária, um desabafo irreprimível para uma amiga consoladora... não um pedido para uma mãe. Contudo, depois de um tempo, eu disse, pois de início fiquei bastante emocionada... que, se ela sobrevivesse, como eu acreditava que haveria de ocorrer, minha maior felicidade seria promover o casamento deles, e, desde a nossa chegada, desde a encantadora certeza, repeti de forma mais plena, dei-lhe todo o encorajamento ao meu alcance. O tempo, muito pouco tempo, disse a ele, resolverá tudo. O coração de Marianne não deve ser desperdiçado para sempre com um homem como Willoughby. Os méritos do coronel logo devem conquistá-lo.

— A julgar pelo espírito do coronel, contudo, a senhora ainda não o deixou igualmente otimista.

— Não. Ele pensa que o afeto de Marianne tem raízes por demais profundas para haver qualquer mudança por um longo período e, mesmo supondo que o coração dela fique livre outra vez, falta-lhe autoconfiança para acreditar que com tamanha diferença de idade e temperamento ele possa cativá-la. Nisso, entretanto, ele está bastante equivocado. A idade muito maior que a dela é uma vantagem, pois torna seu caráter e seus princípios firmes; e estou convencida de que o temperamento dele é exatamente o que fará sua irmã feliz. E a aparência e as maneiras dele também estão a seu favor. Minha parcialidade não me cega; ele com certeza não é tão bonito quanto Willoughby... mas, por outro lado, há algo de muito mais agradável em seu semblante. Sempre houve algo nos olhos de Willoughby, você deve lembrar, de que às vezes eu não gostava.

Elinor *não* conseguia lembrar disso, mas a mãe, sem esperar sua anuência, prosseguiu:

— E seus modos, os modos do coronel, não apenas me são mais agradáveis do que os de Willoughby jamais foram, como também são de um tipo que bem sei que cativam Marianne mais solidamente. Sua gentileza, sua atenção genuína às outras pessoas e sua simplicidade máscula e espontânea estão muito mais de acordo com o verdadeiro temperamento dela do que a vivacidade, muitas vezes artificial e inoportuna, do outro. Tenho plena certeza de que, caso Willoughby se revelasse realmente tão amável como se mostrou o contrário, Marianne nunca teria sido tão feliz com ele como será com o coronel Brandon.

Ela fez uma pausa. A filha não podia realmente concordar com ela, mas a divergência não foi manifestada e, portanto, não ofendeu a sra. Dashwood.

— Em Delaford, ela estará a uma curta distância de mim — acrescentou a sra. Dashwood —, mesmo que eu permaneça em Barton; e é muito provável, pois ouvi dizer que é um grande povoado, na verdade com certeza deve haver uma casinha ou chalé por perto que nos sirva tão bem quanto nossa atual localização.

Pobre Elinor! Ali estava um novo esquema para levá-la para Delaford! Mas seu espírito era teimoso.

— A fortuna dele também! Pois nessa etapa de minha vida, você sabe, todo mundo se preocupa com *isso*, e, embora eu não saiba nem deseje saber o quanto é realmente, tenho certeza de que deve ser boa.

Nesse momento, foram interrompidas pela entrada de uma terceira pessoa, e Elinor retirou-se para pensar em tudo aquilo sozinha, para desejar sucesso a seu amigo e, ainda assim, afligir-se por Willoughby.

❧ *Capítulo 46*

A doença de Marianne, embora de natureza debilitante, não foi longa o bastante para retardar sua recuperação. Com o auxílio da juventude, do vigor natural e da presença da mãe, o processo foi tão tranquilo que, quatro dias após a chegada da sra. Dashwood, Marianne pôde ir para o quarto de vestir da sra. Palmer. Quando lá, a seu pedido expresso, o coronel Brandon foi convidado a visitá-la, pois Marianne estava impaciente para agradecer-lhe por ter buscado a mãe.

A emoção do coronel ao entrar no recinto, ao ver a aparência alterada e receber a mão pálida que Marianne imediatamente lhe estendeu foi tal que, na conjectura de Elinor, deveria brotar de algo além da afeição por Marianne ou da consciência de que esse sentimento era conhecido pelos outros; ela logo descobriu no olhar melancólico e na mudança de cor dele ao ver sua irmã a provável recorrência de muitas cenas passadas de sofrimento em sua mente, trazidas de volta pela semelhança já identificada entre Marianne e Eliza, agora reforçada pelos olhos fundos, pela pele sem viço, pela postura reclinada devido à fraqueza e pelo caloroso agradecimento por um especial obséquio.

A sra. Dashwood, não menos atenta do que Elinor ao que se passava, mas com a mente sob uma influência muito diferente e por isso observando efeitos muito diferentes, não viu nada no comportamento do coronel a não ser aquilo incitado pelas sensações mais simples e evidentes, enquanto nas ações e palavras de Marianne ela se persuadiu a pensar que já havia surgido algo mais do que gratidão.

No final de mais um ou dois dias, com Marianne ficando visivelmente mais forte a cada doze horas, a sra. Dashwood, estimulada tanto pelos próprios desejos quanto pelos da filha, começou a falar em voltar

Razão & Sensibilidade

para Barton. Das decisões dela dependiam as de seus dois amigos: a sra. Jennings não poderia se ausentar de Cleveland durante a estada das Dashwood, e o coronel Brandon, por um pedido conjunto, logo foi levado a considerar sua permanência ali como igualmente fixa, se não igualmente indispensável. A pedido unânime dele e da sra. Jennings, a sra. Dashwood foi convencida a aceitar o uso de sua carruagem na viagem de volta para melhor acomodação da filha doente. O coronel, a convite conjunto da sra. Dashwood e da sra. Jennings, cuja boa natureza ativa a tornava amigável e hospitaleira para outras pessoas bem como para si mesma, comprometeu-se com prazer em ir buscar a carruagem com uma visita ao chalé dentro de poucas semanas.

O dia do adeus e da partida chegou; Marianne, depois de se despedir de forma muito especial e demorada da sra. Jennings, tão sinceramente grata, tão cheia de respeito e desejos amáveis, tal como de coração lhe parecia devido pelo reconhecimento secreto da desatenção passada, e despedindo-se do coronel Brandon com a cordialidade de uma amiga, foi cuidadosamente auxiliada por ele a subir na carruagem, da qual o coronel parecia ansioso que ela ocupasse pelo menos a metade. A sra. Dashwood e Elinor seguiram-na, e os outros lá ficaram a falar sobre as viajantes e a sentir o próprio tédio, até a sra. Jennings ser chamada à sua poltrona para se consolar pela perda de suas duas jovens companheiras com as fofocas de sua criada e o coronel Brandon imediatamente tomar seu rumo solitário para Delaford.

As Dashwood ficaram dois dias na estrada, e Marianne suportou a jornada em ambos sem fadiga excessiva. Tudo o que a afeição mais zelosa e o cuidado mais solícito podiam fazer para deixá-la confortá- vel era tarefa de suas atentas acompanhantes, e ambas tinham como recompensa o bem-estar físico e a serenidade de espírito de Marianne. Para Elinor, a observação deste último era particularmente grata. Ela, que semana após semana tinha visto a irmã em constante sofrimento, oprimida pela angústia de coração da qual não tinha coragem de falar nem forças para esconder, agora via com uma alegria que ninguém mais poderia compartilhar uma aparente compostura mental que, sendo, como ela acreditava, resultado de séria reflexão, por fim deveria conduzir Marianne ao contentamento e à alegria.

De fato, quando se aproximaram de Barton e entraram em paisagens nas quais cada campo e cada árvore trazia lembranças peculiares, algumas dolorosas, Marianne ficou em silêncio e pensativa e, desviando o rosto da atenção da mãe e da irmã, sentou-se olhando fixamente pela janela. Elinor não se surpreendeu nem censurou quando viu, ao ajudar Marianne a descer da carruagem, que a irmã estivera chorando; viu apenas uma emoção muito natural, digna de louvor pela discrição e que suscitava apenas terna piedade. Em todo o subsequente comportamento de Marianne, Elinor detectou a presença de uma mente alerta e em considerável esforço, pois, assim que entraram na sala de estar, Marianne olhou em redor com uma expressão de firmeza resoluta, como se decidida a se acostumar imediatamente à visão de todos os objetos aos quais a lembrança de Willoughby pudesse estar relacionada. Ela falou pouco, mas todas as frases visavam ser alegres, e, embora às vezes deixasse escapar um suspiro, nunca faltava a compensação de um sorriso.

Depois do jantar, tentou tocar o pianoforte. Foi até ele, mas a primeira música em que pôs os olhos foi uma ópera adquirida para ela por Willoughby, contendo alguns dos duetos favoritos de ambos e trazendo na folha de rosto o nome dela escrito por ele. Essa não serviria. Marianne balançou a cabeça, deixou a música de lado e, depois de percorrer as teclas por um minuto, queixou-se de fraqueza nos dedos e fechou o instrumento. No entanto, ao fazê-lo, declarou com firmeza que no futuro deveria praticar muito.

A manhã seguinte não produziu redução nesses sintomas felizes. Pelo contrário, com a mente e o corpo fortalecidos pelo descanso, Marianne

Razão & Sensibilidade

exibiu e conversou com espírito mais animado, antecipando o prazer do retorno de Margaret e falando sobre o querido grupo familiar que então estaria restaurado, sobre suas atividades em conjunto e o alegre convívio como a única felicidade que valeria a pena desejar.

— Quando o tempo estiver bom, e eu tiver recuperado minhas forças — disse ela —, faremos longas caminhadas juntas todos os dias. Iremos até a fazenda no sopé do morro ver como vão as crianças; caminharemos até as novas plantações de sir John em Barton Cross e até Abbeyland; iremos muitas vezes às velhas ruínas do priorado e tentaremos mapear suas fundações até onde dizem que chegavam. Sei que seremos felizes. Sei que o verão será feliz. Pretendo nunca mais me levantar depois das seis e, dessa hora até o jantar, devo dividir todo o tempo entre a música e a leitura. Elaborei um plano e estou decidida a seguir um curso de estudo sério. Conheço nossa biblioteca bem demais para recorrer a ela em busca de qualquer coisa além de mero divertimento. Mas há muitas obras dignas de serem lidas em Barton Park, e há outras mais modernas que sei que posso pedir emprestadas ao coronel Brandon. Lendo apenas seis horas por dia, no decorrer de doze meses haverei de obter um grande volume de instrução que agora sinto me faltar.

Elinor cumprimentou a irmã por um plano tão nobre, embora sorrindo ao ver a mesma fantasia ávida que levara Marianne ao extremo da indolência lânguida e da reclamação egoísta agora funcionando para introduzir o excesso em um esquema de tamanha ocupação racional e autocontrole virtuoso. Entretanto, o sorriso transformou-se em um suspiro quando lembrou que a promessa a Willoughby ainda não havia sido cumprida, e temeu ter de comunicar o que poderia perturbar de novo a mente de Marianne e arruinar pelo menos por um tempo aquela bela perspectiva de atarefada tranquilidade. Disposta, portanto, a adiar o momento desagradável, resolveu esperar até que a saúde da irmã estivesse melhor antes de colocá-lo em pauta. Contudo, a resolução foi tomada apenas para ser descumprida.

Marianne ficou dois ou três dias em casa antes que o tempo estivesse bom o suficiente para uma convalescente como ela se aventurar ao ar livre. Mas enfim veio uma manhã agradável e amena, tentadora para os desejos da filha e a confiança da mãe, e Marianne, apoiada no braço de Elinor, foi autorizada a caminhar o quanto conseguisse sem se fatigar na alameda em frente à casa.

As irmãs saíram a passos lentos, como exigia a fraqueza de Marianne em um exercício até então não experimentado desde a doença. Haviam avançado apenas até o ponto além da casa que permitia a plena visão do morro, o imponente morro nos fundos, quando, ao fazer uma pausa com os olhos voltados para ele, Marianne disse calmamente:

— Lá, bem lá — apontando com a mão — naquele monte saliente... foi lá que eu caí e foi lá que vi Willoughby pela primeira vez.

A voz fraquejou ao proferir o nome, mas, recobrando-se no mesmo instante, ela acrescentou:

— Fico grata ao descobrir que posso olhar com tão pouca dor para esse local! Será que algum dia conversaremos sobre esse assunto, Elinor? — perguntou, hesitante. — Ou será que é errado? Posso falar disso agora, espero eu, como devo fazer.

Elinor ternamente convidou-a a ser franca.

— Quanto ao arrependimento — disse Marianne —, isso acabou no que diz respeito a ele. Não pretendo falar sobre quais foram meus sentimentos por ele, mas sobre quais são agora. De momento, se eu pudesse me convencer de uma coisa, se eu pudesse pensar que ele *nem sempre* fingiu, *nem sempre* me enganou... acima de tudo, se eu pudesse ter certeza de que ele nunca foi *tão* perverso como meus medos às vezes o imaginam desde a história daquela jovem infeliz...

Ela se calou. Elinor guardou com alegria aquelas palavras enquanto respondia:

— Se pudesse ter certeza disso, você acha que teria sossego.

— Sim. Minha paz de espírito está duplamente envolvida nisso, pois não apenas é horrível suspeitar de tais intenções por parte de uma pessoa que foi o que ele foi para mim, mas o que isso me faz pensar de mim mesma? O que, em uma situação como a minha, exceto a afeição mais vergonhosamente desenfreada, poderia me expor a...

— Como então — perguntou a irmã — você explicaria o comportamento dele?

— Eu suporia que ele... Oh, com que alegria eu o consideraria apenas inconstante, muito, muito inconstante.

Elinor não falou mais nada. Estava debatendo consigo mesma sobre as vantagens de começar seu relato imediatamente ou adiá-lo até que a saúde de Marianne estivesse melhor; seguiram em silêncio por alguns minutos.

— Não estou desejando nada de muito bom a ele — por fim disse Marianne com um suspiro — ao desejar que suas reflexões secretas não sejam mais desagradáveis do que as minhas. Ele sofrerá o suficiente com isso.

— Você compara sua conduta com a dele?

— Não. Comparo com a conduta que deveria ter sido; comparo com a sua.

— Nossas situações têm pouca semelhança.

— Elas se parecem mais do que nossa conduta. Minha querida Elinor, não deixe sua bondade defender o que sei que seu julgamento deve censurar. Minha enfermidade me fez pensar... me proporcionou tempo livre e calma para uma séria reavaliação. Muito antes de estar suficientemente recuperada para falar, eu já estava em perfeitas condições de refletir. Reconsiderei o passado, vi no meu comportamento, desde o início de nossa convivência com ele no último outono, nada mais do que uma série de imprudências comigo mesma e falta de gentileza com os outros. Vi que meus sentimentos prepararam meus sofrimentos e que minha falta de força diante deles quase me levou à sepultura. Minha enfermidade, eu bem sei, foi inteiramente causada por mim mesma pela negligência com a minha saúde, o que mesmo na época eu sentia que era errado. Se eu tivesse morrido, teria sido autodestruição. Não soube do perigo que corri até o perigo ser removido; mas, com os sentimentos que essas reflexões me proporcionaram, admiro-me da minha recuperação, admiro-me de que a própria ânsia do meu desejo viver, de ter tempo de me redimir com meu Deus e todos vocês, não tenha me matado de vez. Se eu tivesse morrido, em que singular miséria teria deixado você, minha enfermeira, minha amiga, minha irmã! Você, que tinha visto todo o egoísmo inquieto de meus últimos dias, que sabia de todos os murmúrios do meu coração! Como eu haveria de viver na *sua* lembrança! Minha mãe também! Como você poderia tê-la consolado? Não posso expressar minha aversão a mim mesma. Sempre que olhava para o passado, via algum dever negligenciado ou alguma falha cometida. Todos pareciam machucados por mim. A gentileza, a incessante gentileza da sra. Jennings, retribuí com um desprezo ingrato. Com os Middleton, os Palmer, as Steele, até com todos os conhecidos comuns, fui insolente e injusta, com um coração empedernido contra seus méritos e um temperamento irritadiço pela simples atenção deles. Com John, com Fanny – sim, até mesmo para eles, por pouco que mereçam, dei menos do que era devido. Mas você, você acima de todos, acima de nossa mãe, foi injustiçada por mim. Eu, somente eu, conhecia seu coração e suas tristezas; todavia, a que isso me influenciou? Não a qualquer compaixão que pudesse beneficiar você ou a mim mesma. Seu exemplo estava diante de mim, mas de que adiantou? Tive mais consideração por você e seu bem-estar? Imitei sua tolerância ou diminuí seu fardo, tomando parte nos exercícios de amabilidade geral ou especial gratidão que até então você tinha sido deixada a cumprir sozinha? Não, não quando eu soube que você estava infeliz, menos ainda enquanto acreditava que estivesse bem; afastei-me de todo exercício de dever ou amizade, dificilmente permitindo que existisse dor além da minha, lamentando apenas aquele coração que havia me abandonado e injustiçado e deixando você, a quem eu professava ilimitada afeição, ficar em enorme infelicidade por minha causa.

Aqui cessou o rápido fluxo do espírito de autocensura de Marianne; Elinor, impaciente para acalmar, embora honesta demais para bajular, imediatamente concedeu o elogio e o apoio que a franqueza e a contrição da irmã muito mereciam. Marianne apertou a mão dela e respondeu:

— Você é muito bondosa. O futuro deve ser minha prova. Estabeleci meu plano e, se for capaz de segui-lo, meus sentimentos serão governados, e meu temperamento, melhorado. Eles não devem mais preocupar os outros, nem me torturar. Agora viverei somente para minha família. Você, minha mãe e Margaret doravante devem ser o mundo para mim; vocês compartilharão minha afeição inteiramente entre vocês. De vocês, de minha casa, nunca mais terei o menor incentivo para me afastar, e, se me misturar com outras companhias, será apenas para mostrar que meu espírito está abrandado, meu coração, corrigido, e que posso praticar as civilidades, os deveres triviais da vida com gentileza e tolerância. Quanto a Willoughby... dizer que em breve ou que algum dia o esquecerei, seria em vão. A lembrança dele não pode ser superada por nenhuma mudança de circunstâncias ou opiniões. Mas há de ser controlada, há de ser restringida pela religião, pela razão, pela ocupação constante.

Ela fez uma pausa e acrescentou em voz baixa:

— Se eu apenas pudesse conhecer o coração dele, tudo se tornaria fácil.

Elinor, que havia algum tempo refletia sobre a conveniência ou inconveniência de se aventurar prontamente no relato sem se sentir mais próxima de chegar a uma decisão, ouviu isso e, percebendo que, se a reflexão nada fazia, a resolução deveria fazer tudo, logo se viu indo aos fatos.

Ela administrou o discurso, como esperava, com habilidade; preparou a ouvinte ansiosa com cuidado, relatou de forma simples e honesta os principais pontos nos quais Willoughby fundamentara seu pedido de desculpas, fez justiça a seu arrependimento e amenizou apenas suas declarações do presente afeto. Marianne não disse uma palavra. Estremeceu, seus olhos mantiveram-se fixos no chão e seus lábios ficaram mais brancos do que a própria doença os deixara. Mil perguntas brotaram em seu coração, mas ela não ousou dar voz a nenhuma. Captou cada sílaba com uma ansiedade ofegante; sua mão, sem que ela percebesse, apertou com força a de sua irmã, e as lágrimas cobriram seu rosto.

Elinor, temendo que Marianne estivesse cansada, conduziu-a para casa; até chegarem à porta do chalé, facilmente imaginando a curiosidade da irmã, embora nenhuma pergunta fosse feita, não falou de nada além de Willoughby e da conversa entre eles; foi cuidadosamente minuciosa em cada detalhe da fala e do olhar onde a minúcia poderia ser concedida com segurança. Assim que entraram na casa, Marianne, com um beijo de gratidão e as palavras "Conte para mamãe" apenas articuladas em meio às lágrimas, afastou-se da irmã e subiu lentamente as escadas. Elinor não tentaria perturbar uma solidão tão razoável quanto a que Marianne agora buscava; com a mente calculando ansiosamente o resultado e decidida a voltar ao assunto, caso Marianne deixasse de fazê-lo, dirigiu-se à sala de estar para cumprir o último pedido.

Capítulo 47

A sra. Dashwood não ouviu impassível as justificativas de seu antigo favorito. Alegrou-se por ele ser isento de parte da culpa imputada, ficou com pena dele, desejou que fosse feliz. Mas os sentimentos do passado não podiam ser resgatados. Nada poderia restaurá-lo com uma fé inabalável, com um caráter imaculado perante Marianne. Nada poderia desfazer o conhecimento do que ela sofrera por causa dele nem remover a culpa de sua conduta com Eliza. Nada poderia, portanto, recolocá-lo em sua antiga estima, nem ferir os interesses do coronel Brandon.

Se a sra. Dashwood, como a filha, tivesse ouvido a história de Willoughby contada por ele mesmo, se tivesse testemunhado sua angústia e ficasse sob a influência de seu semblante e atitude, é provável que sua compaixão tivesse sido maior. Mas não estava ao alcance de Elinor, nem era seu desejo, despertar em outra pessoa tais sentimentos por meio de explicação detalhada, como ocorrera com ela mesma a princípio. A reflexão havia acalmado seu julgamento e moderado sua opinião sobre os méritos de Willoughby; ela desejava, portanto, declarar apenas a simples verdade e expor os fatos realmente devidos a seu caráter, sem qualquer adorno de ternura que desse margem a fantasia.

À noite, quando as três estavam juntas, Marianne voltou a falar voluntariamente sobre ele, mas não sem esforço; a reflexão inquieta e agitada a que se dedicara por algum tempo revelou-se claramente no rubor crescente e na voz hesitante enquanto falava.

— Desejo assegurar a vocês duas — disse ela — que vejo tudo... como vocês podem desejar que eu veja.

A sra. Dashwood a teria interrompido no mesmo instante com ternura tranquilizadora se Elinor, que realmente desejava ouvir a opinião imparcial de sua irmã, não a mantivesse calada com um sinal ansioso. Marianne continuou lentamente:

— É um grande alívio para mim... o que Elinor me disse esta manhã... agora ouvi exatamente o que desejava ouvir.

Por alguns momentos sua voz sumiu, mas, recuperando-se, acrescentou, com maior calma do que antes:

— Agora estou perfeitamente satisfeita, não desejo mudanças. Nunca poderia ter sido feliz com ele, depois de saber, como mais cedo ou mais tarde teria sabido, tudo isso. Eu não teria nenhuma confiança, nenhuma estima. Nada poderia desfazer meus sentimentos.

— Eu sei, eu sei — exclamou a mãe. — Ser feliz com um homem de práticas libertinas! Com alguém que tanto prejudicou a paz do mais querido de nossos amigos e do melhor dos homens! Não... minha Marianne não tem coração para ser feliz com tal homem! Sua consciência, sua consciência sensível, teria sentido tudo o que a consciência de seu marido deveria ter sentido.

Marianne suspirou e repetiu:

— Não desejo mudanças.

— Você considera o assunto — disse Elinor — exatamente como uma mente capaz e um entendimento sólido devem considerá-lo; ouso dizer que você percebe, assim como eu, não apenas nisso, mas em muitas outras circunstâncias, motivos suficientes para estar convencida de que esse casamento a teria envolvido em muitas e evidentes dificuldades e decepções, nas quais você pouco seria amparada por um afeto muito menos evidente da parte dele. Se tivessem se casado, vocês seriam pobres para sempre. Ele mesmo reconhece que é perdulário, e toda a sua conduta declara que austeridade é uma palavra dificilmente compreendida por ele. Juntas, as exigências dele e a sua inexperiência com uma renda pequena, muito pequena, teriam causado angústias que, totalmente desconhecidas e inimaginadas, nem por isso lhe seriam

Razão & Sensibilidade

menos dolorosas. A sua noção de honra e honestidade a teriam levado, eu sei, quando ciente da situação, a tentar toda a economia que lhe parecesse possível e, talvez, enquanto a frugalidade reduzisse apenas o seu conforto, você poderia sofrer para praticá-la, mas além disso... E quão pouco o máximo de sua gestão sozinha poderia fazer para impedir a ruína que havia começado antes de seu casamento? Além disso, se você tentasse reduzir os prazeres dele, ainda que de forma sensata, não seria de temer que, em vez de prevalecer sobre sentimentos tão egoístas, você diminuísse a própria influência sobre o coração dele e o fizesse lamentar pelo relacionamento que o envolvera em tantas dificuldades?

Os lábios de Marianne tremeram, e ela repetiu a palavra *egoísta* em um tom que implicava: "Você realmente acha que ele é egoísta?".

— Todo o comportamento dele — respondeu Elinor —, do início ao fim, foi baseado no egoísmo. Foi o egoísmo que primeiro o fez brincar com o seu afeto, que depois, quando o afeto dele estava envolvido, o fez retardar a confissão deste e que por fim o levou embora de Barton. O próprio prazer ou o próprio conforto era, em todos os aspectos, o princípio que o guiava.

— É verdade. A *minha* felicidade nunca foi o objetivo dele.

— No momento — continuou Elinor — ele se arrepende do que fez. E por que ele se arrepende? Porque ele vê que não lhe trouxe retorno. Não o deixou feliz. A situação financeira dele agora está resolvida, ele não sofre de nenhum mal desse tipo; pensa apenas que se casou com uma mulher de temperamento menos amável que você. Mas isso significa que, se tivesse se casado com você, ele seria feliz? Os inconvenientes teriam sido diferentes. Ele então sofreria as aflições pecuniárias que, por terem sido removidas, ele agora considera insignificantes. Ele teria uma esposa de cujo temperamento não poderia reclamar, mas passaria necessidade, seria pobre para sempre e provavelmente logo teria aprendido a classificar os inúmeros confortos de uma boa propriedade e uma bela renda como muito mais importantes, até mesmo para a felicidade doméstica, do que o mero temperamento da esposa.

— Não tenho dúvidas disso — disse Marianne — e não tenho nada do que me arrepender... nada além de minha insensatez.

— Melhor dizer a imprudência de sua mãe, minha filha — disse a sra. Dashwood —, ela deve ser responsabilizada.

Marianne não a deixou prosseguir; Elinor, satisfeita com o fato de cada uma sentir o próprio erro, desejou evitar qualquer análise do passado que pudesse enfraquecer o ânimo da irmã; portanto, retomando o primeiro assunto, imediatamente continuou:

— Uma justa observação, penso eu, pode ser extraída de toda essa história: todas as dificuldades de Willoughby surgiram da primeira ofensa contra a virtude, de seu comportamento com Eliza Williams. Esse crime foi a origem de todos os crimes menores e de todos os seus atuais desgostos.

Marianne concordou intensamente com a observação, e a mãe foi levada a uma enumeração das dores e méritos do coronel Brandon, tão calorosa quanto a amizade e um plano poderiam ditar em conjunto. No entanto, Marianne não pareceu ouvir muito daquilo.

Elinor, de acordo com a própria expectativa, viu, nos dois ou três dias seguintes, que Marianne não continuou a se fortalecer como antes; mas, enquanto sua resolução não fosse subjugada e ela ainda tentasse parecer alegre e tranquila, Elinor podia confiar com segurança no efeito do tempo sobre sua saúde.

Margaret voltou, e a família se reuniu, mais uma vez, calmamente instalada no chalé; e, se não se dedicaram aos estudos usuais com tanto vigor como quando chegaram a Barton pela primeira vez, pelo menos planejaram uma dedicação vigorosa no futuro.

Elinor estava impaciente por alguma notícia de Edward. Não tinha ouvido nada desde que deixara Londres, nada de novo sobre seus planos,

Razão & Sensibilidade

nada conclusivo nem mesmo sobre sua atual residência. Algumas cartas foram trocadas entre ela e o irmão em consequência da doença de Marianne; na primeira de John, havia a seguinte frase: "Nada sabemos sobre nosso infeliz Edward e não podemos fazer investigações sobre um assunto tão proibido, mas concluímos que ele ainda está em Oxford".

Essa foi toda a informação a respeito de Edward fornecida pela correspondência, pois o nome dele nem mesmo foi mencionado em nenhuma das cartas seguintes. Elinor, entretanto, não estava condenada a permanecer por muito tempo na ignorância dos acontecimentos.

Certa manhã, o criado foi enviado a Exeter a negócios; na volta, enquanto servia a mesa, respondeu as indagações de sua patroa sobre a incumbência e fez a seguinte comunicação voluntária:

— Suponho que saiba, senhora, que o sr. Ferrars se casou.

Marianne teve um sobressalto violento, fixou os olhos em Elinor, viu que ela empalidecia e caiu histérica na cadeira. A sra. Dashwood, cujos olhos, enquanto respondia à pergunta do criado, haviam intuitivamente tomado a mesma direção, ficou chocada ao perceber, pelo semblante de Elinor, o quanto ela realmente sofria, e, no instante seguinte, igualmente angustiada pela situação de Marianne, não soube à qual filha dedicar atenção.

O criado, que viu apenas que a srta. Marianne estava passando mal, teve o bom senso de chamar uma das criadas, que, com a ajuda da sra. Dashwood, a conduziu para outra sala. Àquela altura Marianne estava bem melhor, e a mãe, deixando-a aos cuidados de Margaret e da criada, voltou para Elinor, que, embora ainda muito descomposta, havia recuperado o uso da razão e da voz para começar a inquirir Thomas sobre a fonte de sua informação. A sra. Dashwood imediatamente tomou essa responsabilidade para si, e Elinor obteve a informação sem ter que se esforçar para isso.

— Quem lhe disse que o sr. Ferrars se casou, Thomas?

— Eu mesmo vi o sr. Ferrars, senhora, esta manhã em Exeter, e sua esposa também, a que era srta. Steele. Estavam parando a carruagem na porta da hospedaria New London quando fui lá com uma mensagem de Sally, de Barton Park, para o irmão, que é mensageiro. Por acaso olhei para cima ao passar pela carruagem e vi que era a srta. Steele mais jovem, então tirei o chapéu, ela me reconheceu e me chamou, perguntou pela senhora e pelas jovens senhoras, especialmente pela srta. Marianne, e me encarregou de transmitir as saudações dela e do sr. Ferrars, seus melhores cumprimentos e préstimos, e que lamentavam por não terem tempo de virem vê-las, mas estavam com muita pressa de seguir adiante, pois ainda tinham que viajar um tanto mais, mas, quando voltarem, com certeza virão vê-las.

— Mas ela disse que estava casada, Thomas?

— Sim, senhora. Ela sorriu e disse que havia mudado de nome desde que esteve por aqui. Ela sempre foi uma jovem muito afável e falante, e muito educada. Então, tomei a liberdade de lhe desejar felicidades.

— O sr. Ferrars estava na carruagem com ela?

— Sim, senhora, só o vi recostado, mas ele não ergueu os olhos; nunca foi um cavalheiro de falar muito.

O coração de Elinor podia facilmente explicar por que ele não se apresentara, e a sra. Dashwood provavelmente pensou na mesma explicação.

— Não havia mais ninguém na carruagem?

— Não, senhora, só os dois.

— Você sabe de onde eles vinham?

— Direto da cidade, a srta. Lucy... sra. Ferrars me disse.

— E estão indo mais para o oeste?

— Sim, senhora, mas não por muito tempo. Logo estarão de volta, e então com certeza virão aqui.

A sra. Dashwood olhou para a filha nesse momento, mas Elinor sabia que era melhor não esperar por eles. Ela reconheceu o estilo de Lucy na mensagem e estava muito segura de que Edward nunca se aproximaria delas. Comentou em voz baixa com a mãe que provavelmente estavam indo para a casa do sr. Pratt, perto de Plymouth.

As novidades de Thomas pareciam encerradas. Elinor parecia querer saber mais.

— Você se despediu deles antes de ir embora?

— Não, senhora... estavam recém tirando os cavalos, mas eu não podia me demorar mais, temia me atrasar.

— A sra. Ferrars parecia bem?

— Sim, senhora, ela disse que estava muito bem; na minha opinião, sempre foi uma jovem muito bonita... e parecia imensamente contente.

A sra. Dashwood não conseguiu pensar em nenhuma outra pergunta, e Thomas e a toalha de mesa, agora igualmente desnecessários, foram dispensados em seguida. Marianne já mandara avisar que não comeria mais nada. O apetite da sra. Dashwood e de Elinor estava igualmente perdido, e Margaret poderia considerar que estava muito bem, pois, com tanto desassossego que suas duas irmãs haviam experimentado ultimamente, com tantos motivos para muitas vezes descuidarem de suas refeições, ela nunca fora obrigada a ficar sem jantar antes.

Quando a sobremesa e o vinho foram servidos e a sra. Dashwood e Elinor foram deixadas a sós, permaneceram muito tempo juntas em reflexão e silêncio semelhantes. A sra. Dashwood temeu fazer qualquer comentário e não se aventurou a oferecer consolo. Ela agora se dava conta de que cometera um erro ao confiar na representação de Elinor e acertadamente concluiu que tudo havia sido amenizado na época para poupá-la de mais infelicidade, sofrendo como então sofria por Marianne. Descobriu que tinha sido enganada pela atenção cuidadosa e delicada da filha, para pensar que o afeto, que uma vez tinha compreendido tão bem, na realidade fosse muito menos intenso do que antes acreditava ou do que agora estava provado. Ela temia que, sob tal persuasão, tivesse sido injusta, desatenta, não, quase indelicada com sua Elinor, que a aflição de Marianne, por ser mais visível, por estar mais imediatamente diante dela, houvesse absorvido sua ternura em demasia e a levado a esquecer que, em Elinor, ela poderia ter uma filha sofrendo quase tanto quanto, certamente com menos autotortura e maior força moral.

Capítulo 48

Elinor agora se dava conta da diferença entre a expectativa de um acontecimento desagradável, por mais que a mente pudesse ser instruída a considerá-lo como certo, e a certeza em si. Descobriu que, mesmo sem querer, sempre tivera uma esperança, enquanto Edward permanecesse solteiro, de que algo aconteceria para impedi-lo de se casar com Lucy, de que alguma resolução dele mesmo, alguma mediação de amigos ou alguma oportunidade mais conveniente para Lucy surgisse para ajudar na felicidade de todos. Mas ele agora estava casado, e ela condenou seu coração pela ilusão persistente que tanto aumentava a dor da notícia.

Que ele se casasse logo, antes que pudesse estar ordenado (como ela imaginava) e, consequentemente, antes que pudesse receber a renda paroquial, de início a surpreendeu um pouco. Mas logo percebeu ser provável que Lucy, cuidando de seu interesse pessoal e com pressa em segurar Edward, negligenciasse tudo, exceto o risco de atraso. Haviam se casado, casado na cidade, e agora apressavam-se para a casa do tio dela. O que Edward havia sentido ao estar a menos de seis quilômetros de Barton, ao ver o criado de sua mãe, ao ouvir a mensagem de Lucy!

Em breve, supôs Elinor, se estabeleceriam em Delaford... Delaford, aquele lugar que tantas coisas conspiravam para despertar seu interesse, que ela desejava conhecer, mas ainda assim desejava evitar. Em um instante viu-os na casa paroquial, viu Lucy como a administradora ativa e engenhosa, unindo o desejo de uma aparência elegante com a máxima frugalidade, com vergonha de que suspeitassem da metade de suas práticas econômicas, cuidando dos próprios interesses em cada pensamento, cortejando os favores do coronel Brandon, da sra. Jennings e de todos os amigos ricos. Em Edward... ela não sabia o que ver, nem o que desejava ver... felicidade ou infelicidade... nada a agradava; Elinor afastou a mente de todas as imagens dele.

Elinor teve certeza de que algum dos contatos delas em Londres escreveria para anunciar o evento e dar mais detalhes, mas os dias se passaram sem trazer nenhuma carta, nenhuma notícia. Embora duvidando de que pudesse culpar alguém, ela viu omissão em todos os amigos sumidos. Eram todos descuidados ou indolentes.

— Quando vai escrever para o coronel Brandon, mamãe? — foi a indagação que brotou da impaciência de sua mente para que algo acontecesse.

— Escrevi na semana passada para ele, meu amor, e prefiro vê-lo a receber notícias por carta novamente. Insisti com firmeza para que venha aqui, e não ficaria surpresa em vê-lo chegar hoje ou amanhã ou em qualquer outro dia.

Isso era um ganho, algo a aguardar. O coronel Brandon deveria ter algumas informações para dar. Mal tinha concluído isso, quando a figura de um homem a cavalo atraiu seus olhos para a janela. Ele parou no portão delas. Era um cavalheiro, era o próprio coronel Brandon. Agora ela poderia saber mais – e estremeceu diante da expectativa. Mas... não era o coronel Brandon... não tinha o aspecto... nem a altura dele.

Se fosse possível, ela diria ser Edward. Olhou de novo. O cavalheiro tinha acabado de desmontar, ela não podia estar enganada... era Edward. Ela se afastou e se sentou. "Ele veio da casa do sr. Pratt com o propósito de nos ver. Vou ficar calma, vou manter o domínio sobre mim mesma."

Num instante ela percebeu que as outras também haviam se dado conta do engano. Viu a mãe e Marianne mudarem de cor, viu ambas olharem para ela e sussurrarem algumas frases uma para a outra. Ela teria dado qualquer coisa para conseguir falar e fazê-las entender que esperava que o comportamento delas com ele não transparecesse qualquer frieza ou desprezo, mas não tinha fala e foi obrigada a deixar tudo a critério delas.

Nenhuma sílaba foi proferida em voz alta. Todas esperaram em silêncio pela entrada do visitante. Os passos dele foram ouvidos ao longo do caminho de cascalho; em um momento ele estava na passagem, no outro estava diante delas.

O semblante de Edward ao entrar na sala não era muito feliz, nem mesmo para Elinor. Estava lívido e agitado, parecia temeroso quanto à sua recepção e ciente de que não merecia gentilezas. A sra. Dashwood, no entanto, conformando-se, como acreditava, aos desejos daquela filha por quem ela agora pretendia de todo o coração ser guiada em todas as coisas, encarou-o com um olhar de satisfação forçada, estendeu-lhe a mão e o saudou com alegria.

Ele enrubesceu e gaguejou uma resposta ininteligível. Os lábios de Elinor se moveram com os da mãe, e, passado o momento de agir, desejou ter apertado a mão dele também. Mas era tarde demais, e, com uma expressão que pretendia ser franca, sentou-se novamente e falou do tempo.

Marianne havia recuado tanto quanto possível do campo de visão para esconder sua angústia; Margaret, compreendendo em parte, mas não toda, a situação, julgou que lhe cabia ser respeitável, portanto, sentou-se o mais longe possível dele e manteve um silêncio estrito.

Quando Elinor parou de se regozijar pelo clima seco, sobreveio uma pausa horrível. Foi quebrada pela sra. Dashwood, que se sentiu na obrigação de comentar que esperava que Edward tivesse deixado a sra. Ferrars passando muito bem. De maneira apressada, ele respondeu afirmativamente.

Outra pausa.

Elinor, decidida a se esforçar, embora temendo o som da própria voz, então disse:

— A sra. Ferrars está em Longstaple?

— Em Longstaple! — repetiu ele, com ar de surpresa. — Não, minha mãe está na cidade.

— Quis me referir — disse Elinor, pegando um trabalho de cima da mesa — à sra. *Edward* Ferrars.

Ela não ousou erguer o olhar, mas a mãe e Marianne voltaram os olhos para ele. Edward corou, pareceu perplexo, pareceu ficar em dúvida e, após alguma hesitação, disse:

— Talvez queira se referir... a meu irmão... você se refere à senhora... sra. *Robert* Ferrars.

— Sra. Robert Ferrars! — repetiram Marianne e a mãe com uma entonação de máximo espanto; embora Elinor não conseguisse falar, até os olhos dela fixaram-se nele com o mesmo espanto impaciente.

Edward se levantou da cadeira e foi até a janela, aparentemente sem saber o que fazer; pegou uma tesoura que estava lá e, enquanto as enervava e estragava uma bainha, picotando-a, falou com voz apressada:

— Talvez não saibam... podem não ter ouvido que meu irmão se casou recentemente... com a mais nova... com a srta. Lucy Steele.

As palavras dele foram ecoadas com indescritível espanto por todas, exceto Elinor, que permaneceu sentada com a cabeça inclinada sobre o trabalho em um estado de tal agitação que mal sabia onde estava.

— Sim — disse ele —, casaram-se na semana passada e agora estão em Dawlish.

Elinor não aguentou mais ficar sentada. Saiu da sala quase correndo e, assim que a porta se fechou, irrompeu em lágrimas de alegria, que a princípio pensou que nunca cessariam. Edward, que até então não tinha olhado para nada a não ser para ela, viu-a se afastar às pressas e talvez tenha visto, ou mesmo ouvido, sua emoção, pois no instante seguinte caiu em um devaneio que nenhum comentário, nenhuma pergunta, nenhuma fala afetuosa da sra. Dashwood conseguiu penetrar,

Razão & Sensibilidade

e por fim, sem dizer uma palavra, saiu da sala e rumou para a aldeia, deixando as demais no maior espanto e perplexidade com a mudança em sua situação, tão maravilhosa e tão repentina, perplexidade que não tinham meios de reduzir senão pelas próprias conjecturas.

✿ Capítulo 49

Por mais inexplicáveis que as circunstâncias da liberação de Edward parecessem para toda a família, o certo é que ele estava livre, e o propósito em que essa liberdade seria empregada foi facilmente previsto por todas; afinal, depois de experimentar as bênçãos de um compromisso imprudente, firmado sem o consentimento de sua mãe, como fizera havia mais de quatro anos, dado o fracasso deste, nada menos era esperado de Edward do que o imediato acerto de outro.

A missão dele em Barton, na verdade, era simples. Era apenas pedir Elinor em casamento; considerando-se que ele não era totalmente inexperiente no assunto, pode parecer estranho que se sentisse tão desconfortável no presente caso como realmente se sentia, tão necessitado de encorajamento e ar fresco.

Entretanto, não é preciso contar em detalhes a rapidez com que chegou à decisão adequada, a rapidez com que surgiu uma oportunidade de colocá-la em prática, a maneira como se expressou e como foi recebido. Basta dizer o seguinte: quando todos se sentaram à mesa às quatro horas, cerca de três horas após a chegada de Edward, ele havia obtido a mão de sua senhora, garantido o consentimento da mãe dela e estava na arrebatadora condição não apenas de enamorado, como também, na realidade da razão e da verdade, de um dos homens mais felizes de todos. Sua situação, de fato, era de incomum alegria.

Edward tinha mais do que o triunfo habitual do amor correspondido para encher seu coração e elevar seu espírito. Ele se libertara, sem qualquer reprovação para si mesmo, de um enredamento que havia muito o atormentava, de uma mulher que havia muito deixara de amar, e imediatamente fora alçado à tranquilidade com outra, na qual deveria

Razão & Sensibilidade

pensar quase com desespero desde que passara a desejá-la. Ele foi levado não da dúvida ou do suspense, mas da desgraça para a felicidade, e a mudança foi comentada por ele de forma franca, com uma alegria genuína, fluida e grata, como os amigos nunca haviam visto antes.

O coração dele estava agora aberto para Elinor; todas as suas fraquezas, todos os seus erros foram confessados, e o primeiro compromisso infantil com Lucy, tratado com toda a dignidade filosófica dos vinte e quatro anos.

— Foi uma inclinação tola e ociosa de minha parte — disse ele —, consequência da ignorância do mundo... e da falta de ocupação. Se meu irmão tivesse me dado alguma profissão ativa quando fui retirado dos cuidados do sr. Pratt aos dezoito anos, acho... não, tenho certeza de que isso nunca teria acontecido, pois, embora eu tivesse partido de Longstaple com o que na época considerava uma predileção insuperável pela sobrinha dele, ainda assim, se eu tivesse algum afazer, algum objetivo para ocupar meu tempo e me manter afastado dela por alguns meses, muito em breve teria superado o apego imaginário, especialmente ao circular mais pela sociedade, como nesse caso eu teria feito. Porém, em vez de ter alguma coisa para fazer, em vez de ter alguma profissão escolhida para mim ou de poder escolher eu mesmo, voltei para casa para ficar completamente ocioso; nos primeiros doze meses, não tive nem mesmo a ocupação nominal que frequentar a universidade teria proporcionado, pois não fui admitido em Oxford até os dezenove anos. Portanto, não tinha nada para fazer neste mundo a não ser me imaginar apaixonado; como minha mãe não tornava nossa casa confortável em nenhum aspecto, como eu não tinha nenhum amigo, nem a companhia de meu irmão, e não gostava de fazer novas amizades, era natural ir com frequência para Longstaple, onde sempre me senti em casa e sempre tive a certeza de ser bem-vindo. Assim, passei a maior parte do tempo lá, dos dezoito aos dezenove anos. Lucy parecia totalmente amável e atenciosa. Também era bonita, pelo menos eu então achava; tinha visto tão poucas mulheres que não podia fazer comparações nem ver defeitos. Considerando tudo, portanto, quero crer que, por mais insensato que fosse o nosso compromisso, insensato como desde então se mostrou em todos os sentidos, naquela época não foi um caso de loucura antinatural ou indesculpável.

A mudança produzida em poucas horas no ânimo e na felicidade das Dashwood foi tão grande que prometia a todas elas a satisfação de uma noite insone. A sra. Dashwood, feliz demais para ficar sossegada, não sabia como amar Edward, nem como elogiar Elinor o suficiente, como ser grata o bastante pelo fim do compromisso dele sem ferir a sensibilidade de Edward, nem como dar-lhes espaço para conversarem sem reservas e ao mesmo tempo desfrutar, como ela desejava, da visão e companhia de ambos.

Marianne só conseguia expressar sua felicidade por meio de lágrimas. Havia comparações, surgiam lamentações, e sua alegria, embora sincera como seu amor pela irmã, era de um tipo que não lhe proporcionava vivacidade nem eloquência.

E Elinor, como devem ser descritos os sentimentos dela? Desde o momento em que soube que Lucy estava casada com outro, que Edward estava livre, até o momento em que ele justificou as esperanças que instantaneamente surgiram, ela sentiu de tudo um pouco, menos tranquilidade. Porém, quando o segundo momento passou, quando ela viu cada dúvida, cada preocupação removida, quando comparou sua situação com o que tinha vivido ultimamente, quando o viu honrosamente liberado do antigo compromisso, quando o viu aproveitar instantaneamente a liberação para dirigir-se a ela e declarar uma afeição tão terna e tão constante quanto ela sempre imaginara que fosse, ela foi oprimida, foi subjugada pela própria felicidade, e, por mais que a mente humana tenha a feliz disposição para se familiarizar facilmente

Razão & Sensibilidade

com qualquer mudança para melhor, foram necessárias várias horas para que seu espírito se acalmasse e seu coração em alguma medida se tranquilizasse.

Edward permaneceria no chalé por pelo menos uma semana, pois, quaisquer que fossem as demandas que se apresentassem a ele, era impossível dedicar menos de uma semana ao prazer da companhia de Elinor, e esse período era insuficiente para falar a metade do que havia a ser dito sobre o passado, o presente e o futuro, pois, embora algumas poucas horas despendidas no árduo trabalho de falar sem cessar liquidem mais assuntos do que poderia realmente haver em comum entre duas criaturas racionais, com enamorados é diferente. Entre eles nenhum assunto é concluído, nenhuma comunicação é sequer feita até que tenha sido feita pelo menos vinte vezes.

O casamento de Lucy, fonte inesgotável de espanto para todos, naturalmente constituiu uma das primeiras discussões dos enamorados, e o singular conhecimento de Elinor de cada parte envolvida tornava as circunstâncias, sob todos os aspectos, uma das mais extraordinárias e inexplicáveis de que já ouvira falar. Como puderam ficar juntos e qual atrativo poderia ter levado Robert a se casar com uma moça de cuja beleza a própria Elinor o ouvira falar sem qualquer admiração, uma moça além de tudo já comprometida com o irmão dele e por causa de quem o irmão fora expulso da família, tudo isso estava além de sua compreensão. Para seu coração, o caso era encantador, para sua imaginação era até ridículo, mas, para sua razão, seu julgamento, era um completo enigma.

Edward só conseguia tentar explicar supondo que talvez, no primeiro encontro acidental, a vaidade de um tivesse sido tão instigada pela bajulação do outro que gradativamente levasse a todo o resto. Elinor lembrou-se do que Robert lhe contara em Harley Street, da opinião sobre o que a sua mediação no caso do irmão poderia ter produzido se aplicada a tempo. Ela repetiu para Edward.

— *Isso* é típico de Robert — foi sua observação imediata. — E isso — acrescentou em seguida — talvez estivesse na mente dele quando o relacionamento entre eles começou. E Lucy de início talvez pudesse pensar apenas em obter os préstimos dele em meu favor. Outros projetos podem ter surgido posteriormente.

Por quanto tempo aquilo aconteceu, Edward, assim como Elinor, não sabia calcular, pois em Oxford, onde ele escolhera permanecer desde a partida de Londres, não tivera informações sobre Lucy a não ser por intermédio dela mesma, e até o fim suas cartas não foram menos frequentes nem menos afetuosas do que de costume. Portanto, não havia a menor suspeita que o preparasse para o que se sucedeu, e quando enfim veio a ruptura em uma carta da própria Lucy, ele acreditava ter ficado por algum tempo meio que estupefato entre o espanto, o horror e a alegria daquela libertação. Ele depositou a carta nas mãos de Elinor.

Caro senhor,

Tendo certeza de que há muito perdi seu afeto, julguei ter a liberdade de conceder o meu a outro e não tenho dúvidas de que serei tão feliz com ele quanto pensava que poderia ser com você, mas abstenho-me de aceitar uma mão quando o coração é de outra pessoa. Desejo-lhe sinceramente felicidades em sua escolha, e não será culpa minha se não formos para sempre bons amigos, como nosso relacionamento próximo agora torna apropriado. Posso dizer com segurança que não lhe quero mal e tenho certeza de que você é generoso demais para nos causar qualquer mal. Seu irmão conquistou totalmente meu afeto, e, como não poderíamos viver um sem o outro, acabamos de retornar do altar e agora estamos a caminho de Dawlish por algumas semanas, lugar que seu querido irmão tem grande curiosidade de conhecer, mas pensei primeiro em incomodá-lo com estas poucas linhas e sempre permanecerei,

Sua sincera e leal amiga e cunhada,
Lucy Ferrars

Queimei todas as suas cartas e devolverei seu retrato na primeira oportunidade. Por favor, destrua meus escritos, mas pode conservar consigo o anel com meu cabelo.

Elinor leu e devolveu a carta sem qualquer comentário.

— Não pedirei sua opinião sobre a redação — disse Edward. — Por nada no mundo eu deixaria você ver uma carta dela antigamente. Para uma cunhada é ruim o bastante, mas para uma esposa! Como corei com as páginas escritas por ela! Creio poder dizer que, desde os primeiros seis meses de nosso insensato... caso... esta é a única carta dela recebida cujo teor me proporcionou alguma compensação pela imperfeição de estilo.

— Seja como for — disse Elinor, após uma pausa —, é certo que estão casados. E sua mãe fez cair sobre si mesma um castigo muito adequado. A independência que concedeu a Robert devido ao ressentimento contra você deu a ele o poder de fazer a própria escolha, e ela de fato subornou um filho com mil libras por ano para fazer exatamente aquilo que ela deserdou o outro por ter a intenção de fazer. Dificilmente ela ficará menos magoada, suponho eu, pelo fato de Robert ter se casado com Lucy do que ficaria se você se casasse com ela.

— Ela ficará mais magoada com isso, pois Robert sempre foi seu favorito. Ficará mais magoada, e pelo mesmo motivo o perdoará muito mais rápido.

Edward não sabia em que pé estava a situação entre eles no momento, pois até então não tentara qualquer comunicação com ninguém de sua família. Havia deixado Oxford 24 horas após a chegada da carta de Lucy, e com apenas um objetivo diante de si, a estrada mais próxima para Barton. Não tivera tempo para elaborar qualquer esquema de conduta que não estivesse intimamente relacionado àquela estrada. Ele não poderia fazer nada até ter certeza de seu destino com a srta. Dashwood, e, pela rapidez em tratar desse destino, é de supor que, apesar dos ciúmes com que um dia pensara no coronel Brandon, apesar da modéstia com que avaliava os próprios méritos e da polidez com que falava de suas dúvidas, de modo geral ele não esperava uma recepção muito cruel. Seu interesse, no entanto, era dizer o que ele disse, e disse muito bem. O que ele poderia dizer sobre o assunto doze meses depois fica a cargo da imaginação de maridos e esposas.

Que Lucy com certeza pretendeu enganar, partir com um requinte de maldade contra Edward em sua mensagem por intermédio de Thomas ficou perfeitamente claro para Elinor, e o próprio Edward, agora totalmente esclarecido sobre o caráter dela, não hesitou em acreditar que Lucy fosse capaz da máxima mesquinhez de uma má índole maliciosa. Embora seus olhos estivessem abertos havia muito tempo, antes mesmo do relacionamento com Elinor começar, a ignorância e a falta de liberalidade em algumas das opiniões de Lucy haviam sido imputadas por ele à falta de instrução, e, até a última carta dela chegar, Edward sempre acreditara que ela fosse uma moça bem-intencionada, de bom coração e totalmente apegada a ele. Nada além de tal convicção poderia tê-lo impedido de pôr fim a um compromisso que, muito antes de ser descoberto e deixá-lo exposto à ira da mãe, era uma fonte contínua de inquietação e pesar para ele.

— Achei que fosse meu dever — disse ele —, independentemente de meus sentimentos, dar a ela a opção de continuar o compromisso ou não quando fui deserdado por minha mãe e fiquei, ao que tudo parecia, sem um amigo no mundo para ajudar. Em tal situação, na qual nada

Razão & Sensibilidade

parecia tentador à avareza ou à vaidade de qualquer criatura, como poderia eu supor, quando ela com tanta sinceridade e tanto ardor insistiu em compartilhar de meu destino, fosse qual fosse, que qualquer coisa senão a afeição mais desinteressada fosse o estímulo? E, mesmo agora, não consigo compreender por que motivo ela agiu ou que vantagem imaginária poderia ter para ficar acorrentada a um homem por quem não tinha a menor estima e que tinha apenas duas mil libras. Ela não poderia prever que o coronel Brandon me desse uma paróquia.

— Não, mas ela poderia supor que algo ocorreria a seu favor, que sua família poderia ceder com o tempo. De qualquer forma, ela não perdeu nada ao manter o compromisso, pois mostrou que isso não cerceava sua inclinação nem suas ações. O relacionamento por certo era respeitável e provavelmente rendeu-lhe a consideração dos amigos, e, se nada de mais vantajoso ocorresse, seria melhor para ela se casar com você do que ficar solteira.

Edward, é claro, ficou imediatamente convencido de que nada poderia ser mais natural do que a conduta de Lucy, nem mais evidente do que os motivos para tal.

Elinor o repreendeu, com a rispidez com que as damas sempre repreendem a imprudência que lhes serve de elogio, por ter passado tanto tempo com elas em Norland, quando deve ter sentido a própria inconstância.

— Seu comportamento com certeza foi muito errado — disse ela —, porque, para não falar da minha convicção, todos os nossos parentes foram levados a imaginar e esperar aquilo que, na sua situação na época, jamais poderia ocorrer.

Ele só pôde alegar ignorância a respeito do próprio coração e confiança equivocada na força de seu compromisso.

— Eu era ingênuo o bastante para pensar que, por minha honestidade estar comprometida com outra pessoa, não poderia haver perigo em estar com você e que a consciência de meu compromisso manteria meu coração tão seguro e sagrado quanto minha honra. Senti que admirava você, mas disse a mim mesmo que era apenas amizade e, até começar a fazer comparações entre você e Lucy, eu não sabia o quão longe tinha ido. Depois disso, suponho, foi errado permanecer por tanto tempo em Sussex, e os argumentos com os quais me convencia da conveniência disso não eram melhores do que os seguintes: o risco é meu, não estou prejudicando ninguém além de mim mesmo.

Elinor sorriu e balançou a cabeça.

Edward ouviu com prazer que o coronel Brandon era esperado no chalé, pois realmente desejava não apenas conhecê-lo melhor, como também ter a oportunidade de convencê-lo de que não mais se ressentia por este haver lhe dado a paróquia de Delaford:

— Afinal, depois de agradecimento tão indelicado como o meu na ocasião, ele deve pensar até hoje que nunca o perdoei por ter me oferecido.

Agora ele mesmo se espantava por ainda não ter ido ao local. Mas tão pouco interesse tivera pelo assunto que devia todo o conhecimento sobre a casa, o jardim e a lavoura, o tamanho da paróquia, a condição da terra e taxa dos dízimos à própria Elinor, que muito ouvira o coronel Brandon e ouvira com tanta atenção que dominava totalmente o assunto.

Depois disso só uma questão permaneceu em aberto entre eles, uma única dificuldade a ser superada. Eles estavam unidos pelo afeto mútuo, com a mais calorosa aprovação de seus verdadeiros amigos; o conhecimento íntimo que tinham um do outro parecia tornar sua felicidade certa – e só precisavam de meios de sustento. Edward dispunha de duas mil libras, e Elinor, de mil, o que, com o honorário de Delaford, era tudo o que podiam chamar de seu, pois era impossível que a sra. Dashwood concedesse qualquer coisa, e nenhum dos dois

Razão & Sensibilidade

estava apaixonado o bastante para pensar que 350 libras por ano lhes proporcionariam uma vida confortável.

Edward não perdera inteiramente a esperança de alguma mudança favorável da mãe em relação a ele e contava com isso para o restante de sua renda. Mas Elinor não tinha essa confiança, pois, uma vez que Edward continuaria impossibilitado de se casar com a srta. Morton, e, na linguagem lisonjeira da sra. Ferrars, a escolha de Elinor fora considerada apenas um mal menor do que a escolha de Lucy Steele, ela temia que a ofensa de Robert servisse apenas para enriquecer Fanny.

Cerca de quatro dias após a chegada de Edward, o coronel Brandon apareceu para completar a satisfação da sra. Dashwood e dar-lhe a honra de, pela primeira vez desde que morava em Barton, receber mais visitas do que sua casa poderia acomodar. A Edward foi concedido o privilégio de ter sido o primeiro a chegar, e o coronel Brandon, portanto, caminhava todas as noites para seus antigos aposentos em Barton Park, de onde geralmente voltava pela manhã, cedo o bastante para interromper o primeiro *tête-à-tête* dos enamorados antes do café da manhã.

A permanência de três semanas em Delaford, onde, pelo menos à noite, o coronel Brandon pouco tinha para fazer a não ser calcular a desproporção entre 36 e 17 anos, fez com que chegasse a Barton em um estado de espírito que, para tornar-se alegre, necessitou de todo o benefício dos olhares de Marianne, toda a gentileza da recepção dela e todo o incentivo das palavras da sra. Dashwood. Todavia, entre tais amigos e tanta lisonja, ele reanimou-se. Nenhum boato sobre o casamento de Lucy havia chegado até ele, o coronel não sabia de nada do que havia acontecido; assim, as primeiras horas de sua visita foram passadas ouvindo e se espantando. Tudo lhe foi explicado pela sra. Dashwood, e ele encontrou novos motivos para se alegrar com o que havia feito pelo sr. Ferrars, já que acabou sendo em favor de Elinor.

Seria desnecessário dizer que os cavalheiros avançaram na boa opinião um do outro, como avançaram no conhecimento um do outro, pois não poderia ser de outra forma. A semelhança nos bons princípios e no bom senso, no temperamento e no modo de pensar, provavelmente teria sido suficiente para uni-los em amizade sem qualquer outro atrativo; mas o fato de estarem apaixonados por duas irmãs, e duas irmãs que se amavam muito, tornou inevitável e imediato o afeto mútuo que de outra forma poderia ficar a cargo do efeito do tempo e do julgamento.

As cartas da cidade, que poucos dias antes teriam feito todos os nervos do corpo de Elinor estremecer, agora chegavam para ser lidas com menos emoção do que alegria. A sra. Jennings escreveu para contar a história espantosa, desabafar sua honesta indignação contra a moça enganadora e derramar sua compaixão pelo pobre sr. Edward, que, ela tinha certeza, adorava a indigna sirigaita e agora, calculava-se, estava com o coração partido em Oxford.

"Creio", continuava ela, "que nada jamais foi feito de forma tão dissimulada, pois apenas dois dias antes Lucy me visitou e permaneceu algumas horas comigo. Ninguém suspeitou de qualquer coisa, nem mesmo Nancy, que, coitada, veio a mim chorando no dia seguinte, com muito medo da sra. Ferrars e sem saber como chegar a Plymouth, pois Lucy, ao que parece, pediu todo o seu dinheiro emprestado antes de partir para se casar, com o objetivo, supomos, de se exibir, e a pobre Nancy não tinha nem sequer sete xelins; então fiquei muito contente de dar-lhe cinco guinéus para ir para Exeter, onde pensa em ficar três ou quatro semanas com a sra. Burgess na esperança, como eu disse a ela, de voltar a se encontrar com o doutor. E devo dizer que a impertinência de Lucy em não levá-la na carruagem é o pior de tudo. Pobre sr. Edward! Não consigo tirá-lo da cabeça, mas você deve convidá-lo a Barton, e a srta. Marianne deve tentar consolá-lo."

Razão & Sensibilidade

A tensão do sr. Dashwood era mais solene. A sra. Ferrars era a mais infeliz das mulheres, a pobre Fanny sofrera agonias nervosas, e ele considerava a sobrevivência de ambas, mediante tal golpe, um grato espanto. A ofensa de Robert era imperdoável, mas a de Lucy era infinitamente pior. Nenhum dos dois jamais deveria ser mencionado à sra. Ferrars novamente, e, mesmo que no futuro ela fosse induzida a perdoar o filho, a esposa nunca seria reconhecida como nora nem teria permissão de aparecer em sua presença. O sigilo com que tudo transcorrera foi racionalmente tratado como um enorme agravante do crime, pois, se tivesse ocorrido qualquer suspeita aos outros, teriam tomado medidas adequadas para impedir o casamento; o irmão conclamou Elinor a se juntar a ele nos lamentos pelo enlace de Lucy com Edward não ter se cumprido, pois com isso ela espalhou ainda mais desgraça na família. Ele continuou assim:

"A sra. Ferrars ainda não mencionou o nome de Edward, o que não nos surpreende; mas, para nosso grande espanto, não recebemos nem sequer uma linha dele na ocasião. Talvez ele se mantenha em silêncio por medo de ofender; devo, portanto, mandar um bilhete para Oxford com uma sugestão, pois sua irmã e eu pensamos que uma carta de submissão adequada dele, endereçada talvez a Fanny e por ela mostrada a sua mãe, não seria mal interpretada, porque todos nós conhecemos a ternura do coração da sra. Ferrars e sabemos que ela não deseja nada além um bom relacionamento com seus filhos".

Esse parágrafo foi de alguma importância para as perspectivas e a conduta de Edward. Ele decidiu tentar uma reconciliação, embora não exatamente da maneira indicada pelo cunhado e pela irmã.

— Uma carta de submissão adequada! — repetiu ele. — Será que querem que eu implore o perdão de minha mãe pela ingratidão de Robert com ela e a violação da honra comigo? Não posso me submeter... Não fiquei humilhado nem arrependido pelo que aconteceu. Fiquei muito feliz, mas isso não interessaria. Não vejo nenhuma submissão apropriada para mim.

— Você por certo pode pedir perdão — disse Elinor —, porque ofendeu, e acho que agora pode se aventurar a ponto de manifestar alguma preocupação por ter firmado o compromisso que provocou a ira de sua mãe.

Ele concordou que poderia fazer isso.

— E, quando ela o perdoar, talvez um pouco de humildade possa ser conveniente ao informar sobre um segundo compromisso, quase tão imprudente aos olhos dela quanto o primeiro.

Ele não tinha nada a argumentar em contrário, mas ainda resistia à ideia da carta de submissão adequada; portanto, para facilitar, já que ele havia declarado uma disposição muito maior de fazer concessões mesquinhas verbalmente do que no papel, ficou decidido que, em vez de escrever para Fanny, ele iria a Londres e lhe pediria pessoalmente que intercedesse a seu favor.

— Se eles realmente se interessarem — disse Marianne, com sua nova meiguice de caráter — em promover uma reconciliação, haverei de pensar que nem mesmo John e Fanny são inteiramente destituídos de mérito.

Depois de uma visita de apenas três ou quatro dias do coronel Brandon, os dois cavalheiros deixaram Barton juntos. Foram imediatamente para Delaford, para que Edward pudesse conhecer sua futura casa e ajudar seu patrono e amigo a decidir quais melhorias eram necessárias; dali, depois de duas noites, ele deveria seguir viagem para a cidade.

❦ Capítulo 50

Depois de uma resistência adequada por parte da sra. Ferrars, violenta e firme o bastante para preservá-la da censura em que sempre parecia temer incorrer, a censura de ser muito amável, Edward foi admitido em sua presença e pronunciado novamente seu filho. A família vinha oscilando excessivamente nos últimos tempos. Por muitos anos de sua vida, ela tivera dois filhos, mas o crime e a aniquilação de Edward poucas semanas antes haviam-lhe roubado um; a semelhante aniquilação de Robert a deixara por quinze dias sem nenhum; agora, pela ressuscitação de Edward, ela tinha um novamente.

Apesar de ter permissão para viver mais uma vez, Edward não sentiu a continuidade de sua existência segura até revelar seu presente compromisso, pois o anúncio dessa circunstância, temia ele, poderia alterar repentinamente sua constituição e levá-lo a perecer tão rapidamente quanto antes. Com cautela apreensiva, portanto, foi revelado, e ele foi ouvido com uma calma inesperada. A sra. Ferrars a princípio se esforçou razoavelmente para dissuadi-lo de se casar com a srta. Dashwood mediante todos os argumentos em seu poder; disse que na srta. Morton ele teria uma mulher de posição superior e maior fortuna e reforçou a afirmação observando que a srta. Morton era filha de um nobre com trinta mil libras, enquanto a srta. Dashwood era filha de um mero cavalheiro com não mais do que *três* mil; porém, quando verificou que, embora reconhecesse plenamente a verdade de sua argumentação, ele não estava de forma alguma inclinado a ser guiado por aquilo, julgou mais sábio, pela experiência do passado, submeter-se, e, portanto, após um indelicado atraso que devia à própria dignidade e que também servia para evitar qualquer suspeita de boa vontade, ela emitiu seu decreto de consentimento para o casamento de Edward e Elinor.

O que ela faria para aumentar a renda de Edward foi o próximo tema considerado, e aqui pareceu claro que, embora Edward fosse agora seu único filho, de forma alguma era o mais velho, pois, enquanto Robert inevitavelmente receberia mil libras por ano, não houve a menor objeção a Edward receber no máximo 250 ao ser ordenado, nem nada foi prometido, nem para o presente, nem para o futuro, além das dez mil libras que haviam sido dadas a Fanny.

Entretanto, era o desejado e mais do que o esperado por Edward e Elinor; a própria sra. Ferrars, por suas desculpas vacilantes, pareceu a única pessoa surpresa por não dar mais.

Com renda mais do que suficiente para suas necessidades assim assegurada, não havia mais nada pelo que esperar depois que Edward assumiu a paróquia, exceto o término da reforma da casa, na qual o coronel Brandon, com um intenso desejo de bem acomodar Elinor, estava fazendo melhorias consideráveis; depois de esperar algum tempo pela conclusão das obras, depois de experimentar, como de costume, milhares de decepções e atrasos devido à inexplicável lentidão dos trabalhadores, Elinor, como de costume, rompeu a primeira resolução categórica de não se casar até que tudo estivesse pronto, e a cerimônia foi celebrada na igreja de Barton no início do outono.

O primeiro mês após o casamento foi passado com o coronel Brandon, em sua mansão, de onde podiam supervisionar o progresso nas obras do presbitério e determinar tudo o que queriam no local – escolher papéis de parede, projetar arbustos e limpar o terreno. As profecias da sra. Jennings, embora em uma mistura um tanto confusa, foram basicamente cumpridas, pois ela pôde visitar Edward e sua esposa no presbitério no fim de setembro e constatou que Elinor e seu marido eram um dos casais mais felizes do mundo, como ela realmente esperava que

Razão & Sensibilidade

fossem. Na verdade, eles não tinham nada a desejar, exceto o casamento do coronel Brandon e Marianne e um pasto melhor para suas vacas.

Ao se instalar, Elinor e Edward foram visitados por quase todos os parentes e amigos. A sra. Ferrars veio inspecionar a felicidade que quase se envergonhava de ter autorizado, e até mesmo os Dashwood arcaram com as despesas de uma viagem desde Sussex para homenageá-los.

— Não direi que estou decepcionado, minha querida irmã — disse John, enquanto caminhavam juntos certa manhã diante dos portões de Delaford House —, *isso* seria demais, pois com certeza você é uma das moças mais afortunadas do mundo com as coisas sendo como são. Mas confesso que seria um grande prazer chamar o coronel Brandon de cunhado. Sua propriedade aqui, sua posição, sua casa, tudo muito respeitável e excelente! E seus bosques! Não vi em parte alguma de Dorsetshire madeira como a que existe aqui em Delaford Hanger! E, embora Marianne talvez não seja exatamente a pessoa para atraí-lo... ainda assim acho que seria de todo aconselhável que elas ficassem frequentemente hospedadas com vocês, pois, como o coronel Brandon parece muito caseiro, nunca se sabe o que pode acontecer... afinal, quando as pessoas ficam muito tempo juntas e veem pouca gente diferente... e você sempre terá condições de promovê-la, e tudo o mais. Em suma, você pode muito bem dar uma chance a ela... Você me entende.

Embora a sra. Ferrars sempre viesse vê-los e sempre os tratasse com um faz de conta decente de afeto, nunca se sentiram insultados por seu verdadeiro favor e preferência. Isso era concedido à insensatez de Robert e à astúcia de sua esposa, que o obtiveram em questão de poucos meses. A sagacidade egoísta de Lucy, que de início arrastou Robert para uma enrascada, foi o principal instrumento de sua libertação, pois a humildade respeitosa, as atenções constantes e as lisonjas sem fim, exercitadas tão logo houve a menor brecha, reconciliaram a sra. Ferrars com a escolhida de seu filho e o restabeleceram completamente em seus favores.

Todo o comportamento de Lucy no caso e a prosperidade que o coroou podem, portanto, ser apresentados como exemplo muito encorajador do que uma atenção séria e incessante aos próprios interesses, por mais que o progresso possa aparentemente sofrer obstruções, fará para garantir todas as vantagens da fortuna sem outro sacrifício senão do tempo e da consciência. Quando Robert foi conhecer Lucy em visita particular a Bartlett's Buildings, tinha apenas a preocupação causada pelo irmão. Pretendia apenas persuadi-la a desistir do compromisso e, como nada havia a superar exceto o afeto de ambos, naturalmente esperava que uma ou duas conversas resolvessem o assunto.

Nesse ponto, entretanto, e apenas nesse, ele errou, pois, embora Lucy logo desse esperanças de que a eloquência de Robert com o *tempo* a convenceria, sempre era necessária outra visita, outra conversa, para produzir tal convicção. Sempre pairavam algumas dúvidas na mente de Lucy quando se separavam, dúvidas que só poderiam ser eliminadas por mais meia hora de conversa com ele. Dessa forma, a presença dele era garantida, e o resto seguiu seu curso. Em vez de falar de Edward, aos poucos passaram a falar apenas de Robert, assunto sobre o qual ele sempre tinha mais a dizer do que sobre qualquer outro e pelo qual ela logo revelou um interesse igual ao dele; em suma, rapidamente ficou evidente para ambos que Robert havia suplantado inteiramente o irmão.

Robert estava orgulhoso de sua conquista, orgulhoso por enganar Edward e muito orgulhoso por se casar em sigilo sem o consentimento da mãe. O que se seguiu já é sabido. Passaram alguns meses em grande felicidade em Dawlish, pois ela tinha muitos parentes e velhos conhecidos para esnobar, e ele traçou vários planos para chalés magníficos; de lá, voltando à cidade, obtiveram o perdão da sra. Ferrars mediante o simples expediente de pedi-lo, o que foi feito por instigação de Lucy. De início, o perdão, como de fato era razoável, contemplou apenas Robert; Lucy, que não devia obrigações à sogra e, portanto, não poderia

Razão & Sensibilidade

ter transgredido coisa alguma, permaneceu algumas semanas mais sem perdão. Mas a perseverança na humildade de conduta e nas mensagens, na autorrecriminação pela ofensa de Robert e na gratidão pela indelicadeza com que era tratada proporcionou-lhe com o tempo a atenção arrogante que a conquistou por sua graciosidade e logo depois a conduziu, a rápidos avanços, ao mais alto grau de afeto e influência.

Lucy tornou-se tão necessária para a sra. Ferrars quanto Robert ou Fanny, e, enquanto Edward nunca foi sinceramente perdoado por ter pretendido casar-se com ela, e Elinor, embora superior a ela em fortuna e nascimento, fosse considerada uma intrusa, ela era em tudo considerada e sempre abertamente reconhecida como a nora favorita. Lucy e Robert estabeleceram-se na cidade, receberam auxílio muito liberal da sra. Ferrars, relacionavam-se nos melhores termos imagináveis com os Dashwood e, deixando de lado os ciúmes e a má vontade constantes entre Fanny e Lucy, nos quais os maridos naturalmente tomavam parte, bem como as frequentes desavenças domésticas entre Robert e Lucy, nada poderia exceder a harmonia em que todos viviam juntos.

Muitas pessoas poderiam ficar intrigadas ao descobrir o que Edward fizera para perder o direito de filho mais velho – e o que Robert havia feito para obtê-lo poderia intrigá-las ainda mais. Entretanto, foi um arranjo justificado em seus efeitos, se não em sua causa, pois jamais transpareceu no estilo de vida ou de falar de Robert nada que provocasse uma suspeita de que lamentasse a extensão de sua renda, fosse por deixar seu irmão com muito pouco, fosse por ter muito; e, se Edward pudesse ser julgado pelo imediato cumprimento de seus deveres em todos os detalhes, pelo apego cada vez maior à esposa e ao lar e pelo humor sempre alegre, não poderia ser considerado menos satisfeito com sua sorte, nem menos livre de qualquer desejo de mudança.

O casamento de Elinor a separou da família apenas o mínimo necessário para não tornar o chalé em Barton totalmente inútil, pois sua mãe e suas irmãs passavam muito mais da metade do tempo com ela. A sra. Dashwood era movida por razões políticas e também por prazer na frequência das visitas a Delaford, pois seu desejo de unir Marianne e o coronel Brandon não era menos intenso, embora mais generoso, do que o que John havia expressado. Era seu objetivo mais caro. Por mais preciosa que fosse a companhia da filha, não havia nada que ela desejasse mais do que abrir mão desse prazer em favor do estimado amigo, e ver Marianne instalada na mansão era igualmente o desejo de Edward e Elinor. Todos eles conheciam as tristezas do coronel e as próprias obrigações com ele, e Marianne, por consentimento geral, seria a recompensa de tudo.

Com tal conspiração contra ela, com um conhecimento tão íntimo da bondade do coronel Brandon, com a convicção do enorme afeto dele por ela, que enfim, muito depois de já ser observado por todos os demais, ficou evidente para ela, o que poderia Marianne fazer?

Marianne Dashwood nasceu para um destino extraordinário.

Nasceu para descobrir a falsidade das próprias opiniões e para neutralizar, mediante sua conduta, suas máximas favoritas. Nasceu para superar um afeto constituído tarde na vida, aos dezessete anos, e, sem nenhum sentimento superior a uma forte estima e vívida amizade, voluntariamente conceder sua mão a outro! E esse outro, um homem que havia sofrido não menos do que ela devido a um antigo afeto, a quem dois anos antes ela havia considerado velho demais para se casar e que ainda por cima buscava proteger sua constituição física com coletes de flanela!

Mas assim foi. Em vez de tombar em sacrifício por uma paixão irresistível, como outrora ingenuamente gabara-se esperar fazer; em vez de ficar para sempre com a mãe e encontrar seus únicos prazeres na reclusão e no estudo, como havia decidido fazer em um posterior julgamento mais calmo e sóbrio, ela se viu, aos dezenove anos, submetendo-se a novos vínculos, assumindo novas funções, situada em uma nova casa, esposa, senhora de família e protetora de uma aldeia.

O coronel Brandon agora era tão feliz como todos aqueles que o amavam acreditavam que ele merecia ser; em Marianne ele teve o consolo por todas as aflições do passado; o respeito e a companhia dela trouxeram-lhe de volta o entusiasmo mental e o espírito alegre, e que Marianne encontrara a própria felicidade ao produzir a dele foi igualmente a certeza e o deleite de cada amigo observador. Marianne nunca poderia amar pela metade, e, com o tempo, todo o seu coração se tornou tão devotado ao marido quanto antes havia sido a Willoughby.

Willoughby não conseguia ouvir falar do casamento de Marianne sem sentir uma pontada de dor, e sua punição logo depois se tornou completa com o perdão voluntário da sra. Smith, que, ao atribuir o casamento dele com uma mulher de caráter como fonte de sua clemência, deu-lhe motivos para acreditar que, caso tivesse se comportado de forma honrada com Marianne, poderia ter sido feliz e rico ao mesmo tempo.

Não há por que duvidar de que o arrependimento pela má conduta, que assim acarretou a própria punição, foi sincero, nem de que por muito tempo Willoughby pensou no coronel Brandon com inveja e em Marianne com pesar. Todavia, não se pode confiar que ele tenha ficado inconsolável para sempre, abandonado a sociedade, sofrido de temperamento melancólico habitual ou morrido por causa do coração partido, pois não fez nada disso.

Ele vivia para se exercitar e frequentemente para se divertir. A esposa nem sempre estava de mau humor, e sua casa nem sempre era desconfortável; na criação de cavalos e cães e nos esportes de todos os tipos, ele encontrou um grau nada desprezível de felicidade doméstica.

Por Marianne, no entanto, apesar da descortesia de sobreviver à perda dela, Willoughby sempre manteve um afeto resoluto, que o fazia interessar-se por tudo o que acontecia com ela e fazia dela seu padrão secreto de perfeição feminina, e no futuro muitas beldades em ascensão seriam menosprezadas por ele por não terem comparação com a sra. Brandon.

A sra. Dashwood foi prudente o bastante para permanecer no chalé, sem tentar mudar-se para Delaford; e felizmente para sir John e a sra. Jennings, quando Marianne foi tirada deles, Margaret tinha atingido uma idade muitíssimo adequada para bailes e não muito inadequada para ter um admirador.

Entre Barton e Delaford havia aquela comunicação constante que uma forte afeição familiar naturalmente ditaria, e, entre os méritos e a felicidade de Elinor e Marianne, não se pode classificar como menos considerável que, embora sendo irmãs e vivendo quase à vista uma de outra, conseguissem viver sem desentendimentos entre si e sem produzir frieza entre os maridos.

Fim.

Livros para mudar o mundo. O seu mundo.

Para conhecer os nossos próximos lançamentos
e títulos disponíveis, acesse:

🌐 www.**citadel**.com.br

f /**citadeleditora**

📷 @**citadeleditora**

🐦 @**citadeleditora**

▶ Citadel - Grupo Editorial

Para mais informações ou dúvidas sobre a obra,
entre em contato conosco pelo e-mail:

✉ contato@**citadel**.com.br